Las Mil y Una Noches de Sueños de Luz

Maria Calvo y Sonia E. Waters

Editorial OB STARE

Las Mil y Una Noches de Sueños de Luz

© Editorial OB STARE (para esta edición)
Apdo. de correos 122
Tegueste 38280 S/C de Tenerife
www.obstare.com; obstare@obstare.com

Primera edición: primavera 2011

ISBN: 978-84-937526-9-9
Depósito Legal: M-12575-2011

Impresión: Reprográficas Malpe, S.A.

Impreso en España.

Índice

Agradecimientos

Este libro nace de la gestación de una ilusión, la de poner voz a la mujeres que propician el cambio y que buscan nuevos caminos: caminos no siempre fáciles, pero, sin duda, caminos de Amor.

Después de acudir al I Congreso Interatlántico sobre Parto e Investigación en Salud Primal en Canarias en febrero de 2010, y al participar en un taller liderado por Sheila Kitzinger e Isabel Fernández del Castillo, surgió la inspiración y la oportunidad de que el momento de escribir era «ahora». Así que nos quedamos embarazadas de esta ilusión en junio de 2010, y el libro se publica en marzo de 2011. ¡Todo un embarazo!

Así, queremos agradecer a todas y todos los que han mimado este embarazo literario con su aportación individual.

Primero, a cada una de las mujeres, por ser única e irrepetible, por su sabiduría, por su arte de ser mujer y por enseñarnos con sus vivencias. A sus parejas y familias, que las han apoyado y acompañado en este hermoso camino de Luz.

También agradecemos la aportación de cada uno de los profesionales de Marenostrum que han colaborado, ya que sin ellos el centro no sería posible, y el acompañamiento que ofrecemos a las familias sería muy distinto. Sus conocimientos y entrega son de un gran valor humano y científico.

También agradecemos el apoyo incondicional de nuestras familias, que nos ayudan a compaginar nuestra vida profesional con la personal.

Al tratarse de historias reales, algunos de los nombres propios han sido modificados para preservar la confidencialidad.

Gracias a la vida, que nos da tanto.

Prólogo

Marenostrum celebra su XII aniversario de existencia. Por este motivo, queremos conmemorar la entrega y servicio que los profesionales han ofrecido a las familias que han optado por un cuidado de la salud de manera integral y homeopática.

Dar la enhorabuena a las familias por encontrar un oasis en el sistema de salud alopático, un lugar donde el trato personalizado e individual prevalece sobre lo que rigen las agendas, los relojes y los tiempos de consulta.

Felicitar a las familias por tener este libro en las manos, que resume cientos de vivencias de nacimientos de personitas que forman parte de la sociedad de hoy y de mañana. Hemos querido plasmar esos momentos intensos y emotivos de las tardes de reuniones de padres en las que las parejas se encuentran para compartir dudas, miedos y anécdotas. A raíz de estas reuniones, nos hemos percatado de lo terapéutico que es explicar lo que se vive durante los procesos del parto; ríen, lloran, preguntan y se dan cuenta de lo cotidiano que puede llegar a ser un nacimiento en casa. Resulta reconfortante escuchar historias con final feliz, sea cual sea el camino y sus medios, con sus dificultades intrínsecas cuando siempre nos encontramos frente a comentarios dramáticos, sanguinolientos y casi con un aire de terror. El parto en nuestra sociedad, donde el miedo nos invade, es una excusa perfecta para aterrorizar a las mujeres (y sus parejas), que se encuentran bajo una momentánea vulnerabilidad y frente a la hazaña más importante y responsable de sus vidas.

La visión de las mujeres ha ido cambiando a través de las generaciones, y éstas han ido reclamando sus derechos para recuperar el control y el protagonismo de dar a luz. Los profesionales han invadido poco a poco la autonomía de la mujer y se han convertido en sujetos activos del proceso del parto, interviniendo en él de manera invasiva sin permitir, que el cuerpo de la mujer actúe como está diseñado para funcionar.

En Inglaterra, en 1991, y en respuesta al reclamo de sus ciudadanos, el gobierno publicó un decreto para cambiar la manera de atender los nacimientos (Changing Childbirth, DoH) y consecuentemente la formación que recibían las comadronas y ginecólogos / obstetras.

En Cataluña y en el resto de España se ha producido un cambio paulatino en la manera de entender la fisiología del parto desde los años 90, cuando las mujeres tenían una gran insatisfacción después de ver nacer a su hijo en condiciones impersonales, frías y con grandes consecuencias para su salud sexual, reproductiva y, en mayor impacto, sobre la salud de sus recién nacidos. A partir del siguiente milenio, en España se han creado iniciativas para defender la libre elección de las mujeres y mejorar así la salud perinatal, como el caso de la Asociación El Parto es Nuestro en el año 2000.

La formación de comadronas ha ido mejorando para renovar la visión de qué es normal y qué es patológico, aunque queda mucho camino por recorrer y pulir una serie de prácticas ya habituales en el manejo del cuidado de la mujer que han quedado demostradas que son perjudiciales para la salud de la madre y del bebé. A nivel nacional, se ha reconocido la necesidad de este cambio y se han creado estrategias para implantarlo, como la *Estrategia de Atención al Parto Normal del Sistema Nacional de Salud*.

En la actualidad, el parto en casa no está considerado parte del sistema de salud —como en otros países de Europa del Norte— y es una opción costosa, además de alternativa, para las familias. Sin embargo, en 2010, el Colegio Oficial de Enfermeras de Barcelona publicó la *Guía de Asistencia del Parto en Casa*, escrito por profesionales expertos en el ejercicio para poner de manifiesto los buenos criterios.

El embarazo, el parto y la crianza son eventos sociales, y como tales no son fijos sino cambiantes. En general, los profesionales de la salud no han reflexionado sobre el impacto que el nacimiento puede tener en nuestra sociedad; sin embargo, con otras visiones más profundas acerca del funcionamiento de nuestras vidas y la estructura social, las comadronas son una fuente importante para contribuir al cambio sociológico. Según Michel Odent, «cambiando la manera en que nacemos podemos cambiar el mundo...».

La seguridad del parto en casa siempre ha sido cuestionada y es el punto clave a la hora de decidir dónde dar a luz. A nivel mundial, los estudios que analizan este aspecto están todavía en controversia, y los debates acerca de este tema siguen en auge. En el Reino Unido, el Ministerio de Sanidad confirmó en 1992 que no está claro que el mejor sitio para que nazca un bebé sea un hospital, ya que no hay suficiente evidencia para defender esta afirmación. En diferentes países se siguen estudiando las distintas variables para demostrarlo y garantizar la salud de la población.

Según los datos recogidos por los profesionales entre los año 2007 y 2010, hoy por hoy el parto en casa en España es seguro, y la demanda va en aumento hasta que la atención hospitalaria no garantice la humanización del parto y una mejor atención a la mujer y a sus hijos.

Según el Instituto Nacional de Estadística, en el año 2009 se produjeron en Cataluña 84.914 nacimientos (de los 492.931 totales en España), de los que alrededor de 600 fueron partos en casa atendidos por profesionales cualificados; de ellos, 66 fueron asistidos por personal de Marenostrum. La cifra es importante para nosotros y para todas aquellas familias que han gozado de la experiencia de ver nacer a su bebé en su hogar.

La actividad de Marenostrum se resume con los siguientes datos:

• Entre los años 2008 y 2009, Marenostrum atendió un total de 154 partos.

• De ellos, el 82%, en casa, de los que el 21% fueron partos en agua. Del total de los 154 partos, el 18% precisó de traslado hospitalario.

• De los traslados hospitalarios, un 3 - 4% se resolvió en cesárea en el año 2008, y un 6% en, 2009.

• El motivo de traslado más común fue por parto estacionado (3%) y por petición materna (3%).

• Entre las medidas de atención, destacamos el apoyo de la comadrona a la pareja, seguido de homeopatía (58%), inmersión en agua caliente (36%) y electroestimulación nerviosa (5%).

Capítulo I
Introducción

Filosofía

M arenostrum es un centro de salud familiar comprometido en vivir, crear y disfrutar de salud, equilibrio
y libre decisión en todos los aspectos. Ofrecemos servicios médicos y
terapéuticos que ayuden a nuestros pacientes a utilizar su fuerza vital
para recuperar su equilibrio como expresión de salud.

Siendo la homeopatía nuestra base terapéutica y precisamente por ello, entendemos la salud como un todo en el que cada
individuo se expresa de una manera propia: personal.

Ofrecemos terapias coadyuvantes como la dietética, la osteopatía y la acupuntura, que nos ayudan a completar el sistema de
curación en función de las necesidades y la historia personal de cada
paciente.

Especialmente nos dedicamos al acompañamiento de las
personas y familias desde antes de la concepción hasta después de la
muerte, normalmente en casa o en nuestro centro.

También disponemos de una serie de servicios entendi-
dos como profilácticos, es decir, sistemas de mantenimiento de la

salud y prevención de la enfermedad, como tai-chi, chi-kung, gimnasia consciente, constelaciones familiares y otros seminarios y cursos puntuales que pretenden ofrecer a nuestros pacientes espacios adecuados a sus necesidades personales.

Por último, entendemos que la información es un poderoso instrumento de curación, ya que permite al individuo tener más opciones para afrontar su equilibrio y el de su entorno familiar. En este sentido, programamos periódicamente charlas gratuitas sobre temas de salud que nos ayudarán a resolver los pequeños grandes problemas cotidianos.

Salud y enfermedad no son dos polos opuestos. Muchas veces, la enfermedad se presenta como una oportunidad para entender, aprender y crecer. Queremos hacer de espejo para ayudar a mirarnos a nosotros mismos y cuestionar nuestra realidad.

• La alegría y la risa son sinónimos de salud y bienestar.

• Somos lo que pensamos, decimos y vivimos; lo expresamos con nuestro cuerpo y en nuestros movimientos.

• Somos lo que comemos; de la calidad de nuestra alimentación depende nuestro desarrollo, tanto físico como mental.

• Ser uno mismo es el núcleo de una vida saludable.

• Confiar, comunicarse, abrirse, relacionarse y hacer amistades verdaderas dan sentido a la vida.

• Tener conciencia del cuerpo, cuidarlo y amarlo, saber adaptarse, tanto física como emocionalmente, a situaciones nuevas y diferentes son expresión clara de salud.

• Expresar las emociones es positivo; de las apariencias no se puede vivir.

• Es importante tomar decisiones y no caer en el papel de víctima; la indecisión causa ansiedad, angustia y dolencias nerviosas.

• Buscar una actitud positiva y vivir los procesos tomando conciencia de ellos nos convierte en expertos para encontrar soluciones sin recrearnos en los problemas.

Acompañamiento durante el embarazo

Seguimiento del embarazo natural

En Marenostrum consideramos que el embarazo no es una enfermedad, y desde esta perspectiva acompañamos el proceso llevando el control y seguimiento del mismo. Dicho seguimiento lo realizamos las comadronas del equipo, expertas en normalidad reproductiva y preparadas para detectar la anormalidad y, entonces, derivarla a uno de nuestros médicos homeópatas.

A menudo, las visitas «normales» de control del embarazo son demasiado rápidas y dirigidas sólo a su aspecto físico, por lo que muchas embarazadas salen angustiadas de la consulta. Nosotras tenemos tiempo: la primera visita de embarazo dura una hora y participa una de las comadronas. Las siguientes visitas son de la misma duración, siempre y cuando las personas que atendemos no requieran de más tiempo. Consideramos importante que la embarazada y su pareja sientan que tienen en la comadrona un apoyo, alguien en quien confiar que está a su disposición. Es la manera de crear la complicidad necesaria para el momento del parto. En las visitas, tratamos de tranquilizar a la pareja presentando la información de manera clara, hablando de todas las dudas y miedos de cada una de las mujeres y apoyándolas y ayudándolas en los problemas físicos y / o emocionales que puedan surgir desde la medicina alternativa y /o convencional, según se requiera.

Para nosotros, el nacimiento de una vida es un acontecimiento trascendental, sagrado, que merece respeto y cuidado. Los profesionales que atendemos nos sentimos invitados privilegiados a esta fiesta de la bienvenida al mundo de un bebé, y como tal nos comportamos.

Información para la familia embarazada

Conoceremos a la familia embarazada durante la gestación en Marenostrum, tanto en las visitas como en los encuentros que organizamos mensualmente con todas las parejas que quieren parir en casa, junto con las comadronas. También nos podemos conocer más en las clases de preparación al nacimiento.

Vamos a visitar a la mujer embarazada a su casa unas semanas antes del parto. En esta visita, conocemos el camino, valoramos las posibilidades de su domicilio, les damos ideas para ayudar a organizar los preparativos del parto...

Requisitos del domicilio para un parto en casa

• Un techo.

• Espacio mínimo de dos metros cuadrados.

• Agua caliente.

• Que esté como máximo a 30 minutos de un hospital.

Con la mujer embarzada desde el principio

Estamos de guardia desde la semana 36 de gestación hasta que da a luz. No ponemos límite a las 42 semanas, pero estaremos a su lado ayudándola con medios naturales para propiciar el parto a partir de la semana 41 y media. Tendrá acceso telefónico a las comadronas las 24 horas del día para cualquier consulta que desee realizar, pues queremos estar informadas de cualquier novedad durante su embarazo. Durante la primera fase de pre-parto, cuando empiezan las contracciones suaves e irregulares, iremos hablando con frecuencia, y en cuanto el parto avanza vamos a su casa. Generalmente, llega primero una comadrona, y según va evolucionando el proceso, una segunda profesional.

Preparativos

El equipo que llevamos a la casa de la mujer de parto incluye piscina y material para hincharla, llenarla y vaciarla, silla de partos, equipo básico, así como un equipo de emergencia para solucionar las complicaciones que puedan surgir, como oxígeno y material de reanimación neonatal, instrumentos para colocar una vía endovenosa, un suero expansor de plasma y medicación para cortar una hemorragia, entre otros. Durante las consultas prenatales, se tratará de la posibilidad del traslado hospitalario: a qué hospital acudir, qué coche utilizar, quién conducirá, dónde estará localizada la documentación necesaria para el hospital, el teléfono del mismo...

Un momento mágico

En cuanto nace el bebé, lo colocamos sobre su madre, piel con piel, y lo cubrimos con toallas calientes; tras asegurarnos de que todo está en orden, nos trasladamos a otra habitación para que la madre, el bebé y el padre disfruten de este primer momento mágico.

Más tarde, cuando la placenta da signos de querer salir, pinzamos el cordón y ofrecemos al papá, o a quien quiera hacerlo en su lugar, cortarlo. Tras el alumbramiento, ayudamos a la madre a iniciar la lactancia materna y valoramos el estado de su periné. Si se necesita suturar algún desgarro, lo hacemos con anestesia local. Después de unas dos o tres horas, quizás más, y tras comprobar que la matriz está bien contraída, no hay sangrado excesivo y el bebé tiene buen color, temperatura y está mamando adecuadamente, recogemos el material y nos marchamos.

Seguimiento

Normalmente realizamos tres visitas posparto a domicilio: una de ellas por parte de uno de los médicos homeópatas del equipo de Marenostrum, para valorar pediátricamente al bebé recién nacido. A los 7 ó 10 días después del nacimiento, la mujer y el bebé asistirán a las consultas posparto en Marenostrum hasta la cuarentena. Nos ocupamos de la documentación correspondiente, así como de la cartilla del bebé. También podemos realizar en casa o en la consulta la prueba de diagnóstico precoz al bebé.

Preparación al nacimiento

Se trabaja con criterios unificados con el objetivo de que les parejas puedan, de forma consciente, tener la información y la formación necesarias sobre lo que significa un nacimiento, y puedan, en esta etapa de sus vidas, disfrutar del milagro de dar vida. El curso consta de siete sesiones teóricas y seis de trabajo corporal, con una duración aproximada tres meses.

Atención al posparto

El posparto es un momento de gran alegría por la llegada de un hijo, pero al mismo tiempo es un período de fragilidad; el impacto del parto, el reajuste físico, emocional y familiar frente a la responsabilidad que supone un recién nacido hace que este período esté salpicado de diversas dudas por parte de los padres.

En Marenostrum, sabemos que estas situaciones se pueden presentar en los pospartos, y también sabemos que una madre recién parida en situación de crisis necesita atención eficaz y rápida. Necesita resolver sus dudas, recibir información correcta y actualizada y todo el apoyo para salir adelante.

Capítulo II
Equipo Marenostrum

Homeopatía

L a homeopatía es un sistema terapéutico efectivo, suave y natural que utiliza medicamentos energéticos sin efectos secundarios tóxicos. Como tal, es adecuado para administrarse durante el embarazo, la lactancia y los primeros meses de vida.

Se basa en el principio de que *lo similar cura lo similar.* Tomemos el ejemplo de una cebolla: cuando se parte una cebolla, a uno le salen lágrimas y también le gotea la nariz; en homeopatía, se utiliza *Allium cepa,* cebolla, preparada de manera homeopática, para el tratamiento de lagrimeo y goteo nasal, como puede ser el caso de una rinitis alérgica o al principio de un resfriado.

Se han investigado muchas sustancias naturales de esta manera, y se conocen los síntomas que pueden producir y, por lo tanto, curar. Estos síntomas pueden ser físicos, emocionales o mentales. El medicamento *Coffea,* café, como sabemos, puede producir insomnio, excitación, nerviosismo e hipersensibilidad a los estímulos; nos hace sentir hiperactivos e hiperreactivos. Por lo tanto, se usa en homeopatía para tratar a personas que no pueden dormir por tener muchas ideas en la cabeza, que cuando se duermen se despiertan fácilmente por el menor ruido o tacto, cosa que a veces sucede por alegría, y puede ocurrir en el posparto. El medicamento *Aconitum,* una planta que crece en las montañas, puede producir miedo súbito y mucha agitación. Se utiliza para tratar ataques de pánico, claustrofobia o ansiedad que surge después de un susto fuerte como un accidente de coche o una catástrofe natural. Para un bebé, un parto traumático es como vivir una catástrofe natural, y entonces se podría beneficiar de tomar *Aconitum,* al igual que una mujer que siente muchísimo miedo durante el trabajo de parto.

Existen unos cinco mil medicamentos homeopáticos investigados. Con ellos, se pueden tratar: náuseas del embarazo, miedos o pesadillas, dolores, infecciones, amenaza de aborto, presión alta durante el embarazo o problemas físicos que surgen después de una determinada emoción o suceso, como estreñimiento después de una cesárea, dolor de espalda después de un disgusto, insomnio por la muerte de un ser querido, shocks emocionales, traumas antiguos...

Algunos medicamentos son muy conocidos para casos particulares: durante el parto sirven específicamente para aliviar el cansancio o el dolor muscular o para acelerar la dilatación, y después del parto alivian los entuertos, el malestar asociado a la subida de la leche o las mastitis. Entre ellos, se encuentran: *Arnica, Caulophyllum, Kali phosphoricum* y *Phytolacca.* Ésta es la llamada homeopatía para casos agudos.

El tratamiento constitucional, el de fondo, va dirigido a la persona en su totalidad más que a un diagnóstico en particular, observando cuáles son los factores de estrés en su vida y la forma que tiene de reaccionar ante ellos, es decir, cómo expresa su malestar a través de los síntomas.

Sea el problema de piel, respiratorio o digestivo, sea una pena o mucho cansancio, para el homeópata importará más saber qué hace a la persona sentirse mejor o peor, si el calor o el frío, el aire libre, el movimiento, la compañía, alguna hora del día en particular, la montaña, el mar o alguna comida; y conocer su pasado, sus emociones vividas, lo que le hace feliz y lo que le hace sufrir, su manera de estar en el mundo, sus sueños... Durante el embarazo, parto y posparto muchas veces salen a la luz sensibilidades antiguas o miedos: a no hacerlo bien, al dolor, a lo desconocido; o se recuerdan o reviven épocas pasadas. Es un período para mirar hacia adentro y tomar conciencia de una misma. El bebé recién nacido comparte las impresiones que ha vivido la madre durante el embarazo, desde la concepción y la noticia de que estaba embarazada, y éstas forman parte de su historia.

Así, se llega a una comprensión más profunda del individuo que enferma y se puede prescribir un medicamento que alivie el malestar desde la raíz. La homeopatía equilibra el sistema, dándole al cuerpo la información que necesita para encontrar el camino de vuelta a la salud. Incluso si no hay enfermedad manifiesta, la homeopatía puede utilizarse como preventivo, estimulando la vitalidad de la persona, ayudándola a permanecer sana y, en el caso de una mujer embarazada, optimizando las condiciones para el ser que ha de llegar.

Para la homeopatía, la salud es la libertad de realizarse como persona en el plano mental, emocional y físico. Es tener la mente clara para pensar y comunicar las ideas. Poder vivir el momento, sentir y expresar las emociones y luego dejarlas ir sin que éstas sean un agobio, o que una emoción como el miedo determine las acciones futuras. Es un equilibrio dinámico. Si no tuviéramos emociones, no estaríamos vivos. Si no estuviéramos a veces tristes, no conoceríamos la felicidad. Lo importante es que la tristeza no dure tanto y que permita funcionar a la persona. En el plano físico, con tantas presiones que tiene la vida moderna, es saludable de vez en cuando coger un resfriado. Nos avisa de que tenemos que darle un descanso al cuerpo. Y si le hacemos caso al aviso, lo saludable es curarse en pocos días sin secuelas y no volverse a enfermar muy pronto. La salud es poder responder de manera adecuada en cada situación.

Dra. Trilce Alcorta. Médica Homeópata.

El lugar del Amor en la obstetricia

Osho, gran experto del amor, dijo que hay dos maneras de vivir: una orientada hacia el miedo, y otra, hacia el amor. Como obstetra, pronto descubrí que ante el nacimiento de un ser humano, el miedo ocupa tanto espacio que casi no deja margen al amor.

Miro en retrospectiva mi formación y me pregunto cuánto hubo en ella de amor y cuánto de miedo. Aprendí que la enfermedad era el resultado de la imperfección del cuerpo humano.

Y, entonces, apareció el miedo: miedo a una pelvis demasiado estrecha, a un bebé demasiado grande, a las aguas teñidas, al corazón fetal que late demasiado lento, a la sangre roja y abundante; miedo de no llegar a tiempo, a no ver lo que está ante mis ojos por malinterpretar síntomas y signos clínicos, terror de no poder evitar una muerte.

Yo, la autoridad; yo, la responsable; yo, la que sabe. ¿Y si no supiera todo lo que hay que saber? ¿Y si de repente viera que no soy nadie ante lo inmensamente inexplicable que es el misterio del nacimiento de un ser humano? ¿Qué lugar me tocaría entonces habitar para acompañar con profesionalidad y eficacia a las mujeres que solicitan mi presencia?

Hace tiempo que deseo no habitar sólo el lugar inhóspito, oscuro, estrecho y frío del miedo y busco una nueva perspectiva que incluya el amor.

Nadie me enseñó cómo hacerlo. Me tocó aprenderlo sola compartiendo tramos de camino con buscadores/as como yo.

¿Cómo habría sido si cuando tenía 20 años, en lugar de la medicina del miedo, me hubiesen enseñado la medicina de la confianza, de la escucha profunda de los síntomas físicos y mentales, de la observación atenta y compasiva del paciente?

Desafortunadamente, el amor no es materia de estudio en las facultades de medicina. Cuando era niña, el amor y la caridad se enseñaban el domingo en la iglesia de mi pueblo, pero no se hablaba del cuerpo y la salud, pertenecían al dominio de la ciencia. El amor poco tenía que ver con la salud o la enfermedad, ni hablar de la sexualidad, tabú y siempre fuente de pecado.

A solas tuve que andar por caminos vírgenes, orientada por lecturas, conversaciones, viajes, encuentros... Mis ojos, mis oídos, mis dedos aprendieron a percibir sutiles informaciones. Experimenté lo mucho que cuesta estar abierta y sensible delante del paciente, única vía para establecer una relación terapéutica profunda y eficaz.

Aprendí que desde el lugar del amor no hay enfermedades insidiosas sino síntomas que el organismo expresa en búsqueda de su equilibrio hacia un renovado nivel de salud.

Con los sentidos muy atentos y la cabeza centrada observo lo que sucede, siento mi cuerpo y tomo decisiones, si es que las debo tomar. Si no, simplemente estoy.

Desde esta perspectiva, recuperé la confianza en el cuerpo de la mujer, en el perfecto proceso del parto rodado durante miles de años en los cinco continentes, la confianza en el bebé, que no es un ser frágil e indefenso como me dijeron, sino fuerte y resistente.

Ahora sé que si estoy receptiva y calmada, mi interior se expande y crea un espacio nuevo para la escucha, la mirada, la ternura, el aliento, el sostén y, al mismo tiempo, me da más lucidez y rapidez si es necesario actuar de forma urgente.

No puedo olvidar que antes que médico soy mujer, con mi historia, mis fragilidades, mis fortalezas, mis deseos y mis frustraciones. La esencia de la mujer que soy se abre al encuentro con otra mujer y con el bebé que se instaló en su vientre, pero que también es hijo del mundo y, por eso, en parte mío, al que quiero proteger, cuidar, defender y dar la bienvenida.

Mi responsabilidad como obstetra incluye saber que todo ser humano está condicionado por su concepción, que la forma de nacer marca su desarrollo, y que si el bebé experimenta el sentimiento de seguridad y de placer desde el primer momento, mucho trabajo estará hecho para que en la vida despliegue todas sus posibilidades.

Desde el lugar del amor, pueden suceder milagros. Todos los obstetras conservan el recuerdo de alguno.

Hace unos días leí la historia de Kate Ogg, una mamá australiana que dio a luz dos mellizos muy prematuros de 27 semanas. La primera en nacer fue una niña que en seguida respondió a los cuidados del neonatólogo; el segundo fue Jamie, un varón demasiado débil para reaccionar a los intentos de reanimación. Veinte minutos más tarde, el medico anunció: «Hemos perdido a Jamie», pero la madre pidió que lo pusieran sobre su pecho. Durante cuatro horas le contó lo mucho que lo quería, le explicó lo bello que era vivir en el mundo, le puso gotitas de leche en la boca, lo acarició y lo besó en contacto piel con piel, hasta que el niño abrió los ojos... Había decidido vivir.

El amor hizo el milagro, y los médicos sólo podían abrir la boca para decir: «¡No es posible! ¡No me lo puedo creer!».

Esta historia puede no tener peso estadístico, pero no deja de tener un peso enorme para mí y para los que intentan, como yo, ir más allá del paradigma bio-médico-mecanicista.

Agradezco a la vida por haberme llevado hasta ese lugar. Atender partos es mi mejor oportunidad de aprendizaje, es pura sabiduría, es trabajo duro de investigación sobre el ser humano. Del parto he aprendido nuestra naturaleza cíclica, la importancia de respetar los tiempos fisiológicos, de dejar que un ciclo acabe para que se inicie otro. He gozado de las gratas sorpresas que trae una actitud paciente, optimista, confiada.

Es más, el parto me está enseñando el amor verdadero: el que huele a sudor y líquido amniótico, que, como las contracciones, está hecho de momentos altos y bajos, alternando dolor y placer; que necesita tiempo para desplegarse y dar lo mejor de sí; que parece estancarse, pero de repente arranca con más fuerza; que necesita ser cuidado, acariciado y sostenido.

Este camino, que nunca acaba, lo comparto con otros compañeros que creen en una medicina humanista y la practican cada día en sus consultas, en las salas de parto, en los hospitales, en las casas. Una medicina que no es una religión sino una práctica profesional eficaz y de alta calidad donde progreso evolutivo no coincide con avance tecnológico. Una práctica fundada en la capacidad de autocuración del organismo y en su fisiología.

El amor en la medicina en general, y en la obstetricia en particular, es en definitiva una herramienta de trabajo eficaz y potente a la que todos podemos acceder, simplemente por estar vivos y ser humanos.

Dra. Arianna Bonato. Ginecóloga.

Acompañando a la bienvenida de un pequeño ser

Es un honor para mí estar invitada a esta celebración del milagro de la vida. Así lo vivo también cuando me requieren en un parto.

A pesar de los largos años de experiencia como pediatra en las salas de partos hospitalarias, me sorprende siempre la emoción y la energía que rodea a un parto en casa: es un acto SAGRADO donde lo primero que se te ocurre es hacer una reverencia. Sí, una reverencia a la sabiduría y la fuerza ancestral de aquella mujer, una reverencia a la profesionalidad y el respeto que emanan las comadronas, una reverencia a la colaboración y expectación del padre...

Consciente, a la vez, lo que sólo mi presencia como pediatra mueve, intento en primer lugar no intervenir en todo aquello que ya fluye. Por lo tanto, y como en todo acto médico, es primordial la observación y la escucha. Para mí, acostumbrada al intervencionismo hospitalario, lo más admirable es esa actitud de expectación, de observación y de silencio.

Decidir cuándo es el momento de actuar es mucho más difícil que decidir el tratamiento, creo yo.

A nuestro alcance tenemos, además de los conocimientos en neonatología, todo el arsenal de remedios homeopáticos, con su discreta y a la vez contundente fuerza cuando se aplican en el momento y a la persona adecuada.

Con todo, no sé explicaros cómo, pero todos los profesionales recibimos de esa experiencia una dosis extra de alegría y de energía vital... Puede ser el regalo del bebé.

Dra. Lourdes Giovani. Pediatra Homeópata.

El círculo del médico

En estos momentos me siento feliz y satisfecha, tengo la sensación de estar «completando el círculo».

Nunca supe explicar por qué estudié medicina, sólo sabía que lo debía hacer, algo me empujaba hacia ello. Por circunstancias y amistades, el camino se fue perfilando, después vino la angustia: yo quería ayudar, aliviar, pero no atinaba a entender por qué el trayecto hacia la curación pasaba por cierta tortura al paciente: pruebas complementarias, sondajes, vías, diagnósticos sentenciadores, días de ingreso hospitalario, esperas angustiosas...

Me volqué en la medicina general (como se decía entonces), ya que parecía más humana y cercana a la persona. Eras el primero en recibir al paciente, de tu enfoque dependía su futuro en cuanto a tratamientos y pruebas... Podías decidir.

Después recalé en la medicina rural: preciosa; tratando a niños, ancianos o adultos, metiéndote en sus casas cuando te requerían. Procuraba darles tranquilidad, presencia y toda la ciencia que podía; ellos te devolvían agradecimiento, alivio y afecto (también algún que otro fuet o «llangonisa»).

A veces tocaba ir a certificar su muerte o acompañarlos en la recta final de sus vidas. Consolabas a la familia y acompañabas el duelo. Duro, pero ahí estabas...

Poco a poco iba consiguiendo sentirme MÉDICO, con el significado amplio de la palabra; no una gran especialista en nada, más bien una «apagafuegos»: tanto intervenía en las fiebres infantiles, aparatosas y angustiantes para los padres, sobre todo si eran primerizos, como en la patología de adulto o en las demencias y achaques seniles.

Afortunadamente, en el ámbito rural me fue posible introducir tratamientos más naturales y respetuosos con mis pacientes. Al poco tiempo conocí la Homeopatía y respiré, aliviada, al observar su eficacia, y pude prescindir mayoritariamente de los medicamentos alopáticos. Me iba acercando lentamente a mi ideal de aliviar y curar.

Y, entonces, hace unos 10 años, la vida me puso delante la posibilidad de completar el círculo: por una serie de «casualidades» o curiosas coincidencias (como me gusta llamarlas), tuve la oportunidad de entrar a formar parte del equipo de Marenostrum, y así, se me abrió una puerta maravillosa que me introdujo en la belleza y misterio de los partos respetados.

Por fin podía sentirme como los médicos de antes, iba a ser capaz de atender en las diferentes circunstancias de la vida, tanto la llegada de un nuevo ser a este mundo, con toda la luminosidad que comporta, como confortar en los últimos días de vida o apoyar en épocas de crisis y cambios adultos... Pero, volviendo a los nacimientos, no negaré que en un principio el sentido de responsabilidad y los miedos injertados durante los años de universidad me provocaron cierto estrés, pero con el paso del tiempo y a base de atender mujeres embarazadas y partos, he ido aprendiendo con cada uno de ellos, dejándome llevar por la cadencia que el binomio madre - hijo marcaban.

Aprendiendo a esperar o a correr, según las circunstancias. Aprendiendo a no ceder en aquel punto de cansancio o desesperación que te arrastran en algunos momentos, sabiendo que la vida no puede parar, que sigue y sigue hasta completar el proceso. Y sintiéndome muy dichosa cuando, finalmente, el bebé llega y con él aparece la luz: de repente todo se ilumina y envuelve a todos los presentes en una ola de energía que persiste durante horas después del parto. Es realmente un lujo poder asistir de esta manera...

Agradezco a la vida el poder sentirme MÉDICO, así, con mayúsculas. Intento seguir ayudando a mis congéneres de la mejor manera que sé y soy consciente de estar recorriendo un camino donde cada bebé que nace y cada paciente que me abre su corazón aportan un rayo de luz para intentar entender el alma humana. Por todo esto, me gusta la frase: ¡GRACIAS A LA VIDA!

Dra. Susana Edo. Médica de Familia y Homeópata.

Nacimiento, posparto y lactancia materna

Mis vínculos con Marenostrum se inician antes de que existiera como hoy se conoce: en mi primer embarazo buscaba un parto natural. Encontré (nos encontramos) a la Dra. Ortrud Lindemann. Y puedo decir que, a partir de entonces, mi vida cambió. Parí a mi hija Judith un 31 de enero de 1998 en mi casa, en mi espacio, en la intimidad. Fue un parto feliz, suave, fluido y acuático. Me había preparado para el parto, pero no para el nacimiento. Los primeros días de posparto fueron muy, muy duros, no por mi hija sino por mí misma: no estaba preparada para lo que significa un bebé real, un bebé que pide contacto, tiempo, responsabilidad y respeto.

Quise triunfar en la maternidad y complacer a todo el mundo al mismo tiempo. Craso error. Antepuse en muchas ocasiones los deseos de los demás a las necesidades de mi hija y a mi propio instinto. Mi hija sembró en mí la semilla de la madre: me despertó el instinto, aquél que sientes dentro con una fuerza imparable, el que te hace buscar y buscar otra manera de vivir, de criar y de amar. Gracias a ella, en 1999, ya con Marenostrum constituido, hice, junto con un grupo de mujeres, la primera formación de *doulas*. Y durante varios años me dediqué a acompañar algunos partos en casa con el equipo de Marenostrum.

Después vino mi segundo embarazo y mi segundo parto en casa con el equipo de Marenostrum y una *doula*. Mi hijo Max nació el 18 de julio de 2002 en un parto tormenta: rápido, intenso, terrenal y carnal. Y con él, yo, que «ya sabía», aprendí la más grande lección de humildad y flexibilidad. Fue también (gran paradoja) un posparto difícil, pese a ser un bebé constantemente pegado a mi cuerpo y a mi alma. Él hizo florecer en mí la madre que ayuda a otras madres. Puso a prueba mi coherencia y mi instinto: gracias a él comencé a formarme en lactancia materna, monté mi grupo de apoyo en mi ciudad (Ma Cas) y conseguí el título de Consultora Certificada (IBCLC: International Board Certified Lactation Consultant).

Mis vínculos con Marenostrum son profundos desde el inicio, y se hicieron más estrechos desde 2000, año en que comencé a colaborar de forma activa como *doula* de partos y pospartos y dando clases de masaje infantil. Con la primera crianza de Max, me tomé una excedencia y reanudé las colaboraciones en 2006, dando clases en la preparación preparto y en el grupo posparto.

En 2008, me lancé a la gran aventura: dedicarme exclusivamente, en cuerpo y alma, con amor y con humor, a lo que siento que es mi lugar en este mundo: «acompañar la maternidad y la paternidad, los partos, los pospartos y, por supuesto, la lactancia materna». Estoy presente en las clases de preparto y coordino y acompaño el grupo de posparto. También acompaño algunos partos en casa. Tengo consulta de lactancia materna en el centro y voy a domicilios. Todo ello, con la perspectiva de equipo de Marenostrum y los profesionales vinculados al centro.

Me han pedido para este libro que escriba sobre lactancia materna. Sobre este tema hay mucho escrito, especialmente todo aquello que hace referencia a las posiciones, técnicas, etc., que por supuesto es necesario conocer y manejar bien cuando una mujer acaba de ser madre.

Pero mi propio aprendizaje como madre y mi experiencia como consultora y *doula* en los últimos 10 años con madres, bebés y padres me lleva a compartir con vosotros algunas reflexiones acerca de los factores históricos, culturales, relacionales y emocionales que rodean la lactancia materna y el posparto y, en definitiva, del diálogo que se inicia con el nacimiento entre la madre, el bebé y el padre.

Quiero dejar constancia aquí de mi más profundo agradecimiento a todas las familias y a los bebés que he acompañado: cada día aprendo de vosotras a cómo seguir dialogando, y me acompañáis en mi camino profesional y vital. Gracias a todos vosotros estas reflexiones son posibles.

Anna María Morales. Doula y Asesora de Lactancia.

La red familiar en el parto en casa

Con frecuencia he sido el médico que entrevista a la embarazada sobre la motivación que tiene para querer tener un parto en casa. Procuro tener la perspicacia suficiente como para leer por debajo del discurso de la embarazada y percibir, sobre todo, que la motivación no sea un esnobismo, una simple moda; una actitud así es fácil de detectar.

Existen motivaciones más sutiles que requieren observación y experiencia. Para nosotros, en Marenostrum, la red familiar es básica e indispensable para que una mujer pueda tener su parto en casa, de tal manera que nos aseguramos de que se cuenta con una red familiar lo suficientemente fuerte como para acompañar a la mujer que parirá, especialmente la madre.

Con el embarazo y con el parto, la relación entre la embarazada y su madre florece en muchos sentidos: puede haber una reconexión que le permita a la embarazada tomar la vida que le ha sido dada a través de su madre; puede reconciliar aspectos difíciles de su relación con ella; puede aprender a ser madre, más allá de la logística que el embarazo y el parto requieren.

Uno de los aspectos más sutiles a los que solemos estar atentos es que entre la embarazada y su red familiar se respete el orden: puede ocurrir que el parto en casa sea una estrategia inconsciente de la mujer embarazada para colocarse por encima de su madre, de tal manera que el discurso subyacente sea «Mira, madre, yo lo hago mejor que tú», pues suelen ser los casos que se complican y que con frecuencia acaban con un parto distócico o directamente en cesárea. Estas mujeres no querían parir en casa, querían reeducar a sus madres.

A toda mujer embarazada en la que vemos dificultades en la relación con su madre no le objetamos la posibilidad de parir en casa, pero es entonces cuando interviene el equipo, para ayudarla a que pueda colocarse correctamente como hija de su madre, para que pueda tomar la vida que le ha sido dada a través de ella y para que sea una eficaz conductora del milagro que es la vida. Lo hacemos con sesiones de homeopatía o bien con terapia familiar.

Dr. Vicente Méndez. Médico de Familia y Homeópata.

El cuerpo de la mujer embarazada

Mi colaboración en el equipo de preparación al parto de Marenostrum es la de impartir sesiones de preparación corporal; me gustaría empezar explicando mi historia desde el inicio.

Hace ya 14 años, cuando estaba a finales del embarazo de mi hijo Jan, buscaba un lugar o alguien que pudiera atender mi parto. Yo quería un parto respetado y no encajaba con ningún colectivo médico que me ofrecieran lo que buscaba, hasta que encontré a la Dra. Ortrud Lindemann. Ya en la entrevista que tuvimos respiré unos aires de esperanza de que yo, a pesar de estar a las puertas de cumplir los 40, podría tener un parto fisiológico y respetado en mi propio domicilio. ¿Y qué era para mí un parto respetado? Un parto donde pudiera seguir todo su proceso natural sin intervenciones externas si no eran necesarias. Y creo que esto es natural, lícito y merecido de toda mujer. Hace 14 años todavía no existía Marenostrum como tal, pero sí que su semilla empezaba a tener vida con la Dra. Lindemann y su equipo; ella hacía ya tiempo que trabajaba en ese sentido proporcionando este tipo de parto a todas las mujeres que lo deseaban y buscaban. Y aquí entré yo, después de mi parto rápido, tranquilo, sereno... Un hecho que ha formado parte de mi crecimiento como mujer y como ser humano. Entré a Marenostrum por petición de la misma doctora Ortrud para dar las sesiones de preparación al parto a las mujeres embarazadas que tuvieran que dar a luz con ella. Y así empezó esa historia, tan natural como el mismo parto.

Yo vengo del mundo de la docencia, y ya entonces creía en los procesos naturales del ser humano y, por supuesto, del niño: que su organismo puede crecer y aprender sin dificultad por sí mismo siempre y cuando se le respete su ritmo, su proceso y el entorno sea favorable a este crecimiento. Cada vez me fui interesando más por el cuerpo y sus expresiones hasta que, después de una larga trayectoria profesional, me fui formando como terapeuta corporal. Tuve la suerte de encontrarme con gente muy interesante por el camino, con los que pude aprender y trabajar. Por un lado, encontré, entre otros, el rigor anatómico y creativo de B. Calais-Germain y Núria Vives, que me dieron la seguridad en los movimientos que yo ofrecía, y por otro, encontré la sensibilidad y la filosofía de las doctoras Elsa Gindler, Krista Sattler, Ute Strub..., que me daban la seguridad de tener la paciencia y creer en el proceso de cada cuerpo y persona.

En mis clases no hay un modelo a seguir, sino que yo propongo detalladamente los movimientos y cada persona los va ejecutando según sus posibilidades. Son movimientos con una estructura anatómica muy bien analizada para que se puedan realizar sin ninguna dificultad, estirando, tonificando o coordinando aquella zona del cuerpo que se quiera trabajar. En las propuestas existe la posibilidad de movimientos donde se practica la motricidad y movilidad de la pelvis para que éstos se puedan hacer en las diferentes posiciones durante las contracciones y el expulsivo. No son posiciones aprendidas sino vivenciadas, donde el movimiento y el cambio están vivos: son espontáneos.

Nos familiarizamos con nuestra respiración para entrar en contacto con ella. La respiración se ve afectada por todo lo que nos ocurre: tensiones físicas, emocionales, lesiones... Sobre todo, en el día del parto, cuando nuestro cuerpo sufre unos cambios que a menudo se transforma en miedo y dolor, es ahí cuando la respiración se bloquea y surge una exhalación corta y una inhalación insuficiente. La respiración tiene la capacidad de recuperarse automáticamente de tensiones y disfunciones, por lo que la situación que la ha bloqueado (dolores, contracciones...) desaparece. Pero lo que ocurre es que en lugar de permitir que nuestra respiración vuelva a nuestro estado normal en un plazo de tiempo adecuado, tendemos a interferirla; inconscientemente nos mantenemos con la tensión por el dolor, y eso dificulta el restablecimiento de la respiración natural. Sólo el tener conciencia y conocimiento de la propia respiración puede superar esa perturbación respiratoria. La respiración y la relajación van de la mano. La respiración natural puede permitir una relajación, y la relajación ayuda a disminuir el dolor.

Si conseguimos que las tensiones no se apoderen de nuestro cuerpo, éste va a poder fluir con sus transformaciones para que la musculatura del periné pueda dar paso al bebé. Para eso, en nuestras clases reconocemos toda la zona del periné y la movilizamos, pero sobre todo la relajamos para que tenga la capacidad de estar flexible y estirarse al empuje de la cabecita del bebé.

Con todo esto, experimentamos la escucha y el tiempo de interiorización del movimiento que hemos trabajado, junto con un conocimiento cognitivo de lo que hemos hecho en clase para que cale en la memoria corporal y puedan aflorar en el momento que se necesite. A través de esta técnica, se le devuelve la confianza a la sabiduría del cuerpo. El cuerpo de la mujer embarazada está muy sensible al mundo de las sensaciones y percepciones, y es un buen momento para darle el espacio y entrar en contacto con ellas. Éste es el gran aprendizaje; sentir para integrar: estar presente en lo que sientes y estar conectada con tu organismo. Ser tú y no depender de lo que te han enseñado o explicado sino confiar en el conocimiento de una misma.

Esta manera de trabajar es posible en el Centro Marenostrum porque hay un espacio y un equipo con el que compartimos las mismas ideas y propósitos: es como un pequeño oasis en medio de la ciudad, donde tenemos también la posibilidad de seguir la evolución de las parejas antes y después del parto. Creo que este intercambio que se crea entre los profesionales y las familias va formando una red que va configurando el largo y ancho Marenostrum.

Àngels Massagué. Terapeuta Corporal.

Osteopatía

Osteopatía obstétrica

El cuerpo de la futura mamá vive una verdadera metamorfosis durante nueve meses. Los cambios físicos, fisiológicos y hormonales son considerables, y el organismo tendrá que hacer un gran esfuerzo de adaptación para gestionar las presiones y tracciones abdominales ligadas al crecimiento del bebé.

Las vísceras se encuentran comprimidas, lo que a veces ocasiona ciertas disfunciones: estreñimiento, hemorroides, infecciones urinarias, reflujo gástrico... La columna vertebral se lordosa por la posición uterina y su crecimiento; el centro gravitatorio cambia, al igual que los puntos de equilibrio, por lo que adquirimos un nuevo esquema postural. Las modificaciones hormonales producen distensión ligamentosa y muscular que favorece a los cambios posturales y posibles molestias.

Entonces, entendemos la necesidad de cuidar a lo largo del embarazo la movilidad de la columna vertebral, la pelvis, el sacro, el coxis, el diafragma y las vísceras. Si preservamos la movilidad de todas las estructuras y tejidos, facilitaremos la comodidad del bebé y la madre durante el embarazo y el parto.

El interés por el posparto se debe a que el parto puede provocar numerosas alteraciones, quizás traumáticas, para el organismo de la madre. La epidural puede dejar una cicatriz sobre las meninges y provocar dolor lumbar. Las cicatrices de la cesárea, la episiotomía... pueden perjudicar la movilidad natural de las estructuras óseas y las vísceras vecinas. También la falta de sueño y la fatiga impiden la recuperación de un día para otro. Otro factor que causa dolores en el posparto son las malas posturas al levantar al bebé, cambiarlo, llevarlo en brazos...

Con la osteopatía ayudaremos a la madre a encontrar una calidad de los diferentes tejidos y evitar alteraciones dolorosas en las lumbares, cervicales, dolor de cabeza, bajada de órganos e incontinencia urinaria.

En definitiva, el tratamiento osteopático va dirigido a normalizar este estrés, identificar los problemas en el sistema de adaptación del cuerpo y ayudar a la madre en el proceso de embarazo, parto y posparto, mejorar la eficacia de los componentes de autorregulación durante la adaptación homeostática y analizar los síntomas que podrían convertirse con el paso del tiempo en un problema.

Osteopatía pediátrica

Para nosotros, los osteópatas, la pediatría comienza desde el momento en el que el embrión se implanta en el útero. Cuando cuidamos a la madre embarazada también lo hacemos del futuro bebé.

Seguidamente llega uno de los momentos más felices y a la vez más estresantes de la vida: el parto puede llegar a ser uno de los primeros traumatismos para el cuerpo y el cráneo del bebé, pues está sometido a importantes fuerzas opuestas, las de las contracciones uterinas, que ayudan en el expulsivo contra la resistencia del canal de parto. El bebé ha de encajar, girar y abrirse paso a través de los huesos y músculos de la pelvis de la madre, todo en breves instantes.

La presentación del bebé, la duración del parto demasiado rápido o demasiado largo, la utilización de instrumentos (forceps, ventosas...) o una cesárea pueden provocar compresiones en el cuerpo y el cráneo del bebé y engendrar numerosas disfunciones.

En general, la osteopatía estará indicada en casos de asimetría craneal, problemas para succionar, dificultades en el sueño, irritabilidad, otitis, bronquitis, cólicos y reflujo gastro-esofágico, entre otros.

Asunción Vela y María Cristina. Osteópatas.

La práctica del yoga

El objetivo de la práctica del yoga no es asumir una determinada postura sino obtener los beneficios que aportan los movimientos y la respiración, que se concretan, aparte de los fisiológicamente ya conocidos, en el dominio de la mente.

El yoga explica con gran detalle cómo aumentar el equilibrio y la claridad mental dedicando un poco de tiempo a uno mismo. Por esto, y para acompañar los profundos cambios que se dan en el cuerpo y la psique durante el embarazo, y para conseguir la calma y seguridad necesarias para el parto, es recomendable la práctica del yoga. La piedra angular del yoga es el modelo de los tres Gunas: *sattva, rajas* y *tamas.*

Se dice que la mente se encuentra en un estado de *sattva* cuando experimentamos satisfacción, calma y claridad. Cuando estamos en este estado, podemos hacer aquello que es justamente necesario sin perder nunca la calma interior. Por su parte, *rajas* se refiere a un estado mental en el que actuamos movidos por los deseos o aversiones; en este caso, la actividad es compulsiva. El estado mental de *tamas* se caracteriza por la falta de claridad; cuando no tenemos la mente despejada, podemos permanecer inactivos o bien actuar cuando no deberíamos hacerlo.

El yoga se ocupa minuciosamente de los medios necesarios para incrementar el estado *sattva* y disminuir los estados *rajas* y *tamas,* de modo que podamos pasar de nuestro estado fluctuante habitual a una calma y tranquilidad constantes.

La parte más visible del yoga son las posturas o *asanas.* Un *asana* consiste en mover el cuerpo de una forma controlada, manteniendo una determinada postura y respirando de manera regulada. Nuestro objetivo ha de ser intentar desarrollar la fuerza y flexibilidad necesarias para hacerla y conseguir el efecto que producen conjuntamente los movimientos del cuerpo y el fluir de la respiración.

La practica asidua, realizada con un estado de ánimo adecuado, y una respiración plena y consciente, evitarán la retracción de los músculos durante las contracciones de parto. Es la combinación justa entre relajación muscular y un cierto movimiento lo que facilita el progreso natural del trabajo de parto y, por lo tanto, repercute en un proceso más corto y menos doloroso.

Aunque el parto en sí nunca ha dejado de ser un hecho natural y sencillo, a veces puede ser largo y pasar por distintas fases, tanto físicas como emocionales; es importante poder mantener en esos momentos una combinación entre fuerza y relajación, resistencia y flexibilidad, presencia y abandono. Al enfocar nuestra práctica en el cuerpo, la respiración y la mente, adquirimos la habilidad de alcanzar más fácilmente nuestro objetivo: en este caso, hacer aparecer una nueva presencia.

Acupuntura

La prioridad de la medicina china siempre ha sido la prevención a través del reequilibrio del sistema energético general del individuo para que esté en armonía consigo mismo y con el entorno.

Esto es producto de una cultura refinada y metódica y, sobre todo, de un concepto unitario de la vida donde no se puede separar una parte del todo, percibiendo al ser humano como una identidad indivisible e indisociable de su medio: el Universo, el cual es una manifestación de la energía Chi, con sus dos aspectos básicos complementarios, el Yin y el Yang, receptividad y actividad, femenino y masculino, una bipolaridad que se encuentra en el origen de la estructura íntima de la materia.

La energía vital dinamiza todos los procesos de nuestro organismo, tanto físicos como psíquicos, y aunque desconocemos lo que realmente es, todos vemos y notamos sus efectos: cielo, tierra y las cuatro estaciones son la base del cambio de todas las cosas, las manifestaciones de la vida.

Hay un momento especial en la biografía de las mujeres que depende del delicado equilibrio hormonal. La fisiología está preparada para que acontezca con toda normalidad una gran eclosión energética, y gracias a esta gran muestra de fortaleza vital, la exuberancia del embarazo culmina en una explosión de fuerza y alegría: el nacimiento.

El parto es un proceso involuntario que depende del sistema nervioso autónomo, estrechamente ligado al estado psico-emocional. En la mayoría de los casos en los que el parto no empieza una vez llegado a término el embarazo, o incluso se para después de su inicio, ello se debe, según la medicina china, a una obstrucción energética que acaba provocando una disfunción hormonal.

Ciertamente, como se sabe, la hormona endorfina está relacionada con la génesis de varias emociones, entre otras facilita la aprehensión de sensaciones de placer, alegría, bienestar y euforia, dejando atrás visiones depresivas o tristes. Desde hace más de treinta años se sabe que la aplicación de acupuntura estimula la producción de endorfinas, lo que a su vez activa, en cierta manera, la secreción de oxitocina, hormonas responsables de la inhibición del dolor y estimulación de las contracciones del parto respectivamente.

No es de extrañar, pues, que la aplicación de una técnica ancestral como es la acupuntura sea aconsejable cuando el trabajo de parto se demora, se estanca o en casos que resulte demasiado doloroso o incluso cuando simplemente queremos llegar al parto con un equilibrio energético adecuado.

El hecho de que este gran momento esté regido por reacciones sutiles y fuera del control voluntario no hace forzosamente del parto algo patológico sino justamente todo lo contrario. Cuando, por alguna razón, haya que intervenir en este proceso íntimo y delicado, es necesario que se haga siempre bajo esta importante premisa, para respetar el indispensable equilibrio emocional y hormonal del que dependen espontáneamente el trabajo del parto y el vínculo madre - bebé, que activará la posterior subida de la leche.

Con la acupuntura logramos acceder al estado energético del cual dependen tanto las emociones como el sistema endocrino, contribuyendo eficaz y respetuosamente, cuando sea necesario, para que el parto se desarrolle fisiológicamente y pueda ser una experiencia plenamente creativa en la vida de las mujeres que así lo desean.

Llàtzer Torrente. Acupuntor y Profesor de yoga.

Alimenta tu salud

Es viernes, y me dirijo a la sala de Marenostrum para comenzar mi charla dentro del curso de la preparación al parto sobre la importancia de una dieta saludable para nuestra salud. Ya me están esperando doce parejas de futuros padres que quieren saber si están comiendo todo lo que necesite su bebé en pleno desarrollo.

Me presento rápidamente, comento que también soy madre de cuatro hijos, tres de ellos viviendo ya fuera de casa. Les pregunto lo que han desayunado hoy; las respuestas pasan por el típico café con leche, cruasán, tostadas, bocadillos suculentos, tortillas, cereales con leche o galletas.

Alguien empieza a reírse a lo bajo, me conoce y sabe lo que vendrá a continuación. Pregunto si creen que eso sería lo que escogería su sistema digestivo en caso de que pudiera opinar. La gente se queda sorprendida por la pregunta. ¿Por qué habría que cuestionar este tipo de desayuno?

Si pensamos un poco en nuestra historia, vemos que hasta hace unos cuarenta años no existían ni McDonalds ni pizzas congeladas ni barras de pan hechas en veinte minutos ni la cantidad de quesos y embutidos que vamos consumiendo hoy diariamente. Todo esto ha aportado muchos nuevos productos a nuestra dieta, mientras nuestro sistema digestivo apenas ha tenido tiempo de adaptarse.

La función más importante de la alimentación es la de nutrir nuestro organismo. Nuestro cuerpo funciona como una pequeña fábrica, y la calidad de los productos que fabrica (huesos, piel, sangre, tejidos, órganos...) depende de la materia prima que recibe (vitaminas, minerales, energía, proteínas...). Cuando comemos según lo que nos apetece quizás no le estamos dando lo que necesita, y por falta de compuestos de buena calidad produce resultados deficientes, originando disfunciones digestivas, alergias o enfermedades agudas y hasta crónicas. Además de comer lo que nos conviene, es necesario que a través del tracto digestivo se lleve a cabo una buena digestión y absorción de los nutrientes contenidos en la comida, porque de nada nos sirve comer bien si la función digestiva está comprometida o es insuficiente, como puede pasar después de tratamientos con antibióticos, ingesta regular de leche de vaca o infección por cándidas, que altera el equilibrio de la flora intestinal y la mucosa digestiva, encargados de la absorción de los nutrientes al torrente sanguíneo.

¿Comida natural o industrializada?

Además, habría que cuestionar la calidad de los alimentos que consumimos. Hoy en día encontramos una alimentación de calidad bajo la clasificación de biológica, ecológica u orgánica, mientras que lo que se nos ofrece en los supermercados (productos manipulados, preparados, almacenados, enlatados, congelados...) se puede llamar alimentación industrializada y desnaturalizada. Los denominados productos ecológicos no sólo aportan un 80% más de vitaminas y minerales sino que, además, están libres de sustancias químicas (aditivos sintéticos, pesticidas, colorantes, conservantes) y no contienen ingredientes genéticamente modificados.

Productos recomendados

• Fruta, verdura y hortalizas frescas, de la época y de la región (mínimo 50% de la alimentación diaria) y germinados frescos.

• Cereales, pan y pasta integrales.

• Legumbres: lentejas, azukis, garbanzos, soja verde...

• Proteína vegetal (soja, tofu, seitán, tempeh...).

• Lácteos: quesos magros, yogur natural bio, kéfir, preferiblemente de cabra o de oveja.

• Semillas oleaginosas crudas de lino, sésamo, girasol...

• Frutos secos crudos: avellanas, almendras, nueces...

• Fruta disecada biológica: orejones, dátiles, higos...

• Bebidas vegetales de arroz, avena, soja, almendra...

• Endulzantes naturales (azúcar integral de caña natural, sirope de agave, melazas de cereales...).

• Tortitas de cereales: arroz, maíz, quinoa, espelta...

• Patés vegetales de oliva, berenjena, tofu y algas...

• Aceites de oliva, lino, sésamo o girasol de primera presión en frío ecológico.

• Condimentos: sal marina, salsa de soja, gomasio...

• Miso blanco no pasteurizado.

• Algas nori, arame, wakame, dulse, kombu...

• Complementos naturales: germen de trigo, levadura de cerveza, lecitina de soja, polen...

Productos no recomendados

• Productos transgénicos.

• Alimentos procesados, precocinados o enlatados por su contenido en azúcar, sal y aditivos.

• Productos ricos en azúcares y harinas refinadas (harina de trigo refinado, azúcar industrial, pan blanco, bollería, chuches, snacks...).

• Leche de vaca, por su poder alergénico y por ser moco-producente.

• Carne de cerdo, embutidos y ahumados.

• Grasas hidrogenadas (aceite de palma, margarinas...) y aceites refinados.

• Bebidas ricas en azúcares simples y sustancias excitantes: bebidas gaseosas, zumos, chocolate, té, café y alcohol.

Cuando llego a comentar estas listas de alimentos recomendables y no recomendables ante mi grupo, se escuchan suspiros y susurros de comentarios hacia los compañeros. Alguien lo dice en voz alta: «¿Qué vamos a cenar hoy?».

En vez de recomendar algunos suplementos de vitaminas y minerales, lo que pido es un cambio dietético, no sólo ligado al embarazo sino recomendable para todo el mundo y para siempre.

Hace sólo doscientos años, la gente no podía comprar nada que no fuera de la época y de la región, la dieta estaba basada en lo que se ofrecía en los mercados y en lo que se tenía en el huerto. Aún no se transportaban los alimentos por avión o por carretera desde cualquier rincón del mundo a nuestra mesa ni se tenía el dinero para comprarlo. En los últimos cincuenta años, nuestra dieta ha dado un salto cuántico casi sin que nos hayamos dado cuenta. Pensamos que estamos comiendo lo de siempre, y no es así. Si nadie nos lo cuenta, nos mantenemos en el error y seguimos comprando en el supermercado lo que interesa vender a la industria alimentaria en vez de nutrir nuestro organismo según sus necesidades. Casi todas las enfermedades «modernas» de nuestra civilización pueden relacionarse con nuestra alimentación: afecciones cardiovasculares, colesterol, diabetes, caries dental, osteoporosis, infecciones por cándidas, trastornos del sistema digestivo, sobre todo el estreñimiento, dolores de cabeza y degeneración articular, alergias y enfermedades autoinmunes, además de diferentes tipos de tumores...

Ya dijo Hipócrates medio siglo antes de Cristo: «Que el alimento sea tu medicina», refiriéndose a la importancia de la alimentación para nuestra salud. Hoy en día, parece olvidado. Comemos por gusto o por aburrimiento o por angustia, pero no para satisfacer las necesidades nutricionales de nuestro organismo. La comida industrializada de los supermercados no aporta a nuestra dieta lo que necesitamos para mantener un cuerpo y una mente sanas.

Creo que el embarazo es el momento perfecto para cuestionar nuestros hábitos culinarios; pronto se incorporará a nuestra mesa un niño, que debería comer lo que su organismo necesita para un crecimiento y desarrollo óptimos.

Y, para despedirme, os recomiendo empezar hoy con pequeños pasos. Muchas veces es tan fácil como sustituir lo que menos nos conviene: el azúcar, la leche de vaca y el pan de trigo común. Sustituir estos tres productos por alternativas más saludables ya sería un gran paso hacia delante, hacia nuestra salud. La medicina más eficaz es la preventiva.

Dorte Froreich, Naturópata y Nutricionista.

Reflexología podal

Durante mi etapa en Marenostrum, entre los años 2007 y 2009, tuve el privilegio de acompañar más o menos un centenar de nacimientos. Lo más bonito de este trabajo es poder acompañar desde el embarazo, el nacimiento y el puerperio. Conocer a las mujeres, a sus familias, a sus bebés; entender tantas cosas que enmarcan su experiencia de maternidad... El hecho de poderles dedicar tiempo en las visitas me brindó la oportunidad de ofrecerles reflexología podal, tanto durante el embarazo como durante el parto y el puerperio.

He vivido experiencias asombrosas y otras más sencillas, pero no menos valiosas para mí. Cuando trabajaba en Londres asistiendo partos en casa y en hospital, tuve algunas oportunidades de practicar reflexología y comprobar sus efectos, pero no con tantas mujeres ni en casos tan distintos como en Marenostrum.

La reflexología ayuda desde el momento que tocas a otra persona, que hay contacto humano, conexión, amor y deseo de ayudar. También es importante la técnica y el conocimiento de los puntos a tratar, pero para mí ha sido, sobre todo, una herramienta de acercamiento, de creación de un vínculo de confianza con las mujeres, de humildad porque las trato a través de sus pies, y de servicio porque les dedico tiempo.

Gracias a la reflexología, muches mujeres embarazadas se olvidaron de la ciática, de los ardores, del hormigueo en las manos o simplemente se relajaron.

Además, cuando la mujer llega a las 41 ó 42 semanas de gestación y pide ayuda para propiciar el parto, aunque es impredecible, he podido comprobar que la relajación que provocaba la reflexología hacía que el cuerpo trabajara mejor, no sólo al comienzo del parto sino también durante el nacimiento.

Durante el trabajo de parto, la efectividad de la reflexología es más evidente; en un parto en casa, se puede recurrir a ella sin límites, tanto para sobrellevar el dolor como para relajar la tensión y, en ciertos casos, para reactivar un parto que se ha bloqueado.

Recuerdo a una mamá que parió en 2007 con Inma Marcos y conmigo. Tenía una cesárea previa y un parto lento, de ésos que entre nosotras llamamos «penosillo», es decir, que parece que todo cuesta: dilatar, tener contracciones fuertes, llegar hasta el final... Llevaba cinco horas bloqueada en transición, completamente dilatada después de día y medio de parto y estábamos probando todas las posiciones conocidas para que se activara. Pero las contracciones se hacían más lentas y flojas y no llegaba el pujo. La mujer se sentía muy consciente de su propio nacimiento y de su cesárea, y estaba reviviendo en su mente todas estas experiencias, aunque su cuerpo no participaba del proceso. Muchas veces, las comadronas nos planteamos cómo ayudar a una mujer a conectarse con lo físico. En este caso, se me ocurrió usar la reflexología; qué mejor que tocarle los pies, la parte de nuestro cuerpo que conecta con la tierra, que nos devuelve al aquí y ahora. Ella estaba sentada en la sillita de partos, y yo, en el suelo haciéndole reflexología; tras la estimulación de los plexos, el riñón y los puntos de útero, hipófisis y pelvis, entre otros, comenzaron los pujos y el nacimiento ocurrió en menos de media hora.

En otra ocasión, en 2009, recuerdo a una mujer de 40 años que iba a tener a su primer bebé. Estaba muy tensa con las contracciones de preparto; durante la visita, toqué algunos puntos de relajación, y ella comenzó a llorar, un llanto largo tras el que recuperó el bienestar y empezaron las contracciones de parto. Aunque el parto fue lento y difícil, finalmente nació una niña preciosa en su casa. Poco después del nacimiento, la mujer comenzó a sangrar; con una mano le presioné la barriga, y con la otra, los puntos clave de reflexología. Aunque estábamos preparando oxitocina para inyectársela, unos segundos después de mi intervención, dejó de ser necesaria: la hemorragia se había detenido.

A finales de 2008 tuve la ocasión de descubrir cómo solucionar las mastitis agudas. Hasta ahora había observado que tardaban días en curarse, y que las mujeres y sus familias pasaban mucho miedo por el hecho de tener fiebre y no poder alimentar bien a su bebé. Fui a ver a una madre que tenía mucha fiebre, 39'5° desde hacía un día y medio, y no le bajaba con los tratamientos homeopáticos. Le hice reflexología sin saber qué pasaría exactamente, y cuál fue mi asombro al llegar a casa y recibir el siguiente mensaje en el móvil: «Ya está en 36'5° y se encuentra mejor». Al día siguiente se encontraba muy bien y no tuvo más mastitis ni fiebre en las siguientes semanas.

A partir de entonces, me encontré con varios casos de fiebre por mastitis, y todos se solucionaron de la misma manera: a la hora o a las dos horas de la terapia, la fiebre desaparecía para no volver, siempre acompañada de un buen drenaje del pecho. El bebé tiene que estar mamando bien antes de tocar los pies a la madre.

También aprendí cómo puede ayudar la reflexología a las madres que han tenido un traslado hospitalario. Al día siguiente del parto, en la visita al hospital, después de ayudar con la lactancia, les hago reflexología y he comprobado que tienen mucho menos dolor de sus heridas emocionales, menos edemas por la anestesia, están más relajadas para dar el pecho y duermen más.

Gracias por la confianza que me han dado las mujeres y sus bebés, por dejarme tocar sus pies y entrar en sus casas y en sus vidas.

Mireia Marcos. Comadrona Independiente.

Pequeña historia del canto prenatal

«Nacer significa ponerse bajo la ley de la ben-dición».
Omraam Mikhäel Aïvanhov.

Si el Canto prenatal ha podido ver la luz en Marenostrum es gracias a la «consonancia» de muchas voces amigas que me decían: «¡Adelante!».

Según la Psicofonía, el sonido de la voz nos permite expresarnos y equilibrarnos a todos los niveles del ser: físico, psíquico y emocional. Recordemos las palabras de Alfred Tomatis: «El ser humano es sonido, aunque no lo sabe o lo ha olvidado».

Entre todos los sonidos que percibe el bebé en su piscina de líquido amniótico, destacan sobre todo dos por su capacidad de modulación y su frecuencia: la voz de la madre, gracias a los agudos, y la voz del padre, maestro de los graves. Ambas voces son indispensables para el desarrollo armonioso del bebé intrauterino.

El tacto siempre será el fiel aliado de la voz y del sonido. Este hecho es muy importante tanto para la madre, que puede sentir y palpar los «contornos» de su bebé directamente, como para el padre, cuya presencia sonora se refuerza con el contacto táctil con el bebé a través de la barriga de la mujer.

Además, alrededor de la 24ª semana de gestación se completa la formación de la cóclea del bebé. A partir de este momento, el bebé es capaz de recibir los sonidos a través de su oído, es decir, de entrar en contacto con el mundo externo a través de la audición.

Gracias a su capacidad para recordar melodías y sonidos experimentados durante la gestación, el bebé podrá transitar con mayor facilidad el gran salto del medio acuático al medio aéreo. Es por ello que las sesiones de canto prenatal suelen completarse con un acompañamiento posparto durante el que se afianzan los anclajes sonoros con el bebé adquiridos a lo largo de la gestación.

Sin embargo, antes de descubrir el mundo exterior, el bebé habrá de pasar, conjuntamente con su madre, la prueba del nacimiento. Durante el parto, los sonidos resultan ser grandes aliados, pues sirven de conexión emocional entre madre - padre y bebé, además de estructurar y armonizar el ritmo respiratorio de la parturienta. En este sentido, el canto prenatal ofrece también herramientas prácticas para vivenciar el parto a partir de sonidos e imágenes mentales positivas capaces de canalizar el dolor y transformarlo en energía vital.

Beneficios del canto prenatal para la madre durante la gestación y crianza

A nivel físico, el canto mejora de una forma natural la conciencia corporal: el eje corporal se consolida, se refuerza la conexión con la tierra (pies) y sensibiliza la zona pélvica. A nivel respiratorio, se exploran nuevos espacios de oxigenación, se activa la respiración intercostal y la respiración olfativa. A nivel emocional, se logra una mejor integración de la nueva situación vivencial que representa el embarazo: muchas veces, las mujeres recuerdan canciones de su propia infancia y repasan, al hilo de estas melodías, su propia vivencia intrauterina. Además, se ofrecen momentos de distensión, relajación y recarga energética indispensables para la mujer embarazada y su pareja y familiares.

Beneficios del canto prenatal para el bebé durante la gestación y crianza

Cuando los futuros padres cantan conjuntamente a su bebé, le comunican de forma inequívoca su amor y presencia: sus voces son caricias sonoras y vibratorias que masajean al bebé y lo estimulan en su desarrollo físico y psicológico. Al recibir estímulos sonoros amorosos de una forma continuada y repetida, el bebé puede crear unos patrones psíquicos positivos y constructivos. Se ha comprobado que el bebé es capaz de grabar y memorizar experiencias musicales agradables vividas durante su gestación y manifestarlas después del nacimiento.

Beneficios del canto prenatal para la madre durante el parto

Gracias a la conexión estrecha que existe a muchos niveles entre la boca y el perineo, la relajación del maxilar, tal como se produce cuando se vocaliza una A o una O abiertas, distiende la región pélvica. Esta interrelación es de gran utilidad durante todo el trabajo del parto: la emisión vocal de este tipo de sonidos favorece la dilatación y permite transformar de manera constructiva el dolor durante las contracciones.

Además, está comprobado que el uso de la voz tiene un efecto analgésico, puesto que la emisión vocal estimula la secreción de hormonas naturales: endorfinas —hormonas del placer— y oxitocina —hormona del amor y protagonista en el parto—.

La dinámica del trabajo de parto se basa en la acción conjunta del sistema nervioso simpático —durante las contracciones— y el parasimpático —durante la dilatación—. Por suerte, el uso de la voz pone en juego igualmente y de forma equilibrada estas dos partes del sistema nervioso y puede así agilizar y apoyar el proceso del parto.

Beneficios del canto prenatal para el bebé durante el parto y nacimiento

Cuando desciende por el canal de parto, el bebé experimenta signos de alarma asociados a la rotura de la bolsa y las contracciones. La voz de los padres le reasegura y acompaña en este proceso. El bebé recién nacido libera su voz en un llanto de enojo, por la separación de su madre y el final de una vida simbiótica, y de alivio: respira la vida. En este momento determinante, la voz de los padres puede actuar como «cordón umbilical sonoro».

Conclusión

La musicoterapia y el canto prenatal permiten un estado de mayor armonización psicológica y física, tanto de los padres como del bebé. El empleo de la voz induce cambios beneficiosos en la relación padres - bebé porque genera un espacio de expresión y comunicación para la elaboración de sensaciones y emociones propias de la etapa prenatal. De esta forma, la voz actúa como cordón umbilical sonoro durante la gestación, el parto - nacimiento y la crianza, siendo la base para un vínculo sano y fuerte con el bebé.

Sigrid Haas. Cantante y Profesora de voz.

Lotus Birth: una mirada antropológica

Los fenómenos del parto y el nacimiento poseen la particularidad de que, a pesar de ser procesos fisiológicos universales, para poder ser íntegramente comprendidos no es suficiente con analizarlos únicamente desde el punto de vista biológico. En cada contexto cultural aparecen sujetos a una serie de prácticas, representaciones, códigos y valores diferentes que explican, al tiempo que configuran, la diversidad de percepciones que las mujeres y sus acompañantes tienen sobre esta experiencia. Es precisamente en este marco donde las contribuciones de la antropología social y cultural toman relevancia.

En base a ello, las siguientes líneas tratan de aportar una mirada antropológica a las creencias, motivaciones y significados que envuelven la práctica del Nacimiento Lotus.

El *Lotus Birth* consiste fundamentalmente en no cortar el cordón umbilical después del nacimiento, dejando que éste permanezca unido tanto a la placenta como al recién nacido hasta que se desprenda de forma natural, es decir, sin que ningún agente externo intervenga en la separación. De este modo, el bebé y la placenta son tratados como una misma unidad hasta que se produce el desprendimiento espontáneo, lo que generalmente sucede entre los tres y diez primeros días de vida. Este propio procedimiento explica que esta práctica sea conocida también bajo el término *umbilical non-severance,* que se puede traducir por 'sin ruptura umbilical'. En algunas ocasiones, además, a los bebés nacidos por este proceso se les conoce como «niños sin ombligo».

En los momentos inmediatamente posteriores al parto, el cordón umbilical sigue latiendo porque las transferencias de sangre entre el bebé y la placenta permanecen activas entre los diez y veinte minutos posteriores al nacimiento. La práctica del *Lotus Birth* permite que estas últimas transacciones vayan desapareciendo por sí solas.

Después de este tiempo, la placenta se limpia con el objetivo de extraer el exceso de líquido y se coloca en un recipiente o se envuelve en una tela permeable para que el contacto con el aire favorezca su secado, lo que puede acelerarse aplicando sal marina o aceites esenciales, principalmente de lavanda, que tiene propiedades antibacterianas. El tratamiento de la placenta, que se repite mientras el cordón umbilical no se ha desprendido, se configura de este modo como un cuidado complementario del propio recién nacido en la medida en la que bebé y placenta son concebidos como partes integrantes de un mismo cuerpo.

En la práctica actual occidental, pese a la existencia de unos pocos casos en los que este procedimiento se ha podido desarrollar en el marco hospitalario, el *Lotus Birth* suele estar asociado al parto en casa.

El Nacimiento Lotus es una opción minoritaria, pero en la actualidad está presente desde Australia y Nueva Zelanda hasta Estados Unidos y Canadá, pasando por algunos países del continente europeo, entre los que se encuentra España. Si bien en estos países aparece como un fenómeno relativamente reciente, ya había sido registrado con anterioridad en contextos tales como el balinés o en algunos pueblos aborígenes. La práctica que nos ocupa, además, no sólo se circunscribe a la especie humana. La primatóloga británica Jane Goodall, conocida por haber sido pionera en realizar extensos estudios sobre chimpancés en su hábitat natural, constató en su obra de 1971 *In the shadow of man* que, tras el nacimiento de las crías, algunos grupos de primates no muerden ni cortan el cordón, de modo que tampoco interceden en la separación umbilical.

En lo que respecta a los motivos por los que se le denomina *lotus,* las fuentes son ambiguas. En su artículo *Lotus Birth: a ritual for our times* (2002), Sarah Buckley señala que el origen de su terminología está estrechamente vinculado a Clair Lotus Day, una mujer californiana a quien la autora se refiere como la primera occidental que cuestionó la rutina de cortar el cordón umbilical, y quien podría haber sido la pionera americana en realizar un Nacimiento Lotus. Otras fuentes, sin embargo, consideran que su procedencia se encuentra ligada al budismo zen y tibetano, que emplean el concepto de «nacimiento del loto» para enfatizar la pureza con la que algunos maestros espirituales como Gautuma Buddha o Padmasambhava llegaron al mundo. Pero también en la tradición hinduista es posible encontrar referencias al Nacimiento Lotus como, por ejemplo, en la historia del alumbramiento de Vishnu. En esta línea, sí que es posible constatar que la práctica de la no-ruptura fue adoptada por parte de algunos padres practicantes del yoga moderno que durante los años 80 se aproximaron a la opción del parto natural con el deseo de conseguir un nacimiento menos violento y exento de intervencionismos innecesarios. Desde este punto de vista, el *Lotus Birth* se encuentra íntimamente ligado al Ahimsa, un principio yóguico que promueve la no violencia de acción y pensamiento tanto con uno mismo como con los demás, y que rige el estilo de vida propuesto por esta disciplina. Para quienes lo entienden desde esta perspectiva, los procedimientos intrínsecos del Nacimiento Lotus potencian las energías creativas liberadas por el propio nacimiento, al tiempo que ofrecen una experiencia más humana y pacífica a las familias. Asimismo, el *Lotus Birth* se relaciona con la lección yóguica de que «todo accesorio caerá por sí mismo», y también con el principio que considera el aislamiento de la madre y el hijo durante los cuarenta primeros días del posparto como un viaje meditativo y sagrado compartido por ambos.

Para los defensores del Nacimiento Lotus, la importancia de no cortar el cordón umbilical excede a los motivos biológicos. Entienden que, aunque las transacciones físicas entre el bebé y la placenta finalizan tras los primeros minutos del nacimiento, siguen existiendo transferencias energéticas entre ambos que van desapareciendo gradualmente hasta que la placenta se ha secado y el cordón se ha desprendido. No intervenir en la separación de ambos es, para los partidarios del *Lotus Birth,* una forma de respetar el contexto energético en el que el bebé se ha gestado, así como un modo de ofrecer al niño el tiempo necesario para que vaya desvinculándose paulatinamente de este contexto. Se cree, por todo ello, que sólo en el momento en el que éste se sienta preparado se producirá la separación entre él y su placenta. Desde este punto de vista, el Nacimiento Lotus supone para el niño un estado de transición entre la etapa de gestación y el comienzo de la vida ordinaria.

Los procedimientos del *Lotus Birth* pueden ser concebidos dentro del modelo de nacimiento holístico al que Robbie Davis-Floyd refiere en su artículo *The Technocratic, Humanistic and Holistic Paradigms of Childbirth* (2001). El paradigma del nacimiento holístico considera el cuerpo, la mente y el alma como una misma unidad, entendiéndose el cuerpo como un sistema energético conectado a otros campos energéticos. En base a esto, requiere un cuidado individualizado, así como una unión esencial entre los padres y los profesionales encargados de asistirles durante el proceso. El Nacimiento Lotus es una forma de nacimiento holístico porque su principal particularidad recae en que la sanación, el diagnóstico y el cuidado se extienden hasta la dimensión espiritual de las personas y, por tanto, se fundamenta en los principios de conexión e integración.

En conclusión, el *Lotus Birth* aparece como una alternativa para aquellos futuros padres que deseen un nacimiento íntimo, humano e individualizado en donde la intervención del tercer estado —el posparto— sea mínima y que tome en cuenta la esfera energética tanto del recién nacido como de los padres. Dado el vacío informativo que existe al respecto, parece necesario que las ciencias sociales intenten una aproximación hacia esta práctica, no sólo porque supone una realidad —aunque sea minoritaria— en nuestro contexto inmediato sino porque su propia existencia aporta un nuevo matiz dentro de las distintas maneras en que los humanos concebimos el parto y el nacimiento. En este sentido, no se trata de que el Nacimiento Lotus sea un procedimiento mejor ni peor que el resto de los que están a nuestra disposición, pero sí diferente y coherente con un sistema de creencias concretas que satisface a quienes las comparten. Al final, la mejor manera de parir y recibir a una nueva vida es aquélla que está en concordancia con nuestros propios valores personales, sean éstos cuales sean.

Sarah Lázare Boix. Antropóloga.

Capítulo III
Vivencias de las comadronas

Ser comadrona, nuestro talante

Durante el proceso del nacimiento, la mujer sabia permite a la madre dar a luz por sí misma. Una comadrona retira los obstáculos, crea seguridad y se quita de en medio. Después del nacimiento, la madre se siente orgullosa del proceso del nacimiento natural. «Lo hice yo sola», dice, mientras la comadrona desaparece.

Éste es el *Tao de las mujeres,* y nuestro máximo mandamiento. Queda perfectamente reflejado en pocas palabras que, como profesionales y como mujeres, queremos y debemos empoderar el sentimiento femenino de las mujeres de hoy, que, por una invasión de prisa y comodidad se han dejado llevar entrando en una cadena de producción de partos asistidos sin poder, control ni conocimiento de su cuerpo más primitivo y mamífero.

Ina May Gaskin, comadrona americana, asegura que las sociedades en las que el parto en casa no existe han perdido la sabiduría esencial de las capacidades de las mujeres. También nos enseña que el exceso de medicalización de los nacimientos y los riesgos asociados a éstos es debido al desconocimiento del funcionamiento del cuerpo de una mujer sana.

La comadrona es la mujer que se dedica a ayudar a las mujeres en el parto y a estar «con» ellas; como la palabra indica, es «comadre». Es la que acompaña para que todo se desarrolle con normalidad, respetando los tiempos individuales de cada mujer y el bebé que ha gestado.

No es una coincidencia que el título de este libro sea para ilustrar los momentos de luz que vivimos, muy a menudo de noche, con las velas como compañeras, junto a nuestras mamás pariendo.

A pesar de reconocer que las mujeres tienen el poder de parir solas a veces necesitan una pequeña ayuda en diferentes momentos. Nuestro trabajo es artístico y creativo, ya que diseñamos cuidados a medida de cada madre, cada padre y cada bebé. Se improvisan recursos —a menudo sencillos— para cada situación en concreto.

De todas maneras, el objetivo no es centrar el esfuerzo en las comadronas sino en darle un enfoque centrado en la propia mujer.

comadrona, matrona, partera, comadre, vroedvrou (afrikaans), Hebamme (alemán), قابلة (árabe), llevadora (catalán), Emagina (euskera), sage-femme (francés), μαία (griego) מילדת (hebreo), szülésznő (húngaro), midwife (inglés), ostetrica (italiano), 助産師 (japonés), parteira (portugués), moaşă (rumano), акушерка (ruso), mkunga (suajili)...

Sonia E. Waters. Comadrona.

Ser comadrona a finales de los 80

La experiencia con el parto en casa ha sido muy bonita, muy profunda y también muy exigente.

Ya cuando estudié matrona tuve contacto con la gente de partos en casa, las «alternativas»; establecí contacto porque tenía intenciones de ir a África a trabajar de matrona, y con lo que me enseñaban ya veía que no sería suficiente. Nos hacían movernos mucho entre máquinas, monitores, bombas y anestesia. Creía que de poco me serviría esto en África, y así fue. Lo que no me esperaba, y fue la mayor sorpresa, fue la filosofía: los principios o el aire que esa gente «alternativa» me fue transmitiendo. Era un respeto grandísimo a la creación inteligente, sabia, y a la mujer conectada o que se trabajaba para desbloquear toda presión o programación previa, buscándose recursos y autovalorando su grandeza interior, su potencial que podía estar dormido. Así que descubrí mucho trabajo de golpe, trabajo desde mi interior y trabajo para transmitir y manifestar.

Al volver a finales de los 80 de los dos años en África, pudiera parecer que me sería fácil asistir partos en casa, pero para nada fue así. La readaptación a mi propia cultura, que resultó ser terriblemente programada, encuadrada o militarmente ordenada, fue como un ahogo. «¡Que se salve quien pueda!»: así lo viví. Gracias a los dos partos en casa de mis hijos, pude volver a conectarme y a trabajarme el principio «Estar en uno mismo». Más tarde fue un placer ayudar a otras mujeres como me habían ayudado a mí, aunque dejar a mis hijos pequeños en casa, con horarios irregulares, no lo he llevado nunca muy bien.

A través de Marenostrum conocí a varias comadronas holandesas: un tesoro de mujeres todas ellas. Nosotras, desde aquí, para poder asistir el parto en casa con dignidad, teníamos que justificar mucho nuestro trabajo. A veces parecía que nos tuviéramos que esconder, pero nuestra intención era demostrar y enseñar todos los estudios científicos posibles y todas las herramientas que nuestro ingenio osara para educar al personal y tranquilizar a nuestro entorno. En cambio, las comadronas holandesas ya habían estudiado desde esta perspectiva; ellas no iban contra corriente porque estaban amparadas en su formación básica y en la cultura de su país. Más de una vez las veía como yo durante mi estancia en África: nadie era inferior, nadie era superior. Pero la cultura y las creencias nos facilitan o nos impiden una serie de manifestaciones externas que acaban conformando nuestras vivencias.

Los partos son todos especiales. En unos participas más activamente que en otros, según las necesidades, y unos te hacen trabajar más el ingenio que otros. Pero todos son únicos y especiales.

Yo recuerdo la pulcritud de Kitty, la segunda comadrona holandesa que estuvo en Marenostrum, un tesoro de mujer con la energía y belleza que irradiaba su juventud. Llevaba un material súper ordenado en un maletín, como lo haría un mecánico. Cuando nosotras esterilizábamos el material en el horno de casa, ella lo hacía con el autoclave, que llevaba de su casa para estar más tranquila: así se lo enseñaron y así lo había aprendido. Cuando asistía un parto no se manchaba ni gota porque no tocaba nada que le dejara mácula. ¡Y además iba con ropa de calle! Parecerá una banalidad, quizás, pero lo que yo conocía era que en el hospital se creaba una dispersión de sangre que obligaba a llevar bata. Mi experiencia no era ni mucho menos lo que después vi con estas holandesas. Aun así, yo llevaba una camiseta para cambiarme, ya que así lo había aprendido.

Kitty, al dirigirse a las mujeres, era muy guapa y muy responsable. Recuerdo una de las veces que con una mujer, también una gran mujer, embarazada de la segunda hija, no había manera de arrancar el parto. Seguro que había algún bloqueo por allí, pero el tema era cómo desbloquearlo. Ya se encontraba en la semana 42, y quizás, según cómo contáramos, más. Después de haber hecho las medidas que valoramos pertinentes para iniciar el parto y comprobar que no se presentaba, Kitty pidió mi colaboración para poder ir al hospital. Creía que valía la pena hacer una prueba de monitor para valorar el estado de la criatura. Así lo hicimos y vimos que estaba bien. Pero, ¿y ahora qué? El parto no se iniciaba. Kitty propuso romper la bolsa de las aguas: si salían claras, acompañaríamos a la mujer en su casa si éste era su deseo; si salían oscuras, manchadas de meconio, como signo de prudencia, nos quedaríamos en el hospital para provocar el parto. La jefa de guardia de ese día fue bastante amable y respetuosa con las propuestas de Kitty, y advirtió hasta qué punto el hospital se hacía cargo. Las aguas salieron claras, y nos fuimos a casa de la mujer a la espera del inicio del parto. Hay que entender que previamente ya se habían puesto en marcha todos los dispositivos para iniciar el parto y sencillamente no se conseguía. Eran los últimos recursos.

Ortrud Lindemann estaba de camino, en avión. Por la noche apareció y todos respiramos. Pero, por lo que fuera, ni la homeopatía ni otros factores conseguían arrancar el parto. Ya se hacía de día y parecía que tendríamos que ir al hospital de nuevo. Teníamos que agotar todos los recursos; parecerá extraño, pero me sentía rodeada de mujeres más conocedoras del parto en casa que yo, así que no me sentía capitana del barco. Yo colaboraba, respetando las directrices de quien lleva el timón, no fuera que, entre todas y al mismo tiempo, tirando cada una de un lado, llevásemos la embarcación a mal puerto. Sin embargo, sí que se puede combinar: ahora tú, ahora yo o todas a la vez por el mismo lado... Y como es algo no físico, parece poco valorada, pero es una herramienta, digamos psicológica, que me habían enseñado las «alternativas». Así que podíamos probar.

Les propuse que me dejaran hablar con ella; fui a donde estaba la mujer, la gran mujer, tengo una gran admiración por ella. Cuando estábamos solas, le pedí que dijera cualquier cosa, que no se lo pensara mucho, pero que lo sacara por la boca. Por ejemplo, que me dijera que no le gustaba el jersey que yo llevaba. Entonces, recuerdo haber dicho muchas, muchas cosas duras y fuertes que creía que eran lo que le pasaba, mezcladas de cosas evidentemente falsas para no lo sintiera como un juicio sino como una vía de salida. Después de haberle dicho tantas tonterías, ella no respondió, seguía impertérrita; tal vez una lagrimita pequeña que parecía más bien de una herida que de otra cosa. Estaba claro: no lo había conseguido. Me fui al comedor y la dejé sola en la sala donde estaba, pensando que no sólo no había cumplido mi propósito sino que encima quizá lo había dejado peor. Y mientras informaba mis compañeras, Ortrud y Kitty, de repente se oyó un estallido de llanto gigantesco, un grito desgarrador. Su pareja, que estaba con nosotras en el comedor, se precipitó hacia donde estaba ella y ya no se movió de allí. Aquello era estrepitoso. Al llegar nosotras, vimos lo que podríamos decir una catarsis que arrancó el parto. En dos horas dio la entrada a su menudita, hermosa y tierna hija, con tres vueltas de cordón en el cuello que Kitty deshizo muy profesionalmente.

En el momento de la salida de la pequeña, sucedió algo. Ella, dentro de toda aquella serie de contracciones intensas, buscaba el nido donde recibir a su hijita. A cuatro patas, olía como una leona era capaz de hacer, y se fue apoyando en un lugar y en otro hasta encontrar el que le diera más seguridad. Vino a apoyarse sobre mi pecho. Allí se sintió cómoda y protegida. Parió apoyada en mis brazos.

Más tarde, agradecida por la ayuda recibida, nos entregó un detallito a todas: un escrito en el que explicaba las impresiones de su propio parto. Mi sorpresa fue que el recuerdo de su vivencia no estaba claro. No recordaba sobre quién había descansado la espalda durante la salida de su hija, había cambiado ese detalle. No le dije nada, no me parecía adecuado. Cada persona decide dar los pasos cuando quiere y cuando considera que está preparada, no cuando alguien se lo dice por más claro que esté para el otro. Creo que hasta hoy, después de diez años, el velo que le impedía ver las cosas con claridad lo ha ido deshaciendo ella misma poco a poco. Ahora ya puede ver más nítidamente. ¿Y por qué en su momento no podía hacerlo? A veces nos empeñamos en ver las cosas como queremos y no como son. Nos ofuscan. Entonces aparecen los velos, las ilusiones, que no son ni mucho menos reales. El problema de esto es que nos encarcelamos a nosotras mismas aun sabiendo que la verdad nos hará libres.

Y yo, a ella, le tengo un gran, gran agradecimiento.

Olga Español. Comadrona.

La vocación de comadrona

Siempre en la vida hay algo que proviene de lo más profundo de nuestro ser, de nuestras raíces, de lo que llevamos innato en nuestra esencia; es de allí de donde proviene mi vocación de comadrona.

Ya de pequeña sentía gran admiración por mis dos abuelas, ambas madres de familias numerosas, y sentía curiosidad de cómo aquellas grandes mujeres habían llevado adelante sus productivas vidas y familias.

Mi abuela materna tuvo doce hijos, dos murieron durante el primer año de vida debido a una neumonía y las condiciones de la época. Siempre me pregunté de dónde provenía tanta fertilidad; con el tiempo entendí que venía del amor entre mis abuelos, de la complicidad de sus miradas, su amor se fundía en el piano que tocaba mi abuela, y entre ellos su mejor melodía era la felicidad. Y de ahí nació mi madre, mujer curiosa y apasionada de la vida.

Mi abuela paterna tuvo siete hijos y tres abortos naturales. Su amor por la familia y por mantenerla unida fue la lucha de su vida. La condición de militar de mi abuelo hizo que viajaran según destino. Y dio la casualidad de que mi padre nació en Melilla, siendo sietemesino, debido a que mi abuela cogió el tifus. Tenían una cajita de zapatos y a un cura para darle la extremaunción, pero él decidió vivir, se agarró a la vida con fuerza, y su mirada a la vida fue con un prisma dulce, con ojitos pequeños pero con gran ternura. Su fuerza femenina me acompaña en cada nacimiento.

La aventura de la juventud me llevó a descubrir otros paisajes y, a la vez, a formarme en Inglaterra como comadrona. Allí presencié mi primera experiencia de un nacimiento en casa. Todo ocurrió una tarde de soleado día en el que el cielo despejado levantaba una ventisca fresca que quebraba en mi cara. De repente sonó el teléfono, la presencia era inevitable, y nuestra marcha era indiscutible. Sin titubear, cargamos con nuestro equipaje, y firmes en nuestros pasos, entramos en esa casa sencilla hecha de paredes de cemento en donde el frío puede persuadir tus huesos, donde las capas de pintura se entremezclan las unas con las otras y no descubres qué color es el que preside la sala.

Entramos a través del pasillo estrecho, y el gemido de la mujer era penetrante; estaba tumbada encima de un bajito y estrecho sofá. Todo fue en un abrir y cerrar de ojos, la mujer ya había roto aguas y la cabecilla del nuevo ser se avecinaba por sus nalgas haciendo acto de su presencia. La mujer contenía su dolor, y su aliento era consecuencia del marcado ritmo de su respiración.

Todo fue espontáneo, natural, sin métodos inductivos, como la vida misma en que los eventos fluyen por su esencia. El nuevo ser resultó ser una preciosa niña de poco peso pero de sonoro llanto que cogió con gracia el pecho de su exhausta y feliz madre.

Mi trabajo fue de apoyo, de presencia, de cariño, de contención de la alegría por vivir lo vivido.

Éste fue el inicio de mi primer parto como estudiante, luego llegaron muchos más y, junto a los partos respetados hospitalarios en Inglaterra y combinado con la formación teórica, fueron los pilares que me dieron la base sólida para que la ciencia y la intuición se entrelazaran.

Al volver a Cataluña, me encontré con una realidad muy distinta a todo lo que había aprendido, trabajé en diferentes hospitales y conocí al equipo de Marenostrum, donde acompañé en distintos partos en casa. En Marenostrum he encontrado un equipo humano donde cada uno aporta lo mejor de su ser y saber, lo que nos permite ofrecer un cuidado individual a las mujeres y sus familias, un conocimiento más íntimo e intenso del proceso que compartimos.

Es un placer disfrutar de mi profesión junto a profesionales y familias que lo hacen posible, tengo un agradecimiento profundo a cada uno de ellos.

Maria Calvo. Comadrona.

Formación en Inglaterra: la autonomía

Estudié Enfermería en la Universidad de Murcia, trabajé como enfermera seis meses en Inglaterra y posteriormente en Murcia, sobre todo en servicios especializados, como UCI, quemados y reanimación. Luego hice la especialidad de matrona en Leicester y trabajé en Bristol hasta junio de 2007.

Elegí irme a Inglaterra a estudiar por tener una experiencia personal, por el reto de crear todo partiendo de cero. Pero, además de vivencia personal, resultó ser una experiencia profesional muy valiosa que me enseñó a ver el parto como parte natural de la vida de la mujer, a confiar y a trabajar de manera autónoma. A mi vuelta a España aterricé en Barcelona, donde impacté con la realidad hospitalaria de la mayoría del país, donde la autonomía de la matrona brilla por su ausencia, donde la información a la mujer es en muchas ocasiones menor y más distorsionada de lo que debería y donde la capacidad de opinión y decisión de las parejas se reduce a cero.

Buscando un lugar donde trabajar a gusto y en consonancia con mis ideales de respeto y sinceridad a las personas, encontré Marenostrum. Encontré en los partos en casa la autonomía en el embarazo, parto y posparto, y en la relación estrecha con las mujeres y familias que querían ser protagonistas de sus vidas. Para ellas trabajé durante casi dos años de manera exclusiva. Es ciertamente un trabajo muy gratificante acompañar a una familia potenciando su confianza en las capacidades que tienen, en sí mismos, ayudando a que sepan que, «a pesar de» estar embarazadas, siguen siendo los protagonistas y responsables de sus vidas, siguen teniendo derecho a opinar y decidir.

Es un placer siempre informar y fomentar la autonomía de las personas para que decidan en último término lo que es mejor para ellos, no para mí o para otros profesionales... sino para ellos, que al fin y al cabo es de cuyas vidas hablamos...

Alicia Martínez. Comadrona.

Estar con las mujeres

He tardado unos años en encontrar el trabajo ideal para mí. Ahora, ejerciendo de comadrona asistiendo partos en casa he encontrado el pleno equilibrio personal y profesional.

Durante muchos años tuve clara mi vocación, pero me costó llegar a poder acceder a los estudios de especialización. Con todo el esfuerzo que supuso, incluyendo dejar a mi pareja y a mi familia y vivir en otro país, hoy me doy cuenta de que ha valido la pena.

El primer día de clase confirmé que no me había equivocado cuando la directora del colegio de comadronas nos dio la bienvenida y nos preguntó si estábamos dispuestas a «estar con las mujeres», como bien indica la palabra comadrona [con madre].

Mi primer día en la sala de partos de un hospital del Este de Londres recibí mi más potente lección. Hace cinco años, en abril de 2005, revisando mi diario, me acuerdo de Sylvette: «Una madre africana con el pelo teñido de rojo de la habitación 2 está pariendo», me dijeron mis compañeras, «¡Ve!». Entré a la habitación asustada y nerviosa porque no sabía qué tenía que hacer, miré a mi supervisora, luego a Sylvette, que, sentada sobre la cama se aguantaba las piernas, llevaba una blusa de colores y sin pantalón. Veía a esa mujer grande, fuerte y sola que parpadeó y gimió mientras se veía la cabecita del bebé saliendo. Yo, novata, empecé a moverme buscando cosas (no sé cuáles) mientras Kim, la supervisora de comadronas, montaba una mesa con material. Ésta me miró y dijo: «Sonia, tranquila, ¡observa!». Después de la orden no hice nada, me limité a ver con ojos bien abiertos cómo el bebé nacía sobre la cama. Me acerqué a ella, le coloqué al bebé sobre su pecho y la felicité, mientras yo temblaba de emoción y admiración. Así fue cómo aprendí lo que es un parto normal, y que la mejor comadrona es aquélla que es capaz de estar con las mujeres para apoyarlas y devolverles el poder de dar a luz a sus hijos sin necesidad de hacer nada para «ayudarlas» a parir. Tuve la oportunidad de aprender cómo las mujeres de diferentes culturas y clases sociales dan a luz de una manera segura y pacífica sin más tecnología que una comadrona amiga que las apoya.

Tras estos cinco años he podido asistir diferentes tipos de nacimientos y me he dado cuenta de lo que se debe hacer y de lo que no, a menudo en contra de la opinión de muchos, hasta que he encontrado la manera de trabajar acorde con mi formación y mi convicción.

Hoy por hoy formo parte de un equipo de grandes profesionales, pero sobre todo de grandes personas, las cuales han despertado en mí muchas inquietudes, y cada una de ellas me ha enseñado lo bonita que es la vida cuando se cuidan a las familias desde diferentes perspectivas.

He tenido la oportunidad de observar, bueno no, mejor dicho, de «vivir» los nacimientos en su totalidad e inmensidad. He podido admirar el cuerpo femenino, aprender de su poder, su naturalidad y su fuerza. He alabado la madre tierra, la naturaleza y el don de dar vida. He visto el amor fluir a borbotones.

Me he sentido acogida dentro de las familias y he agradecido haber sido invitada a la fiesta del nacimiento de un nuevo miembro de la sociedad acompañándolas en los momentos de gloria, y también en los difíciles.

Desarrollar mis sentidos y mi intuición ha sido un gran descubrimiento, pues el uso de máquinas y aparatos ha sido mínimo. Por ello, me he apoyado en mi capacidad de actuar de manera reactiva y he confiado en que todo saldrá bien.

Y cada día, reposando al atardecer, doy gracias. Gracias a mis manos, porque son mi sabiduría, a mis ojos y a mi sonrisa, mi gran aliada cuando se pronuncia desde el interior para una madre o un bebé que necesitan aliento y ánimo.

Sonia E. Waters. Comadrona.

Parto en agua

Me formé como comadrona en Inglaterra, país donde se introdujo el parto en agua mucho antes que en España, por lo que desde el inicio de mi experiencia en la profesión vi esta práctica como algo normal y muy útil, sobre todo durante la dilatación, en la que se deben usar todos los recursos posibles para aliviar y hacer más tolerable el dolor y así mejorar la experiencia del parto.

Cuando regresé de Inglaterra empecé a trabajar en un hospital comarcal y a asistir partos en casa con el equipo de Marenostrum, en los cuales no podía faltar —siempre que el espacio físico lo permitiera— una piscina hinchable que traíamos nosotras mismas y que en un momento u otro se utilizaba. En el hospital también nos instalaron una bañera grande y poco a poco se ha ido utilizando más, aunque todavía existe una cierta inseguridad acerca de su uso tanto por parte de los profesionales como de las usuarias.

Como con cualquier otro recurso, he podido observar que hay mujeres a las que les es muy útil y otras para las que no lo es tanto, así como hay a quien le va muy bien para la dilatación y en cambio le resulta difícil poder empujar, por lo que el nacimiento es fuera del agua.

En algunos casos, la expresión de la cara de la mujer al entrar en el agua lo dice todo: ves cómo se relajan todos los músculos y espontáneamente esboza una sonrisa. Recuerdo el caso de una mujer que tenía unos problemas articulares en las piernas y le resultaban muy dolorosas las contracciones a pesar de estar de pródromos de parto. Me dijo que quería entrar en el agua; en un principio dudé, pues las contracciones eran irregulares y casi no había empezado a dilatar, me daba miedo que se espaciaran más y que más adelante, cuando fueran más fuertes, ya no le fuera tan útil. Al final decidí prepararle la piscina, y la expresión de su cara al meterse en el agua fue tal que hasta me hizo emocionar. Fue un parto un poco largo, pero sin la ayuda del agua hubiera sido muy duro para ella.

También creo que a veces se crean falsas expectativas, hay quien se hace a la idea de que dentro del agua casi no va a tener dolor, y cuando ve que las contracciones siguen doliendo o que la dilatación es lenta, se decepciona. Éste es un buen recurso, pero se debe dar una correcta información sobre qué esperar de ello.

Un poco de teórico - práctica

La utilización del agua durante la dilatación y el parto es una práctica relativamente nueva que fue introducida cautelosamente en los años ochenta en algunos países, como Gran Bretaña. Desde entonces, se han realizado muchos estudios para investigar sobre sus beneficios y sus riesgos; todos estos estudios han permitido ver que el uso del agua durante el trabajo de parto tiene beneficios, y que los riesgos son teóricos y evitables con una buena praxis, con lo que se respalda con evidencia científica a los profesionales dispuestos a utilizarla.

Hasta hace poco sólo tenía acceso al agua la mujer que decidía parir en casa, pero actualmente cada vez más hospitales instalan una bañera, aunque no siempre hay el suficiente personal que se atreva a ofrecerlo a las mujeres, por lo que en muchos centros se utiliza poco.

Beneficios y riesgos asociados a la utilización del agua durante la dilatación y el parto

Beneficios

- Reducción de la duración de la dilatación.

- Disminución del uso de analgesia epidural.

- Efecto analgésico.

- Mejor experiencia y satisfacción en el proceso del parto.

- Mayor relajación.

- Mejor control de la tensión en mujeres hipertensas.

- Facilidad de establecer el vínculo materno - filial.

Riesgos (teóricos)

- Aspiración de agua por parte del bebé: sólo podría darse en el caso de un estado de falta de oxígeno severa y prolongada, y aún así, la broncoaspiración se evitaría porque los bebés tienen un reflejo de inmersión que se activa ante cualquier estímulo externo bloqueando la entrada de la laringe.

- Infección por parte de la mamá y el bebé: evitable con una buena limpieza de la bañera. Los estudios muestran que no hay un incremento de este riesgo.

- Sufrimiento fetal: estaría relacionado con el riesgo de hipertermia materna, que provocaría una taquicardia fetal, evitable con un buen control de la temperatura del agua. En caso de hipertermia materna se puede solucionar fácilmente invitando a la madre a salir del agua.

- Hipotermia neonatal: evitable con una correcta temperatura del agua y manteniendo el bebé con la madre dentro del agua.

Aspectos prácticos

Se puede recurrir al agua en cualquier momento que la mujer lo necesite, aunque lo aconsejable es retrasar su uso hasta que el parto esté bien establecido (unos cinco centímetros de dilatación y una buena dinámica uterina) para que el efecto analgésico sea mayor. Algunos estudios han demostrado que, a corto plazo, la inmersión en el agua puede incrementar la liberación de oxitocina, pero que este efecto desaparece en una o dos horas, por lo que las contracciones pueden ser menos efectivas. Un tiempo demasiado prolongado también hace que se pierda parte del efecto analgésico.

La profundidad del agua debe ser suficiente como para que la barriga de la mujer quede completamente sumergida y así pueda adoptar distintas posturas fácilmente, siempre teniendo en cuenta que la mujer se sienta cómoda y segura.

Respecto de la temperatura, se recomienda que esté alrededor de 37°C; temperaturas más altas podrían llevar a una redistribución circulatoria hacia la piel causando hipotensión y disminución del flujo placentario, así como un aumento de la temperatura corporal materna que podría provocar una taquicardia fetal.

Es muy importante mantener la ingesta hídrica de la mujer de parto mientras permanece en el agua.

El momento del parto es muy importante que sea completamente bajo el agua para que el bebé no entre en contacto con el aire antes de que salga el cuerpo y así minimizar el riesgo de broncoaspiración; también es importante evitar la estimulación del bebé antes de su salida, a ser posible permitir que salga solo, sin tocarlo; la presión externa del agua y un pujo controlado evitarán desgarros.

Una vez nacido el bebé, se debe llevar a la superficie con la cara hacia arriba y mantener su cuerpo bajo el agua para que no se enfríe. También se debe tener cuidado de no traccionar demasiado el cordón para evitar que se rompa en caso de que sea corto.

El alumbramiento de la placenta puede ocurrir dentro o fuera del agua, aunque se recomienda que sea fuera, ya que existe el riesgo teórico de un embolismo de agua.

Marta Sentías. Comadrona.

Parto vaginal después de cesárea (PVDC) en casa

Los PVDC son partos muy especiales para mí porque las mujeres que piden parto en casa con cesárea anterior lo son. Son mujeres fuertes, con las ideas muy claras que no tienen miedo al dolor físico del parto; le temen al dolor emocional, al sufrimiento de verse separadas de sus hijos al nacer —siempre es lo que vivieron peor—, al sufrimiento del parto robado, de sentirse incapaces...

Son mujeres que investigan, se informan, leen, se meten en foros como el de Apoyocesáreas, luchan... Muchas leen tanto que saben más que yo y más que muchos médicos sobre parto natural y respetado, como si quisieran hacer un máster de «saber parir».

Por todo ello, un PVDC es mucho más que un parto, es un triunfo para esa madre, para esa familia y para ese bebé, y yo me siento privilegiada de poder acompañar ese momento.

Suelen ser partos largos y duros porque estas madres no sólo tienen una herida en su matriz sino que la tienen también en su alma, en la confianza en ellas mismas para parir. Y es que el 90% del éxito de un parto —al menos un parto fisiológico en casa— es la mente quien puede garantizarlo. En mi experiencia existen dos tipos de mujeres teniendo un PVDC:

- Aquéllas que tuvieron cesárea programada, por ejemplo, por presentación de nalgas o que no tuvieron la posibilidad de demostrar o no que podían parir suelen tener partos bastante fáciles y suaves.

- Pero las mujeres a las que se les realizó cesárea tras un fracaso de intento de parto vaginal por falta de progresión o descenso del bebé intrauterino suelen tener partos más largos y duros, con fases de preparto largas y especialmente molestas. Creo que esto sucede porque tienen dañada la fe en sí mismas. De este grupo de mujeres, las que alcanzaron una dilatación de más de cinco centímetros antes de ser cesareadas suelen dilatar también con mucha facilidad, pues el cérvix tiene memoria celular, y si dilató una vez vuelve a hacerlo con facilidad.

En el año 2001 yo había empezado hacía poco a asistir partos en casa y tenía mis miedos. Entonces se creó la lista foro de Apoyocesáreas, me invitaron y entré desde el primer día. Allí, leí los testimonios de tantas madres heridas en su integridad por «innecesáreas» que buscaban desesperadamente un siguiente nacimiento mejor para sus hijos, un parto digno y respetado que les sanara las heridas causadas por el primero. Las leía, atormentadas, reuniéndose con jefes de equipo de obstetricia de hospitales, presentando los primeros planes de parto y recibiendo negativas y excusas varias. Lo explicaban todo. Algunas querían un parto en casa, no encontraban quien las asistiera. Yo empecé a pensar que quizás podría atender algún PVDC en casa si alguien me lo pidiera. En un curso que asistí en esa época estaba Michel Odent y hablé con él. Me dijo que un PVDC necesitaba todavía menos adrenalina, menos estimulación del neocórtex y menos perturbaciones para ser más fácil y seguro. Y, por ello, un PVDC era mucho más seguro en casa que en hospital, porque en un hospital era difícil evitar todo eso. Luego leí libros de obstetricia antiguos donde se describía la rotura uterina, hablé con comadronas que habían vivido una, me aprendí todos los síntomas premonitorios para estar bien atenta y empecé a decir que sí a las madres que me lo pedían. Mi intención no ha sido saltarme las reglas ni ser una temeraria sino estar al lado de las mujeres en sus decisiones y ayudarlas a conseguir algo tan importante para ellas. Os aseguro que para estas mujeres hay un antes y un después en sus vidas. Se empoderan, suben un escalón muy alto en su ego, se sienten capaces de todo en la vida. No vuelven a ser las mismas.

Si ya es difícil conseguir un parto fisiológico no dirigido y respetado para una mujer sin cesárea anterior, para una que la tiene se convierte en toda una carrera de obstáculos.

El protocolo de actuación para asistir PVDC en hospital actualmente incluye medidas como monitorización continua e interna, peridural sí o sí y forceps para abreviar el expulsivo. Esto, en el mejor de los casos, porque en la privada, sólo por el simple motivo de tener una cesárea anterior ya practican una cesárea programada a cerca del 90% de las mujeres. Todo ello implica un riesgo mayor para la madre y para el bebé.

Los riesgos de una monitorización interna, como desprendimiento de placenta y perforación uterina, los propios de una cesárea como hemorragia posparto incontrolable, histerectomía, daño al bebé, prematuridad iatrogénica, mortalidad neonatal (2,9 veces superior), mayor mortalidad materna... son riesgos raros que deberían ponerse en la misma balanza del riesgo «raro» de una rotura uterina. Mi madre, comadrona jubilada, en 43 años de ejercicio profesional no vio ninguna. Yo, en 14 años de comadrona, tampoco.

Llevo alrededor de cien PVDC asistidos en domicilio, de los que sólo cinco terminaron en el hospital, y de ellos, tres fueron partos vaginales, y dos, cesáreas. En ningún caso hubo ni el más mínimo síntoma premonitorio de rotura uterina, los traslados fueron por dilatación estacionada o expulsivo estacionado, sin prisas.

Por otro lado, creo que el hecho de que en casa no se realicen intervenciones sino que el parto es espontáneo y la comadrona se limita a acompañar, observar y vigilar, el riesgo de rotura uterina se minimiza. Los pujos en casa, por ejemplo, no son dirigidos, apenas duran quince segundos y sólo uno por contracción.

También aumenta la seguridad el hecho de tener a una comadrona para una mujer; a menudo en estos partos estamos dos comadronas, para una mujer. La capacidad para detectar un problema grave es mayor.

La madre que ha elegido tener un PVDC en casa es porque es consciente de los problemas que acarrea una cesárea para su salud y la de su hijo, para el vínculo con él, para la lactancia... y sabe que en un hospital tiene muchos más números de tener otra cesárea. Quiere luchar por su parto vaginal al máximo y tiene derecho a no ser culpabilizada por elegir esta opción. Debe buscar para ello una comadrona titulada con experiencia en este tipo de partos y proveerse de las máximas medidas de seguridad, como por ejemplo un hospital a menos de media hora y un buen plan de traslado organizado.

Inma Marcos. Comadrona Independiente.

Reflexión del nacimiento de Quimsa

Hace ocho años estaba viviendo en Barcelona, y aproximadamente a los 4 meses fue cuando me di cuenta de que estaba embarazada de mi tercera hija. Mi esposo seguía trabajando en Londres, y yo estaba con mis dos hijos en un piso loco (por su posición central, ruido y altura) al lado de las Ramblas. Conocía a muy poca gente y no hablaba español, y mucho menos catalán. Me encontré sorprendida y un poco asustada.

En mi primera y última visita al médico de mi ambulatorio, me di cuenta de que en realidad ya no estaba en el Reino Unido, y que la atención sería diferente a la que estaba acostrumbrada. En esta visita, el médico no intentó hablar conmigo en ningún momento. Dirigió toda su atención a mi marido y le informó que, como estaba tan gorda, iba a desarrollar diabetes y tendría una cesárea. Los dos nos sentimos conmocionados e insultados por su actitud y comportamiento. Me molestó profundamente esta visita, y mi marido y yo tratamos de encontrar una experiencia de cura alternativa. Esto resultó difícil, ya que no conocía a nadie que nos pudiera ayudar, pero por casualidad, mientras estaba de compras, mi marido vio el símbolo de Marenostrum.

Nuestra primera visita fue de cálida bienvenida. En este momento, una hermosa comadrona holandesa estaba ahí trabajando. Escuchó nuestra historia y abrió sus brazos a todos nosotros. Toda mi familia fue acogida de inmediato por el amor y la calidez de Marenostrum, y mi vida comenzó a cambiar a partir de entonces.

Durante el inicio de este embarazo estaba muy mal emocionalmente, pero la atención que me dieron ayudó a fortalecerme de manera significativa; cuando fui a dar a luz era un mujer fuerte y saludable, tanto física como emocionalmente.

El nacimiento no fue fácil, ya que mi hija estaba en posición transversal debido a la laxitud de los músculos de mi útero, y después de muchas horas de trabajo de parto decidí ir al hospital;

sentí que no podría continuar sin algún alivio para el dolor. Ortrud fue mi comadrona y homeópata en casa, pero aún así decidí ir al hospital creyendo que recibiría un descanso de la avalancha constante de dolor, que sentía como contracciones sin sentido en ese momento.

Mi sensación era que el hospital carecía de la compasión humana básica en muchos aspectos. La transformación de la atención que daba Ortrud a la atención que recibí en el hospital fue radical; en más de una ocasión quise levantarme y volver a casa.

No recibí alivio para el dolor durante muchas horas tras mi llegada, y los médicos me trataron mal. Al final, tuve la suerte de tener una matrona que no sólo hablaba inglés sino que fue capaz de asistirme el parto de manera vaginal, al contrario de lo que habían decidido los médicos.

Una vez en casa con mi hermosa niña, mi atención estuvo una vez más a cargo de Ortrud y la hermosa familia de Marenostrum. Con cada lucha me dieron apoyo, y al final estaba tan profundamente conmovida por mi experiencia que decidí formarme para convertirme yo misma en comadrona.

Ahora, ocho años después y cinco de esos años en formación, soy una comadrona que trabaja en Marenostrum. Conozco el valor de lo que me gusta llamar «obstetricia del corazón», algo que puedo ofrecer a las mujeres y que yo nunca recibí.

Creo que todas las mujeres deben tener la oportunidad de tener este tipo de atención durante este tiempo de su vida, porque éste puede ser un momento de transformación absoluta. Estoy eternamente agradecida a Marenostrum por su apoyo a mí y a mi familia durante este momento crucial de nuestras vidas.

Krishinda Powers. Comadrona.

Nacimiento de Guiu.
El bebé decide su nacimiento

Conocí a los papás de Ona, Anna y Xavi, en una de las visitas en Marenostrum. María seguía su embarazo, era el segundo, y recuerdo que su mayor miedo era no llegar a la semana 37 y no poder hacerlo en casa; con Ona no llegaron a las 36 semanas, se adelantó, algo que no esperaban, dilató muy rápida y nació en el hospital. Así que el mayor deseo ahora era llegar a la semana 38 para que el parto pudiera desarrollarse en casa y esa nueva vida naciera naturalmente.

El segundo encuentro, «la visita en casa», fue ya en su domicilio a mitad de febrero. Saber la dirección y cómo llegar es algo bastante importante para el día del parto: conocer la casa, sus deseos, los de la pareja, comprobar que la lista de cosas está casi completa, hablar de sus miedos, aunque la fecha de riesgo estaba casi supera-da... Ahora tocaba enfrentarse a la realidad de que podía ser en casa, aunque con un pequeño inconveniente: el famoso congreso de Las Palmas de Gran Canaria al que íbamos casi todas las matronas. Un año esperando para ver a Michel Odent y a Sheila Kitzinger, así que este nacimiento tendría que esperar a marzo y llegar casi a la semana 40. Al final, el bebé decidiría con quién deseaba nacer.

Llegó el día tan esperado, nos dejó asistir al congreso, res-petó nuestra semana en Las Palmas, y su deseo fue nacer con María y conmigo. Recuerdo que era miércoles, María me llamó a mediodía y me avisó de que Ana había comenzado con contracciones, estaba tranquila y su pareja le acompañaba; Ona había ido a la guardería y luego se quedaba con los abuelos.

Yo tenía la tarde libre, y María me iría informando de las novedades. Al llegar a casa volví a buscar la dirección y cómo llegar por internet, lo apunté en un papel por si había que salir corriendo, ya que María, desde su casa y en hora punta, podía tardar más que yo en metro; también preparé un minikit de partos, me notaba nerviosilla, y sobre las seis de la tarde María volvió a llamar, las contracciones eran más regulares y duraban más tiempo.

Recuerdo que mientras me vestía, María volvió a llamar, que corriera que las contracciones se habían disparado, ella estaba de camino. ¡Vaya subidón! Mi corazón se aceleró y salí de casa pitando con la dirección en la mano.

Tardé unos 25 minutos en llegar, hay que estar en forma para los partos en casa, lo confirmo; cuando estaba esperando en el portal, Xavi, el marido de Ana, subía de aparcar el coche de María con cara de susto. Me tranquilizó saber que María ya había llegado, y el bebé nos había esperado.

Subimos las escaleras corriendo, era un primer piso. Los gritos de Ana eran desgarradores y largos, a mí me llegaron a asustar, sabía que María estaba con ella y eso la calmaría.

En el pasillo extendimos las mochilas y sacamos todo lo necesario: empapadores, compresas, toallas... María cogió la linterna para observar cómo estaba el periné de Ana, que se encontraba dentro de la bañera cubierta de agua calentita y con velitas que iluminaban de forma tenue creando un ambiente cálido.

En la cocina preparé las cacerolas con agua hirviendo para las infusiones; las naranjas, listas, y el exprimidor, controlado.

Se escuchaban gritos de «No puedo, María, no puedo», y María, con su voz dulce, la tranquilizaba y le repetía: «Sí que puedes, sí que puedes». Ana no se podía creer que ya quedara poco, estaba asustada; en el anterior parto no había sentido nada de dolor, todo había ido muy rápido y al llegar al hospital le habían puesto la anestesia, así que estas sensaciones eran nuevas para su inconsciente y sentía miedo. Sus gritos eran de mucho miedo. Me llegaron a sobrecoger, pero María mantenía la calma y, poco a poco, la actitud de Ana, con el apoyo de su pareja, que le repetía «queda poco» y «lo estás haciendo muy bien», cambió y se transformó en positiva, en «Sí puedo y mi bebé está bajando».

Quizás pasaron tres cuartos de hora desde nuestra llegada cuando los pelitos de Guiu ya asomaban. María me dijo que pasara y me colocara en una esquinita del baño, así lo hice; recuerdo que la cara de Ana reflejaba un gran esfuerzo y cansancio, su actitud positiva fue la clave para que el bebé bajara: fueron dos contracciones y salió disparado, muy rápido y muchas emociones acumuladas invadieron ese espacio pequeño, llanto de satisfacción, miradas de complicidad, caricias de apoyo... El pequeño ya lloraba en brazos de Ana, bien tapadito con toallas y arropados por el papá. Los tres juntos disfrutaron de la bienvenida de Guiu.

Una satisfacción y una alegría inmensas. María y yo, fuera, respirábamos tranquilas; una complicidad donde las palabras sobran.

Llegó Sonia, otra de las matronas de Marenostrum que también conocía a la familia, nos ayudó con el batido de placenta y las infusiones mientras ayudábamos a Ana a pasar a la habitación, muy calentita y con luz tenue para no cambiar de ambiente; se tumbó en la cama con el peque amorrado a su pecho y con el papá a su lado. El bebé ya mamaba mientras la placenta se desprendía, y luego suturamos un pequeño desgarro del periné.

El batido de placenta, listo con su pajita, en este caso para el papá; la mamá prefería dejarlo para más tarde, no sentía curiosidad, más bien un poco de asco. Al papá le encantó: «Creo que sólo sabe a naranja». Fuimos recogiendo todo mientras María acababa los papeles, el pequeño mamaba sin rechistar y los papás se miraban satisfechos de una experiencia única cargada de sensaciones, esfuerzo, intimidad y amor.

Esta aventura une a una pareja, refuerza el amor y supera los límites del ser humano. Es naturaleza pura, algo desconocido. A mí me sigue impresionando, y espero que así sea siempre.

Muchas gracias, familia, por compartir conmigo esta experiencia.

Luisa Barricarte. Comadrona.

Nacimiento de Elvis

Estaba desayunando tranquilamente cuando Sonia me llamó para ver qué hacía y por si podía ir a un parto en Paralelo. Tenía pendiente ir a depilación, a yoga y también había quedado con un pintor chino al que le había encargado un sello... Pero sin pensármelo dos veces llamé a todos para decir que no podía ir y llamé a casa de Vicente y Helen para decir que ya iba de camino.

El corazón me latía muy fuerte: era ilusión, intriga, nervios... Pero en el fondo mucha felicidad por poder estar, después de tanto tiempo, ante una mujer en trabajo de parto.

Cuando llegué a la casa ya estaba Alicia, sentía a Helen gritar de dolor pero con una respiración profunda y controlada. Vicente estaba muy nervioso, y Alicia empezó a describir el parte en los documentos de Marenostrum.

Yo miraba, observa y aprendía... Tenía ganas de ver a Helen, pero ella estaba a cuatro patas sobre la cama. La luz y la temperatura eran muy agradables. Empezamos a preparar la infusión de canela y el agua de tomillo y cola de caballo.

En un momento de dolor, Helen pidió que Alicia le hiciera un tacto, pero finalmente confió en la naturaleza y se olvidó, ya que todo iba perfecto.

Sobre las doce del mediodía rompió la bolsa, y desde ese momento tuvo ganas de empujar.

El bebé (no sabíamos si era niño o niña), en todo momento, estaba con una frecuencia cardíaca perfecta, lo que nos hacía seguir con mucha ilusión y paz. Alicia y yo nos miramos y sonreímos, las dos pensamos lo mismo: ¡estaba empujando! No nos lo podíamos creer, ya que las primeras contracciones fueron a las 7 de la mañana, estaba yendo todo muy rápido.

A partir de ese momento, Helen no paraba de empujar... En la cama, en el baño, en el suelo... Mientras, íbamos comiendo y tomando fuerzas. Hasta que llegó un momento en que Alicia le propuso a Helen hacerle la «silla de la reina»: Vicente, Alicia y yo cogimos a Helen y, con la ayuda de la gravedad, las contracciones y la fuerza incondicional de Helen, la cabeza iba descendiendo poco a poco.

Finalmente, aquellos cabellos ya se veían con la linterna y el espejito, ella estaba con cojines en el suelo a cuatro patas y cogiendo con toda su fuerza la mano de Vicente. Aquellos momentos fueron mágicos. Ves cómo llega el milagro de la vida. Finalmente, cuidando el periné con calor húmedo, éste se comenzó a dilatar, dilatar... hasta que salió la cabeza. Esperamos a que tuviera una nueva contracción y salió el resto del cuerpo. Ella lo cogió entre sus piernas y ¡la explosión de emociones comenzó!

Era un niño, y nos dijeron su nombre: Elvis. ¡Qué niño tan grande! ¡Rosado y suave! Allí los dejamos a los tres. Alicia y yo también nos abrazamos en el comedor. Todo había salido como ellos querían. ¡Un parto en casa precioso!

Griselda Vázquez.

Capítulo IV
Embarazo

Después de conocer las funciones del equipo y el talante de las comadronas de Marenostrum, a continuación podemos conocer cómo se plasman las acciones en historias reales escritas por los protagonistas en primera persona.

La historia de un milagro

Querido Bebé:

Ahora duermes plácidamente, mientras escribo. Cada vez que te miro, no puedo dejar de emocionarme. Cuando me sonríes y me buscas. ¡Si supieras lo mal que lo estábamos pasando tu padre y yo hace un año! Jamás nos hubiésemos imaginado que podríamos tenerte en nuestros brazos.

Hacía mucho tiempo que te buscábamos, y no pasaba nada. Iban pasando los años, uno tras otro... Veíamos a los niños de nuestros amigos crecer, nacer, un bebé, dos bebés... tantos. Y tú no llegabas. A mí se me pasaba de todo por la cabeza, cada vez que se me retrasaba el periodo me hacía ilusiones, me buscaba mil síntomas de que podría estar embarazada. Pensaba: «Esto no puede ser tan complicado, si la gente tiene hijos sin problemas». Decidimos darnos un tiempo, intentarlo un año más antes de ir al médico a consultar. Pasó ese año y fuimos al ginecólogo. A mí me hicieron un montón de pruebas, y a tu padre, también. Tardaron unos meses en darnos el resultado. Cuando llegó el día, un 11 de mayo, nunca lo olvidaré... Salimos de la consulta hechos polvo. Nos dijeron que no teníamos ninguna posibilidad de ser padres. Si queríamos tener un bebé tendríamos que adoptarlo o recurrir a un donante. En esos momentos se te cae el mundo encima, sobre todo cuando lo que más quieres en el mundo es tener hijos, formar una familia con la persona a la que quieres.

Pasamos unos días, meses muy amargos. No sabíamos qué decisión tomar. Pensábamos que era algo muy difícil y necesitábamos tiempo. Yo me despertaba cada noche buscando información, no podía creerme que esto pudiera ocurrir. Pensamos que lo mejor era no comentarle nada a la familia, porque el golpe había sido muy duro, muchas noches llorábamos desconsolados.

Decidimos pedir cita con la Dra. Ortrud Lindemann, consultarlo con ella, a ver qué podíamos hacer. Nos mandó unas pastillas y homeopatía. Nosotros confiábamos mucho en la naturaleza y en ella. Nos pusimos en sus manos sin dudarlo.

Los dos juntos tomamos la decisión de intentar disfrutar cada momento, ser felices con lo que teníamos, disfrutar de los amigos, la familia... Aprovechar para viajar, ir al cine, hacer todo lo que nos apeteciera en cada momento y tomarnos nuestro tiempo. Así lo hicimos, intentamos ser felices con lo que nos había tocado, pensando también que hay cosas peores en el mundo y que, al fin y al cabo, esto era un mal menor.

Habían pasado tres meses desde que fuimos a ver a la Dra. Lindemann. Tuvimos un mes muy intenso de viajes, y el mismo día que íbamos a coger un avión para pasar unos días fuera, después de unos días de retraso en mi periodo, no sé qué me vino a la cabeza que decidí hacerme un test de embarazo. Ante mi asombro, salió ¡POSITIVO! Llamé a tu padre inmediatamente. Le enseñé el test y ¡¡no se lo creía!! Decidimos dejar pasar unos días para asegurarnos de que no pasaba nada. Y volví a hacerme un test. ¡Sí, sí! ¡Podía empezar a pensar que estaba embarazada! No me lo podía creer, tanto es así que hasta que no me hicieron la ecografía de las doce semanas y te vi moverte, no me lo creí. Latía tu corazón, eras un bebé en miniatura, con tus manitas, pies... todo perfectamente formado. Estaba tan nerviosa que cuando acabamos de la ecografía no me podía ni atar los cordones de los zapatos. ¡Qué emoción! Ese día, cuando salimos de la consulta del ginecólogo, llovía muchísimo, me mojé hasta las rodillas, pero nada importaba porque era la mujer más feliz del mundo.

Mamá.

La maternidad: cómo cambió mi vida

La gente suele decir que la maternidad cambió sus vidas. En mi caso no fue exactamente así, necesité tener un segundo hijo para saber a qué se referían.

Mi primer hijo nació de cesárea por nalgas. Fue un embarazo muy deseado, pero de algún modo lo viví desconectada de mi cuerpo. Había pequeñas intuiciones que me decían cómo debían ser las cosas, pero apenas las oía, sin batallar demasiado. Por ejemplo, no quería episiotomía, había oído hablar de un método para darle la vuelta al bebé (luego supe que era la versión externa, pero sin indagar mucho más), quería probar un parto vaginal de nalgas... Pero todo sin insistir, confiando ciegamente en que mi ginecólogo haría lo mejor para mí, que velaría por mí y atendería mis peticiones en la medida de lo posible. Conseguí que no me programaran una cesárea antes de la semana 41, pero al cumplir la 40, después de una noche intensa de pródromos de parto, me asustaron con los latidos del feto (literalmente: «parece que hay dips umbilicales, quizá no le llega bien el oxígeno al bebé...»), y me programaron una cesárea para esa misma tarde en una clínica privada. En ese momento no lo viví tan mal, al menos racionalmente, pero fue todo tan frío...

La lactancia materna fracasó, pese a que conseguí aguantar unas semanas con lactancia diferida, pero es que salí del hospital con una gran cicatriz dolorosa, pésimos consejos de lactancia y una desconexión bastante enorme con mi bebé. Ahora lo sé.

El tiempo lo cura todo, y a veces, te hace abrir los ojos. Nunca hice un proceso mental de lo sucedido, pero cuando mi bebé tenía trece meses me quedé embarazada, y esta vez fui capaz de escuchar a mi cuerpo, de seguir las intuiciones que gritaban por todo mi ser. A medida que pasaban los meses me conectaba más y más con mi hijo mayor. Tenía claro que no tenía por qué tener otra cesárea (por pura lógica), y de ahí pasé a querer un parto natural (mejor dicho, un parto normal), y sin saber cómo, la semilla del parto en casa se instaló en mi cerebro (¿o fue en mi alma?).

¡Qué embarazo tan distinto! ¡Qué conectada estaba! No sólo con el bebé en la panza sino también con mi hijo mayor, con mis propias necesidades. Recuerdo el parto como algo maravilloso. Tan poderoso, tan mamífero, tan tremendamente sanador y transformador. Realmente puedo decir que a partir de ese momento soy otra. Viví un puerperio feliz. Cansado, porque decidí sacar a mi hijo mayor de la guardería y estar con ambos en casa. Cogí una excedencia su primer año de vida. Me parecía impensable separarme de él, y eso que con mi hijo mayor empecé a trabajar siete horas diarias cuando él sólo tenía cuatro meses. Al año de nacer mi segundo hijo, con mucho dolor, comencé a trabajar, pero sólo cuatro horas, aunque muchas cosas ya habían cambiado. Colechábamos los cuatro, seguía dando el pecho, y mi hijo mayor había empezado a asistir a una escuelita de educación libre. A mi hijo pequeño lo cuidaban, mientras yo no estaba, su abuela o una cuidadora que contratamos. Suponía un esfuerzo económico, pero valía muchísimo la pena.

A raíz de vivir intensamente mi parto, me sentía capaz, poderosa, consciente de poder superar mis miedos y con ganas de cuestionarme todas las cosas que hasta ese momento me habían parecido inamovibles.

A nivel profesional, también empecé a cuestionarme cómo me llenaban mi vida y mi trabajo. Soy estadística y trabajaba para una farmacéutica, pero era básicamente trabajo de oficina. Leía muchísimo, siempre libros de parto, crianza y maternidad. Poco a poco, me fui introduciendo en el mundo de las doulas, y de nuevo gracias al inagotable apoyo de mi compañero y a un golpe de suerte del destino, cuando mi segundo hijo cumplía veinte meses hice un cambio radical en mi vida. Dejé mi trabajo y empecé a presentarme al mundo como madre y doula. Así que, mirando atrás, ahora sí puedo decir que la maternidad ha transformado mi mundo.

Ahora estoy embarazada por tercera vez, emocionada y feliz, consciente y con ganas de apartar la faceta profesional de doula de mi vida y de dedicarme en cuerpo y alma a este embarazo y mis dos hijos.

Irune Quevedo.

El deseo de ser madre...

Hace un año aproximadamente mi pareja y yo comenzamos a tomarnos una raíz andina que se llama «maca» que utilizan los indígenas de Perú para potenciar la fertilidad. Buscábamos un embarazo, y mi deseo de ser madre me desbordaba. Habían pasado unos siete meses de búsqueda, y los médicos, después de realizar pruebas, nos dijeron que la única manera de quedarnos era una fecundación in vitro, pues los espermatozoides de mi pareja eran propios de su edad, un hombre de 68 años, y sería muy difícil quedarnos de manera natural. Sólo la idea me ponía un poco los pelos de punta, por lo que decidimos dejarlo correr y acercarnos más a la naturaleza y al deseo. Dos meses después de tomarnos la maca me quedé embarazada... Está claro que la vida y la muerte son un misterio, y esta vida llegó a colmar mi más anhelado deseo. También que la ciencia se rige por probabilidades, pero no contempla las posibilidades.

A partir de aquí comenzó el planteamiento y la conciencia de cómo quería vivir este embarazo, el parto y la crianza... y aún sigo en ello. Desde siempre, la idea de parir y ser separada de mi cría me aterraba de angustia, y la idea de parir en casa de la manera más natural era lo que sentía que debía hacer. Quico, mi pareja, me apoyó incondicionalmente con la decisión, y después de estudiar mucho la realidad del parir en nuestra sociedad, estaba totalmente convencido. Tuvimos la suerte de encontrar el centro de salud familiar Marenostrum, que asisten partos en casa.

Los primeros tres meses de mi embarazo me sentí muy vulnerable, quería cuidar de la mejor manera al ser que llevaba dentro y no dejarme arrastrar por los miedos colectivos que existen sobre los abortos espontáneos. A los tres meses hicimos un viaje a mi tierra natal, Guatemala, y estuvimos en contacto con la naturaleza de una manera muy intensa. El segundo trimestre pasó muy rápido, y fue esta transición física y psicológica de la evidencia del embarazo que me hizo realmente darme cuenta de que estaba embarazada; ahora tenía conciencia de que llevaba una nena dentro. La relación entre nosotras comenzó a desarrollarse con cantos, historias y caricias... Fui creando un vínculo muy fuerte con mi embarazo y, por consiguiente, con Júlia. Al comenzar el tercer trimestre, decidí dejar de trabajar, pues sentía la necesidad de volcarme inmensamente hacia mi interior, y el trabajo me pedía mucha energía hacia el exterior. Pasamos largos y tranquilos días comiendo bien, haciendo ejercicio, paseando y, sobre todo, preparándome para la llegada. Tengo que admitir que me estaba preparando mucho para el parto y tenía poca conciencia del después, del posparto inmediato. También reflexionaba mucho sobre la crianza de mi hija: qué quiero, qué no quiero... Las dudas también estuvieron presentes, y aún lo están, creo que es parte del proceso, y la mejor herramienta antes ellas es el instinto.

Las últimas seis semanas de mi embarazo pasé unos días gloriosos. Me encontraba muy bien embarazada, y aunque esperaba con ansias el nacimiento de Júlia, el estado de embarazo me tenía encantada. Me sentía hermosa, sana, sensual, con mucha fuerza (a pesar del cansancio físico que conlleva el barrigón), pero, sobre todo, me sentía plena: un estado de plenitud y paz que nunca antes había sentido. Llegó mi madre en la semana 38, pues quería estar aquí para ayudarme en los últimos días, el parto y el posparto. Yo había acordado con ella que no quería que estuviera presente en el trabajo de parto en casa, pues me provocaba estrés más que seguridad. Desde la semana 37, las comadronas habían dicho que Júlia estaba ya muy bien formada y en posición, por lo que el parto podría ser en cualquier momento. Yo me encontraba con ganas de que llegara el día, al tiempo que tranquila. Pasó la semana 37, la 38, la 39, la 40, la 41 y, finalmente, llegó el día. Mi madre tuvo que marchar antes del parto, pues no contaba con que me retrasaría tanto, y no pudo cambiar el billete. Uno propone, y los hijos disponen el nacimiento. Fue muy triste, inconscientemente no me puse de parto hasta que marchó mi madre. Cuatro días después de su partida, llegaron las contracciones.

Virginia Samayoa.

Embarazo por sorpresa

Estábamos los dos juntos en la cama viendo la tele, como hacíamos casi todas las noches, cuando empezó un documental que hablaba sobre el parto en España. Entonces yo todavía no tenía intenciones de quedarme embarazada, más bien no tenía intenciones de tener hijos, pero ese documental me dejó algo muy claro: si algún día tenía que parir, lo haría en casa. Y así se lo dije a Braulio: «Amor, ya puedes ir ahorrando si quieres tener hijos porque yo no pienso ir al hospital».

Unos meses después, me quedé embarazada. Cierto es que no lo andábamos buscando, pero quizá sí que fuese la única manera de ser madre, pues creo que nunca hubiese encontrado el momento adecuado. Hacía poco que había adoptado unas yeguas (el sueño de mi vida) y justo empezaba a montar con ellas por el campo, por lo que un embarazo significaba un gran parón.

Por un lado estaba muy disgustada, ya que veía que mi vida daría un gran giro y no podría dedicarme a aquello que llevaba tantos años esperando, pero por otro lado hacía tiempo que me decía a mí misma: «Tendré que quedarme embarazada sin buscarlo o no encontraré nunca el momento», y así fue.

Pese al disgusto por no poder seguir llevando la vida de antes, tenía muy claro que quería tener a aquel bebé, que se presentaba valiente por sorpresa, y también tenía claro que lo tendría en casa.

El embarazo iba transcurriendo tranquilo, no tuve ningún tipo de molestias. Día tras día, mientras salía a pasear con mis perros, me miraba la barriga, que iba engordando cada vez más, y me preguntaba a mí misma si volvería a su estado anterior.

El viernes 27, cuando me levanté por la mañana, expulsé el tapón mucoso. Hasta entonces me había preguntado si sabría reconocerlo, pero en cuanto lo vi no tuve duda. Quizá el hecho de haber lavado a mis tres perros el día anterior (de alguna manera tenía que satisfacer mi síndrome del nido) tenía algo que ver. Pasé el día bastante bien, algo nerviosa. Al caer la noche empezaron mis primeras contracciones, nada regulares pero sí intensas. Y llegó el día, y con él se fueron todos los dolores. La cosa se paró, y por suerte pude dormir y coger fuerzas. Algo me decía que la noche siguiente sería la definitiva. Y así fue. Justo al empezar a anochecer, otra vez empecé con contracciones.

Había llegado el momento en que Ortrud viniese, y fue al verla cuando realmente me dije a mí misma: «Esto va en serio». Y qué bien que viniese Ortrud, me ayudó muchísimo. Contracción tras contracción, ella estaba delante de mí ayudándome a relajarme bajándome los hombros y controlando que no me acelerase al respirar.

Me prepararon la bañera con agua muy calentita y me invitaron a meterme en ella, que fue un gran alivio. Recuerdo estremecerme de placer justo en aquel instante. Pasé una hora más en la bañera acabando de dilatar cuando de repente noté un cambio en las contracciones: tenía muchas ganas de empujar. ¡Por fin llegaba el expulsivo! Creo que fue entonces cuando llegó Inma. Me sentía muy segura con ella y Ortrud a mi lado, en ningún momento dudé de lo que estábamos haciendo, en ningún momento tuve miedo de haber elegido el parto en casa; al contrario, eran tan brutales las sensaciones que tenía que menos mal que estaba en mi casa con intimidad, mimada en todo momento por Braulio y por ellas.

Después de pasar un rato en la cama, pasé a la sillita de partos, me animaron a tocarme y ya pude notar la cabecita de Sibel. Parecía increíble que estuviese allí, me animó mucho a empujar con más fuerzas. Braulio se sentó detrás de mí y me ayudaba en cada pujo. También me pusieron un espejo delante con el que iba viendo cómo asomaba la cabecita, aunque al final de cada contracción volvía a desaparecer. En esos momentos, mis gemidos eran como de dinosauria más que de mujer, aunque no por el dolor sino por la fuerza que intentaba hacer para que esa cabecita no volviese a esconderse. Finalmente recuerdo que quemaba, quemaba mucho, pero poco a poco se fue deslizando hasta salir. Por fin estaba allí, me la pusieron en los brazos y me miró con unos ojos bien abiertos. No lloraba, pero estaba bien despierta, como ni no quisiese perderse nada de su primera escena en el mundo. ¡Qué bonita, era preciosa, y qué olor tan dulce desprendía! ¡Braulio y yo llorábamos de felicidad! ¡Qué sensación más extraña pero bonita a la vez! ¡Seguíamos llorando de emoción!

Poco después aparecieron mis queridas comadronas con un delicioso zumo de naranja y placenta que me supo buenísimo. Braulio también lo probó. No sé si fue el zumo, pero pasé del agotamiento a la euforia.

Y tres años y nueve meses más tarde de aquel gran disgusto (mi embarazo), aquí estamos la mar de felices, paseando a mis perros con mi niña de la mano, mi barriga que ha vuelto a ser la misma y montando mis yeguas con Sibel en mis brazos, una de las sensaciones más maravillosas. No todo ha vuelto a su lugar sino que todo está mejor de lo que estaba.

¡Mi niña, te quiero mucho! ¡Gracias por venir!

Nancy Contreras.

Diario de un embarazo semana a semana

• El reloj menstrual de Laura se para por primera vez desde que era una preadolescente: está embarazada.

• Laura realiza su comprobación «matemática» con el Predictor y ve sus deseadas dos rayitas. Sigue embarazada.

• Jugamos al tenis con toda naturalidad, con la diferencia de que Laura se cansa antes. ¿Le gustará el tenis?

• Semana 10: abuelos y familias se enteran del embarazo.

• Semana11: compramos ropita en las rebajas de agosto.

• Semana 12: Laura bebe zumo porque no le entra el agua.

• Semana 13: sabemos de seis parejas que esperan una niña, por probabilidad compensatoria creemos que será niño. Un sueño de Laura y el péndulo lo «ratifican».

• Semana 14: la mama está guapísima, hace un *book*.

• Semana 15: se le empieza a notar la barriga, tiene algunas náuseas, le hacen la amniocentesis y la cuido mucho, pero le cuesta estar quieta.

• Semana 16: ya lo nota, y yo también; desayuna tomate.

• Semana 17: estamos de vacaciones en Menorca y decidimos llamar al bebé «lo peque» por el artículo neutro a falta de saber el sexo. No lo podemos evitar, jugamos al tenis, y Laura me gana.

• Semana 18: desde el trabajo vamos hasta la Barceloneta en *bicing* a ver los fuegos de la Mercè. Está hecha toda una atleta.

• Semana 19: sigue jugando al tenis conmigo, asustadiza, como es ella. Se asusta hasta de las patadas.

• Semana 21: sacamos a pasear a «lo peque» por la montaña de Collserola. Laura luce barriga. Descubrimos XX: ¡eres niña!

• Semana 22: Laura empieza hacer «aiguaMare» una vez por semana con un bañador premamá.

• Semana 23: Laura pasa mala noche, con dolor en el lado izquierdo. Lídia no para de moverse, resultó tener infección de orina. Cumple de mamá, y sus amigos le regalan un parque para Lídia.

• Semana 24: los papás tienen una semana de vacaciones en Almería. Mamá tiene un hambre atroz, está contenta con el buffet libre.

• Semana 25: empezamos las clases preparto. Ponemos fotos tuyas en Flickr y añado un comentario a una de tus ecos: «Hola Lidia, te estoy esperando con los brazos abiertos».

• Semana 26: con el *pinard* consigo escuchar tus latidos. Nos negamos a hacernos la prueba de la «sobredosis» de azúcar O'Sullivan.

• Semana 27: Lídia tiene hipo una vez al día como mínimo. Juego contigo a «pica pared», te mueves mucho en la barriguita de mamá.

• Semana 29: Laura me escribe una carta, tan bonita como la que me escribió por primera vez. Empieza el «efecto nido», compramos pintura y lámpara nueva para tu habitación.

• Semana 32: la eco de las 32 semanas coincide con la predicción del papá de que vas a nacer en la novena luna llena, el 9 de febrero de 2009.

• Semana 33: Laura come muchas castañas crudas todas las noches. ¡Qué paciencia pelarlas...!

• Semana 34: le das patadas en las costillas a mamá, pongo la mano para protegerla. «Feliz Año Nuevo, Lídia, te deseamos, con mucho amor y felicidad, tus papis».

• Semana 35: la mamá quiere coger la baja, pero en el trabajo le «suplican» que no lo haga y le ofrecen cobrar el doble. En la práctica trabajará cuatro horas con el sueldo de ocho.

• Semana 36: Lídia tiene hipo hasta cuando hacemos el amor. Marenostrum viene a casa a ultimar detalles antes del parto. El que necesita la baja laboral soy yo, estoy tontísimo.

• Semana 37: la mamá coge la baja para descansar.

• Semana 39: sms de mamá: «Vamos a cenar a la Estrella anticipándonos a San Valentín». Desde el inicio del embarazo, todas las noches pongo crema en la barriguita de mamá mientras juego contigo, luego te pongo la canción de «Bona nit» cerca de la barriguita.

¡Nace Lídia!

Víctor Silvestre.

La curiosidad de la amistad

Un día, reflexionando, me di cuenta de que en nuestro caso lo verdaderamente importante, la auténtica experiencia, no fue le parto en sí (que ya fue bastante), sino todo lo que este camino que en su día Rubén y yo escogimos nos ha aportado. Y, en realidad, todo empezó el día en que fuimos a ver a nuestra amiga Eva, que había tenido una niña. Como ya hacía más o menos un mes que Gala había nacido, la visita tuvo lugar en su casa. Y, charlando de esto y de aquello, le pregunté a la feliz mamá si había dado a luz en el hospital en el que trabajaba. No estábamos preparados para la respuesta:

—No, nació aquí, en casa.

Pasado el primer instante de sorpresa, reaccionamos:

—Pero, Eva, ¡si tú trabajas en un hospital!

—Precisamente por eso no pariría nunca en un hospital, porque ya sé lo que te hacen.

Y nos estuvo explicando cómo había ido todo, nos enseñó fotografías del parto, de las comadronas que la atendieron y nos habló de Marenostrum. Todavía no nos habíamos recuperado del susto inicial cuando, al cabo de un rato, cogió a su hija, se sacó el pecho y le dio de mamar delante nuestro, como la cosa más natural del mundo. Ésta fue la segunda sorpresa del día, y debo hacer un inciso para explicar por qué: Yo no había visto nunca a un bebé tomando pecho (de hecho, tanto Rubén como yo tomamos biberón) excepto una vez, entonces yo tenía diez años, que una primita mía quería mamar y mi tía no le daba; decía que todavía no tocaba. La pequeña buscaba desesperada el pecho, y su madre se lo negaba constantemente. Al cabo de un par de horas, cuando «sí tocaba», no hubo manera: la niña no quería, y aunque mi tía se la ponía al pecho y pretendía que su hija lo cogiera, fue imposible. Años más tarde, cuando mi cuñada tuvo a sus hijos y venía de visita, se iba a una habitación para darles el pecho. Por eso me extrañó tanto la actitud de Eva, pero después pensé que estaba en su casa y que no tenía que encerrarse en ningún sitio: si no le molestaba nuestra presencia y no nos pedía que nos fuésemos, entonces todo estaba bien.

A partir de ese momento, la sorpresa dio paso a la curiosidad, y empezamos a buscar información en libros y en internet. Descubrimos todo un mundo desconocido para nosotros y, por qué no decirlo, para mucha gente: el parto natural, el parto domiciliario, la lactancia a demanda, la crianza natural... Y también que la mayoría de las prácticas hospitalarias en lo que respecta a los partos van más encaminadas a facilitar el trabajo del personal médico que a asegurar el bienestar de las madres y de sus bebés. Si a todo esto le añadimos que los hospitales me dan pánico, entonces...

Este último episodio nos hizo decidirnos, y cuando dos meses más tarde supe que estaba embarazada, tomamos la firme determinación de parir en casa, sin importarnos la oposición inicial de la familia ni las críticas o los comentarios miedosos de todo el mundo, pues nosotros nunca nos escondimos y siempre proclamamos nuestra intención de tener un parto domiciliario.

¿Cuál fue nuestra experiencia? Un parto largo, de unas diecisiete horas, que transcurrió sin más incidencias. La dilatación me resultó más pesada que el expulsivo; entonces no sé si es que ya estaba cansada o motivada o saturada de endorfinas, pero las tres horas que estuve empujando pasaron como un suspiro, hasta que un «¡Cógela, cógela!» acabó con todo, y Leonor ya estaba sobre mi pecho. Me habían hablado del olor de los recién nacidos, pero el tacto de su piel es la sensación que más recuerdo de ese momento, no creo que la olvide nunca.

A partir de aquí, acabamos haciendo cosas que no habríamos creído posibles: la primera noche con Leonor, dormidos los tres en nuestra cama, y ahora, dieciséis meses más tarde, todo sigue casi igual: practicamos el colecho, Leo todavía mama, usamos pañales de tela lavables, yo hice un curso de asesora de lactancia y, por supuesto que cuando tengamos más hijos, optaremos por el parto domiciliario.

Resulta curioso cómo una visita a unos amigos puede cambiarte la vida de esta manera. Si no fuera por Eva, a saber cómo habría sido nuestra historia.

Mamen Mena.

Crónica de una decisión: «Yo quiero parir en casa»

Oí hablar por primera vez de un parto en casa en 2007. Unos amigos lo habían hecho, y su relato me fascinó.

Con la noticia de un embarazo empieza para la pareja una nueva etapa. Se abre un camino de alegría, esperanza, ilusión, pero también de dudas y miedos. Por primera vez, todo aquello que haces, piensas y sientes ya no te afecta sólo directamente a ti. Hay una personita co-habitando tu cuerpo que recibe directamente las consecuencias de quién eres y qué haces. Era plenamente consciente de que se había producido un cambio de etapa que ya no tenía retorno. Pasados los primeros días en los que hice el duelo de mi «yo no-madre», me empecé a entusiasmar. Excepto por algún cambio de humor repentino y algunos momentos de melancolía, (las hormonas, ya se sabe, ¡te juegan alguna jugarreta!) me encontraba muy bien y todo me parecía nuevo.

Siempre he sido una gran lectora, pero de repente ya sólo me interesaban cosas relacionadas con el embarazo, el parto, los niños... Cogí el libro que me habían recomendado mis amigos y ya nunca más pude pensar en los partos como antes. Siempre me había dado muchísimo miedo un parto. Visualizarme en un quirófano, con las piernas levantadas, sin ver nada, haciendo preguntas que nadie respondía... Me parecía tan humillante que no quería verme de ninguna manera en aquella situación. La posibilidad de hacerlo en casa, en la intimidad, con la presencia de Abel (mi compañero), sin prisas, teniendo en cuenta lo que yo sentía y lo que quería... me parecía claramente una opción a considerar.

Por una parte nos atraía mucho pero, por otra, creíamos que suponía asumir la responsabilidad de una serie de riesgos. Había que ver si estábamos dispuestos.

Lo hablamos mucho. Mi compañero creía que, dado que yo iba a parir, también podía decidir cómo. En todo caso, él me apoyaría escogiera lo que escogiera. Cuando hablaba con otras personas, todo el mundo se echaba las manos en la cabeza. Los más prudentes se escandalizaban. Los más atrevidos me calificaban de irresponsable por el solo hecho de considerarlo. Recuerdo a algunas mujeres diciéndome que estaba loca, que no tenía ni idea de qué era parir, que pediría a gritos la anestesia... Todos los comentarios me dolían, me sentía culpable, pensaba que quizás estaba poniendo en riesgo la vida de mi hija por tener el parto que quería.

Busqué una opción intermedia: un hospital donde hicieran partos naturales. El tiempo pasaba y había que tomar una decisión. Decidí seguir adelante con Marenostrum, no sin miedo. Volvimos a ver a María y le comunicamos nuestra decisión. Esto nos ayudó mucho a perder el miedo y confiar en nuestra decisión.

El vínculo que habíamos establecido con las comadronas me parecía una salvación y una fuente infinita de tranquilidad: sabía quién vendría y qué haríamos. Sabía que se respetaría en todo momento lo que yo quisiera, que me escucharían, que podría hacer lo que necesitara, que me acompañarían en el camino.

Muy poca gente sabía que iba a parir en casa, tan sólo la familia más próxima y unos pocos amigos.

María trataba de tranquilizarme: «Escucha a Jana, háblale, dile que tienes ganas de verla, y ella saldrá cuando esté preparada». Y así fue: el día que cumplía 40 semanas, Jana dio las primeras señales.

Primero, muy suaves, poco a poco se fueron sintiendo más. Desperté a mi compañero. Desayunamos tranquilamente en la terraza, sintiendo que ya había empezado y que había que coger fuerzas. Pedí a Abel que llamara a María. Ella dijo que estuviéramos tranquilos y fuéramos controlando las contracciones. Yo, no obstante, sentía que estaba entrando en una dimensión desconocida, el dolor me desconectaba de la realidad y perdía la noción del tiempo. Ya sólo respiraba y respiraba. Me escondía. Cuando eso ya no me calmaba, Abel me preparó un baño, estuve un rato y cuando me cansé de estar ahí, tuve serias dificultades para salir de la bañera. La respiración me ayudaba a soportar las contracciones, sentía que pasaba oxígeno a Jana, que luchaba por salir.

Finalmente llegaron María, Mireia y Sonia. Respiré aliviada. María me preguntó si quería un tacto, y yo le supliqué que me lo hiciera. Estaba de siete centímetros, y entonces supe que lo conseguiría. Me prepararon la piscina a toda prisa, y cuando entré me sentí en la gloria. Rompí la bolsa amniótica dentro. Me pareció una buena señal el hecho de que la bolsa de Jana se hubiera roto tan tarde. A partir de entonces, ya no tengo un recuerdo claro de lo que pasó. Sólo sé que ellas estaban, pero parecía que no. Recuerdo olor de infusiones, silencio, oscuridad y velas, palabras de ánimo y buenas sugerencias. Abel también hizo un papel espléndido, sin él no habría sido capaz. Estaba en todas partes, me animaba, me ayudaba a respirar, me secaba el sudor y me sujetaba.

A las 17.25 nació Jana, una niña sanísima de 3.075 gr. Le vi la cara y fue como si todo tomara sentido. Recuerdo éste como uno de los momentos más preciosos de mi vida. Abel cortó el cordón cuando Jana ya respiraba llena de vida encima de mí. El parto no habría podido ser mejor.

Me di cuenta de que no se trataba sólo de tener el parto que quería, también regalé a Jana una entrada digna a esta vida desde el más profundo respeto hacia los procesos naturales, haciendo exactamente aquello por lo que nos ha preparado la naturaleza. Marenostrum fue más que una ayuda para parir. Nos mostró el camino hacia cosas quizás todavía más importantes (¡después de parir te das cuenta de que lo más difícil acaba de empezar!). Aprendimos a criar a nuestra hija desde el respeto, aprendimos cosas sobre lactancia, sobre el papel del padre, sobre el puerperio... Aprendí a disfrutar de este momento tan bonito en la vida de una mujer y despertaron la madre que llevaba dentro: una mujer que escucha sus instintos y es capaz de tomar decisiones conscientes. Siento que he sido valiente como pocas veces en mi vida, manteniéndome firme a lo que quería, a lo que creía, a lo que sentía, a pesar de casi todo y casi todo el mundo.

Creo que, como dice Laura Gutman, un parto así te da poder. Poder para ser madre, para ser mujer. Te hace crecer porque has sido la protagonista de algo tan importante. Sin embargo, lo mejor de todo ha sido tener a Jana con nosotros.

Roser Sala.

El duelo y el miedo transformados en baile

Es aquí que empieza nuestra historia...

El embarazo me llevó a un estado emocional muy fuerte: sentía mucha alegría, ilusión y, de repente, tanto Amor en el cuerpo y en mi alma que deseaba compartirlo con todo el mundo.

Me faltaban mis padres, los echaba mucho de menos... Los dos murieron en 2007 con sólo 60 años, de cáncer; primero mi padre, y tres meses después, mi madre. Fue muy duro y doloroso, yo vivía en Barcelona desde hacía dos años y de repente perdí mis referencias familiares...

El embarazo, a pesar de todas estas vivencias en el cuerpo, fue muy bueno, llevadero y sin ninguna molestia física.

En esta época estaba acabando una formación de dos años en Centro de Energía, una Terapia físico-emocional que trabaja la Energía de los chakras a través de una danza grupal. Bailaba, bailaba y bailaba. Gracias a esto, junto al grupo de formación, pude liberar y expresar la carga emocional y el dolor que pesaba en mi corazón.

Entendí que el embarazo es una gran oportunidad para las mujeres para tomar conciencia de quién eres, del poder de la creación y de la magnífica fuerza que tiene la mujer.

Cada mes es una etapa importante de crecimiento, contigo mismo y en conjunto con el bebé que llevas dentro. Cada etapa te lleva a conectarte cada ves más profundamente con el vínculo sagrado entre madre - hijo...

A medida que iba avanzando el embarazo, Antonio me propuso un parto en casa, y considerando que no me llevo bien con el sistema hospitalario, ¡pensé que podía ser una buena opción!

Fue así que empezamos nuestra búsqueda de comadronas... hasta que elegimos el Centro Marenostrum. Ya al salir de la primera entrevista con la comadrona, María, sentimos que ellos nos iban a ayudar. Siguieron unos meses de preparación y concienciación al parto natural que nos acompañaron hasta al día tan esperado. La verdad es que fue un largo proceso de aprendizaje, para mí como mujer y futura madre, Antonio como neo-papá y para los dos como pareja futura familia.

Han salido muchas emociones diferentes: alegría, miedo, tristeza, celos...Estábamos los dos vulnerable y, al mismo tiempo, fuertes para recibir a nuestro bebé.

Mi gran miedo era sufrir una hemorragia durante el parto. No sabía realmente de dónde venía este miedo, pero no me permitía estar serena con respecto al parto en casa. Decidí entonces consultar a una psicóloga especializada en maternidad, que en pocas sesiones me ayudó a ver dónde estaba el problema. Me di cuenta de que el dolor que sentía por la muerte de mis padres causaba el miedo a la pérdida, en este caso representado por la hemorragia. Tenía miedo de perder a mi hija, de enfrentarme a la muerte; sin embargo, la muerte misma me ayudó a enfrentar el parto para dar la vida. La terapia me sirvió para visualizar mis miedos, tomar conciencia y convertir esta misma energía en una herramienta indispensable a la hora del parto. El miedo al desmayo, a perder el control, se convirtió en un punto de fuerza buscando apoyo en el suelo, cogiendo energía y poder de la tierra. El miedo a la hemorragia se fue tras un sueño que tuve donde vi mi parto con una increíble luz brillante.

El parto fue lento y largo; rompí aguas el viernes por la noche, pasé el sábado con pequeñas contracciones hasta la noche, cuando empezaron a aumentar de intensidad... ¡Tanto que yo pensaba parir! Llamamos a la comadrona, que vino preparada a nuestra «urgencia», pero en menos de una hora se despidió de nosotros deseándonos descanso y mucha paciencia, que todavía faltaba.

Las contracciones siguieron hasta el domingo por la tarde, cuando Marenostrum sugirió un tratamiento con acupuntura para desbloquear un poco la energía estancada que no permitía el parto... ¡Media hora después ya estaba pariendo!

La expulsión fue tan rápida que ni siquiera le dio tiempo a la comadrona de llegar. Al sentir que estaba entrando en parto, me agaché de rodillas al borde de la cama intentado relajar el abdomen, controlando las contracciones sin empujar, sólo respirando profundamente, dejando al cuerpo hacer su propio trabajo.

Fue un parto limpio, ¡no salió una sola gota de sangre! Antonio recibió a su hija entre sus manos, me la llevó a los brazos, y los tres, unidos en un momento tan íntimo, permanecimos en la cama esperando la llegada de la comadrona.

Fue tanta la emoción que en este momento ni siquiera acertamos el sexo del bebé; Antonio creía haber recibido a un niño, y a la hora de cortar el cordón, cuando lo vio la comadrona, reveló su verdadera identidad: una niñita preciosa. María estaba en mis brazos.

Nosotros aprovechamos para celebrar la dulce llegada con un cocktail de placenta. ¡Increíble, buenísimo! Un acto mágico, detrás del que vas dejando dolor y miedos, para despertarte el día después como nueva.

¿Dolor en el parto? No puedo decir que haya sido muy doloroso; ha sido tan progresivo, poco a poco, que en ningún momento he percibido picos de dolores fuertes. El recuerdo que conservo hoy día es el alivio al sentir a la niña deslizarsea suavemente desde mi vientre.

Los días a seguir fueron mucho más duros en comparación con el parto. La lactancia pide paciencia, Amor, entrega y mucho respecto hacia los tiempos y la propia sabiduría del bebé; él mismo va pidiendo lo que necesita y cuando lo necesita.

Así ha ido creciendo la pequeña María, en el respecto y Amor... Hoy tiene 17 meses, tiene aspecto de niñita listilla y espabilada, dulce y cariñosa.

Elisabetta Marzio.

Dudas y miedos transformados en confianza

Eva: un sueño.

Nunca me hubiese imaginado teniendo a mi bebé en casa. Lo que sí tenía claro era tener un parto lo más natural y respetado posible. Así que cuando me quedé embarazada empezamos a buscar información sobre dónde tener al bebé; primero, con entusiasmo, y a medida que pasaba el tiempo, el entusiasmo fue dando paso a la intranquilidad. No encontrábamos orientación, y tampoco a nadie que estuviese acorde con nuestra forma de pensar.

Habíamos oído hablar de Marenostrum, y nos dieron hora para una visita informativa con María. Nos explicó cómo funcionaban, y sobre todo habló de los partos en casa. Yo seguía con la idea de tener al bebé en el hospital, así que en un primer momento la idea no me pareció muy buena. Las impresiones que sacamos Josep Mª y yo fueron bastante diferentes: él estaba entusiasmado con la idea de tener al bebé en casa, y yo, bastante asustada al darme cuenta de que el único camino que veía para tener un parto respetado era ése.

Estuvimos hablando un tiempo y, al final, «me convenció». Sí, «convencer», porque seguía teniendo miedo. ¿Qué pasaría si hay algún problema durante el parto? ¿Y si no puedo aguantar los dolores? ¿Y si hay algún problema con el bebé? ¿Llegaríamos a tiempo al hospital? Pero la decisión estaba tomada: tendríamos a nuestro hijo en casa.

Poco a poco, todas esas dudas se fueron disipando, y las preguntas tuvieron respuesta. Nos ayudaron mucho las clases de preparto, las reuniones de parto en casa y las clases de yoga para embarazadas a las que asistía. Y, cómo no, las visitas con la comadrona que asistiría el parto. Saber que ella estaría allí apoyándome me hizo sentirme segura.

Empecé a conocerme más, a tener confianza en mí y en mi cuerpo; yo, como millones de mujeres antes de mí, podía tener un parto natural y sin complicaciones en casa.

El último mes me encontraba estupendamente, me sentía radiante con mi barriguita. Dormía mejor que nunca, comía bien y tenía tiempo para mí y para preparar la llegada del bebé.

Todo el mundo preguntaba si ya tenía ganas de ver a la niña, pero la verdad es que me sentía tan a gusto que si hubiera sido por mí, Eva hubiera estado dos meses más dentro.

Era el último mes, y ahora el bebé estaba prácticamente desarrollado, sólo tenía que crecer. ¿Qué día escogería Eva para nacer? Ese día, Josep Mª había cogido fiesta en el trabajo, y decidimos salir para hacer las últimas compras navideñas. Nada más salir de casa, tuve una contracción. No era muy fuerte, pero se notaba perfectamente. Así que seguimos paseando sin darle mucha importancia hasta que vino otra contracción, y entonces sí que empezamos a controlar con el reloj cada cuánto eran: cada veinte minutos más o menos. Estábamos los dos muy contentos pensando que podía ser ése el día escogido por Eva para llegar al mundo.

Fui teniendo contracciones durante toda la mañana, y estuvimos caminando durante unas tres horas. Josep Mª iba tomando nota de la frecuencia y el tiempo que duraban, y volvimos a llamar a María con la información.

Al principio estaba tumbada, pero cuando empezaron a ser más fuertes tuve que levantarme, me iba apoyando en la pared, y si no tenía ninguna contracción en ese momento, caminaba. Me di una ducha que me relajó bastante. Las contracciones seguían, y cada vez eran más intensas y dolorosas: cada cinco minutos y duraban de 30 a 50 segundos. Yo me encontraba bien, así que le dijimos a María que no viniera todavía.

Cuando empezaron cada cuatro minutos, llamamos otra vez. Yo ya no podía estar de pie, me ponía de rodillas con la cabeza apoyada en el sofá mientras duraba la contracción. María decidió que debía ir viniendo. Cuando llegó me hizo un tacto: estaba de ocho centímetros. Al cabo de un rato, me vinieron ganas de empujar. Siempre había oído que llega un momento que, de tanto dolor, ya no lo notas, y es como si te trasladases a otro planeta. Pero yo no vi el planeta por ningún lado, era totalmente consciente de todo lo que pasaba a mi alrededor.

Llegó Alicia. Empezaba a estar bastante cansada. Entre las dos me aliviaban los dolores haciendo masaje en las lumbares y dándome ánimos. Durante el expulsivo estuve de cuclillas y a cuatro patas, y fue de esta última forma como Eva salió y llegó a nosotros, al lado del sofá del comedor. Eran las 00.50. No rompí aguas, Eva salió con la bolsa completa. Le quitaron la bolsa y me la dieron. Resbalaba mucho, y la limpiaron. Yo estaba exhausta, pero ¡tan contenta! Era una niña tan bonita, tan frágil, tan suave, con un olor tan dulce...

Eva pesó al nacer 2.550 gr. La primera decisión importante sobre la vida de nuestra hija ya la tomamos: dónde y de qué forma queríamos que naciese. Y estamos muy contentos de haber tomado la decisión correcta.

Mis sueños durante el embarazo: hacia la mitad del embarazo, empecé a tener pesadillas. No les hice mucho caso, pero me pareció extraño, pues normalmente no recuerdo lo que sueño. Eran muy desagradables; a veces parecían tan reales que me despertaba llorando:

«Me quedo encerrada en un parking, sé que tengo que parir en cualquier momento, pero no puedo salir. Empiezo a buscar alguna puerta desesperada, pero están todas cerradas».

«Alguien le corta la cola a mi gato (que tuvimos que sacrificar hace un par de años, fue bastante traumático) y veo cómo se va moviendo la cola como si fuera la cola de una lagartija. Era muy desagradable ver toda la sangre por el suelo. Mientras, el gato me mira fijamente con sus ojos como si me atravesara».

«Tengo contracciones de parto y llamo a Marenostrum y a las comadronas, pero nadie me contesta. Sigo llamando cada vez más nerviosa. ¡Tendré que parir sola!».

«Tengo a un bebé en brazos, es mío. Llora de hambre. Estamos en el vestíbulo de un hotel, pero nadie nos hace caso, no nos ayudan y no me dejan sentarme en ningún sitio para darle el pecho. La gente nos mira con rechazo y desprecio, y el bebé cada vez llora más. Yo estoy muy angustiada, pero estoy quieta, como bloqueada».

«El bebé ya ha nacido, pero no me necesita. Me mira con aire autosuficiente y de desprecio, incluso malicioso. No me atrevo a acercarme, me siento inútil».

Cuando lo hablamos con María y Ortrud, le dieron más importancia que yo. Me dieron homeopatía y empecé a dormir bien y sin pesadillas de nuevo.

Eli López.

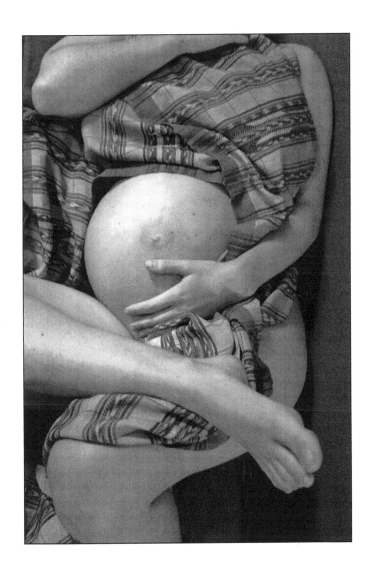

El deseo de ser madre.

Movimiento y respiración.

El cuerpo es tu casa.

Tiempo para mí misma.

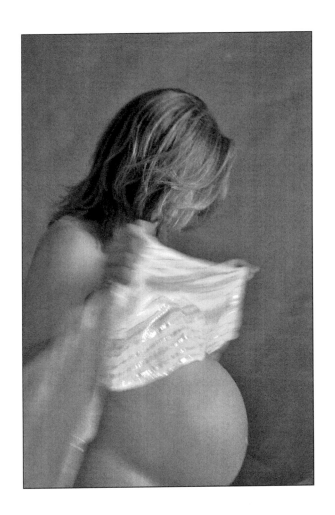

El velo de la feminidad.

La fuerza de la tierra, el mar y las olas.

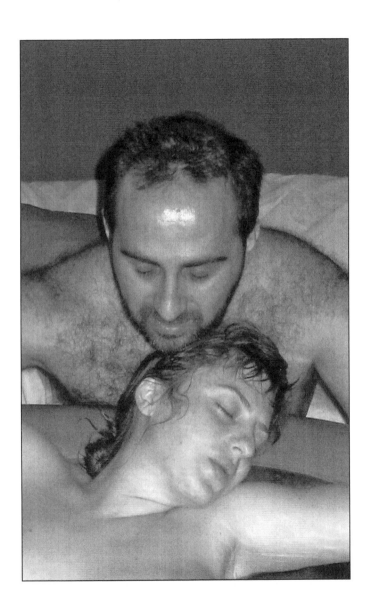

Apoyo y respiración.

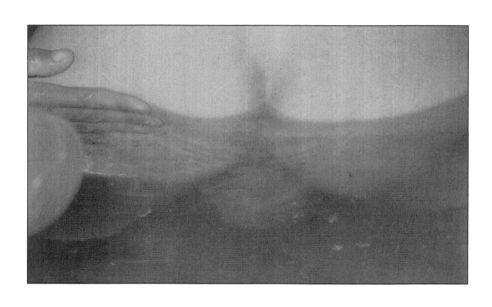

Nicolás, con el hombro estancado.

¡Por fin Ilona estaba aquí!

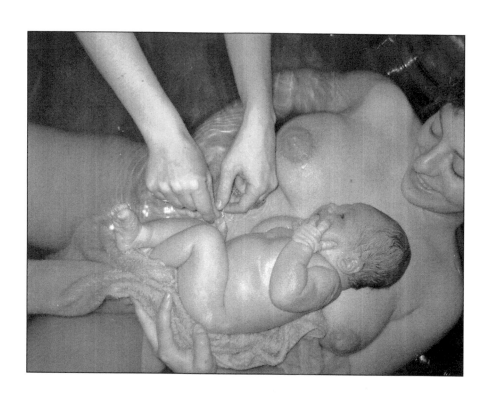

De mudanza a la piscina.

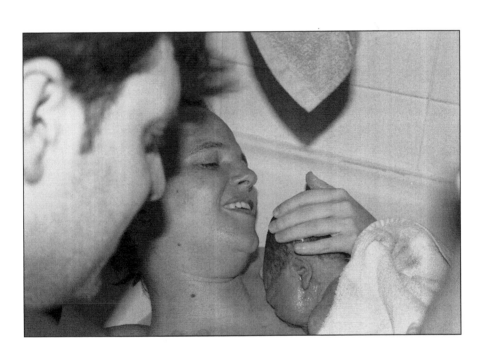

Guiu: el bebé decide nacer.

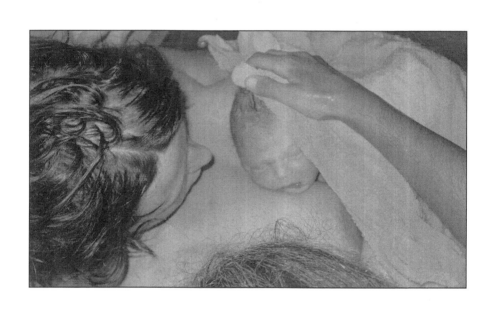

Muy chiquitín, lleno de vérmix.

El regalo de mis hijas.

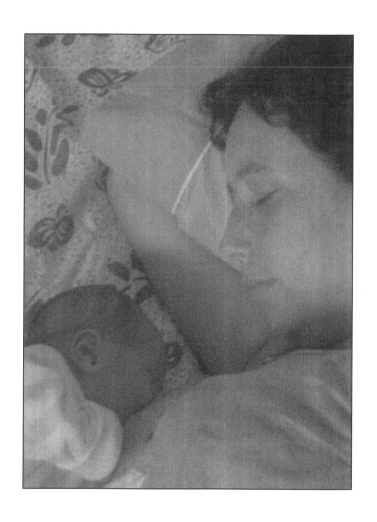

Hijo: ¡eres luz!

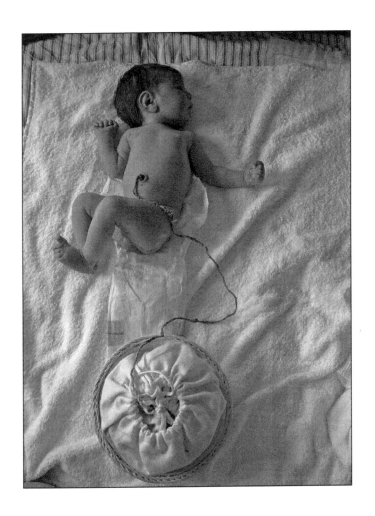

Noa: nacimiento lotus.

Lactancia: sentirse loba.

Sin reloj en nuestras vidas, sólo está nuestro hijo.

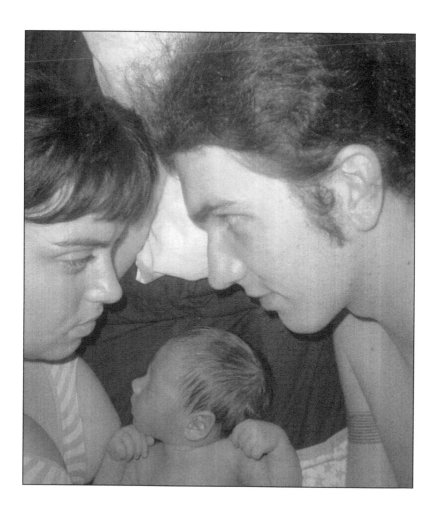

Rafa: tranquilidad y sonrisa.

La sinfonía más hermosa y romántica.

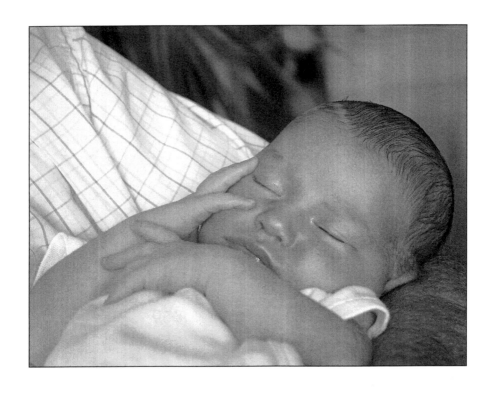

Jana: momentos trascendentales.

El mejor nacimiento para mi hijo.

Kay sigue nadando.

Capítulo V
Parto

El cuerpo y la sexualidad

Tu cuerpo es tu casa

È ric nació el 24 de julio de 2009 a las 11.35 a.m. en el Hospital de Barcelona. Durante el embarazo, también se gestó el deseo de vivir un parto natural y en casa. Me sentía muy ilusionada, tranquila y confiada de que todo iba a ir bien, y que mi cuerpo, como el de tantos millones de mujeres, iba a permitir que nuestro bebé naciera sin problemas.

Me desperté a las 4.30 a.m. con ganas de orinar y con ligeras molestias parecidas a las de la regla. Me limpié y descubrí que empezaba la fiesta. Además de orina, había algo de sangre, y los síntomas me anunciaban que el trabajo de parto ya había llegado.

Sentada en la pelota, bailaba mi pelvis con mucho cariño y suavidad. Me sentía muy tranquila y atenta a las sensaciones que mi cuerpo me transmitía. Fue al cabo de una hora que observé que las pérdidas que iba teniendo mostraban aguas turbias. Algo inquieta, desperté a mi pareja, y a las siete llamamos a Alicia para confirmar mi sospecha. El resto de indicadores eran normales; nos propuso seguir en casa o ir al hospital, puesto que en un porcentaje no muy elevado de casos podía existir alguna complicación. En ese momento, apareció cierto estrés por mi parte y consideramos acudir al hospital.

Yo sabía que Alicia iba a estar conmigo en todo momento, y que sólo habría actuación médica en caso necesario; por lo tanto, no sentí rechazo ni decepción ni tristeza por mudarnos al hospital. Estaba sumamente conectada con mi cuerpo, con las contracciones, la respiración, los tiempos de pausa, de reposo, de acomodo, de preparación para la siguiente contracción... Saber que Èric estaba bien era suficiente para mí. Todo lo demás quedó en un plano muy secundario, muy lejano; esto no era importante. Lo importante era lo que sucedía en mí y lograr gestionar las idas y venidas de cada contracción, ser capaz de relajarme al máximo entre cada una de ellas, buscar la posición más favorable para el viaje de mi hijo y atender la evolución del parto. Un viaje único, intenso, visceral y animal que volvería a repetir sin dudarlo.

Llegamos al hospital, y dos horas más tarde nacía Èric. Fue en una habitación donde estuvimos el padre, la comadrona y yo junto a mi hijo. Una habitación frente a la recepción donde se escuchaba el teléfono, voces de gente que iba y venía ocasionalmente, pero a mí me daba igual. Cualquier lugar era válido si en él existía intimidad y respeto hacia mi cuerpo. Fue una asistencia al parto maravillosa. Pude hacer y decir lo que quise, nada perturbó mi estado y logré vivir la experiencia más emocionante de mi vida: sentir la fuerza de cada contracción, el descenso de Èric por mi vagina, las ganas de empujar y la capacidad del cuerpo para facilitar el alumbramiento...

Tan sólo la irrupción de la ginecóloga cuando la cabeza ya estaba fuera. Llegó de la calle, con sus prisas, con el tiempo acelerado, pero ya estaba todo hecho, yo ya había parido EN CASA. He necesitado pasar por esta vivencia para descubrir que

MI CASA ES MI CUERPO...

...si nadie aporrea contra la puerta
...si nadie grita cuando yo pido y vivo en silencio

…si vienen a verme con invitación y consentimiento previos

…si entran y respetan lo que hay dentro, que es mi mundo y es mi sueño

…si en el parto tu cuerpo es tratado como un templo sagrado, siempre, siempre podrás decir que tu bebé nació en casa, porque…

TU CUERPO ES TU CASA

Para todas las madres que por diversas razones tengan que dar a luz en cualquier lugar que no sea su hogar: no son las paredes ni la música ni la luz tenue ni la comida ni la piscina lo más importante para parir; lo realmente importante es la fuerza de nuestro cuerpo, el poder de nuestra mente.

Para Alicia, nuestra comadrona, a quien agradezco infinitamente su acompañamiento sutil y oportuno, encontrando el tono, el volumen y las palabras justas en cada momento. Le agradezco infinitamente ese «¡Qué bien lo haces, Olga!». Que por más que lo escriba, sólo mis oídos son capaces de escuchar y rememorar esa dulce melodía que en tan buena hora sonó.

Olga González.

El día que Igor nació. ¡El Igorcito viene ahí!

Me levanto con la necesidad imperiosa de limpiar la escalera del edificio donde vivimos. Al final, justo cuando acabo, siento una primera contracción suave... Ya me parecía que este niño no iba a nacer nunca (como si eso fuera posible). Voy al baño y ¡sí! Veo un poco de tapón mucoso en el papel higiénico. ¡Hemos arrancado!

Constanza me despierta con el desayuno en la cama y la noticia de que han empezado las contracciones. Inmensamente feliz, así comienza uno de los días absolutamente inolvidables de mi vida.

Las contracciones son, para nuestra sorpresa, muy seguidas, aunque no regulares. Ponemos música, desayunamos, voy bailando y ordenando la casa, escuchando los cambios que se van produciendo en mi cuerpo, metiéndome poco a poco en el dolor, partiendo para el viaje/parto. Nuno viene conmigo, me acompaña, totalmente a la escucha, atento, casi una parte más de mi cuerpo.

Comienzo a cronometrar los tiempos entre contracciones y la duración de cada una, anotando los resultados.

Pasamos la mañana tranquilos. Hacemos el amor entre las contracciones.

Así, el día continuó con naturalidad y alegría. Básicamente es de eso de lo que me acuerdo, de pasar el día en la cama, muy felices, bastante calmos.

Poco a poco, las contracciones me hacen levantar y caminar, moverme.

Llamé a Sonia para decirle que Constanza ya estaba en trance. Ya no hablaba... Pero a pesar de esto, estaba conmigo. Estaba absolutamente conmigo. Y yo totalmente entregado a ella. Por ella. Para ella. Todo lo que fuera. Todo.

Cada contracción es un pasaje por el que me deslizo sin tener prisa. Escucho los detalles. En un momento me veo a mí misma entrando en un lago en el que el agua está totalmente quieta y hace el efecto de espejo. Estoy desnuda y entro despacio en el lago: mis manos tocan la superficie, el agua me va cubriendo el cuerpo. Está fresca.

Voy moviéndome por la casa, buscando posiciones. Camino, canto las canciones que suenan. La casa se inunda de olor a infusión de tomillo y cola de caballo. La presencia de Sonia es suave, discreta. La veo de vez en cuando mirar desde lejos, a veces está sentada en la mesa de la cocina - comedor, escribiendo; otras, se sienta en la sillita de Gabriela, en la oscuridad. A ratos, se acuesta en el sofá a descansar. Su leve presencia me reconforta. Me encanta su manera de estar, también a la escucha, mirando, observando, tranquila.

Llegó Sonia... desapareció. Nos dejó a nosotros dos, en nuestra intimidad, sin interferir. Pero presente, una presencia tranquilizadora que iba dejando infusiones y zumos de fruta en nuestro camino.

Luego continuábamos nuestra caminata. También aquí, la materia es, sobre todo, el cuerpo. Y el parto es cuerpo e instinto, y yo reconocía ese instinto del cuerpo que ahora era parto y que en otros momentos es la esencia de la que se alimenta la vida artística de Constanza. La sentía en un territorio que ella domina por completo y que yo conozco profundamente.

A esa altura, Nuno ha puesto una música que me encanta. A veces, en las contracciones logro continuar andando, pisando fuerte, haciendo mucho ruido, sacando voz. Nuno y yo somos una pareja de baile estupenda, me hace reír y llorar de emoción diciéndome que esas vueltas que damos a la pista de baile son la excursión más interesante y entretenida de su vida.

Me meto en la ducha y estoy un ratito sola. Lleno un poco la bañera pero salgo enseguida. Me recuesto un poco y me duermo entre contracciones, aunque son mucho más dolorosas cuando estoy tumbada. Resulta que ya estoy dilatada casi por completo, y la cabecita esta ahí. Eso me da un subidón; al oír a Sonia que me falta un poquito más de energía, me levanto y pido a Nuno que ponga una de sus músicas más alegres y movidas. Caminamos, bailamos por la sala. Me voy hacia mi cama y me pongo a cuatro patas. En una contracción brutal rompo aguas y vomito. Siento que está cerca.

Más esfuerzo en cada contracción, un esfuerzo ahora total. Continuaban los paseos, ahora dotados de otro color: ya no era caminar por caminar; era ahora un caminar con los ojos también, mirando lugares, como un animal, una hembra buscando el lugar adecuado para parir.

Así que respiro, y cuando viene la contracción, voy con ella, dejando que salga la voz. En una de las más fuertes me acuerdo de mi abuela, que decía que entre ir al dentista y parir, prefería parir... Me río para mis adentros y sigo adelante con fuerza. Empiezo a notar presión, pero no muy intensa. Me siento en la silla de parto, con Nuno detrás.

Entre tanto, había llegado Ana María. Sonia habló con ella un poco, susurrando en un rincón. Estoy buscando la posición, el lugar, me escucho. Pruebo diversas posiciones y las abandono cuando ya no me sirven. ¡Cómo lo saben estas comadronas y qué bueno el «timing»!

Curiosamente, no siento diferencia en la fuerza que necesito hacer. *Quizás porque Ana María ha aconsejado a Constanza dejar su peso totalmente sobre nosotros. Constanza grita con fuerza en cada contracción. No sé quién de nosotros comenzó a acompañarla en los gritos, pero al poco estábamos todos gritando, con fuerza, en cada contracción.*

En un momento dado, cambio de lado y ahora ya no empujo. Siento cómo con la respiración se abre el cuerpo, la vagina, siento cómo la cabeza está saliendo. Me dicen que ya está aquí, yo respiro, digo «Ahhhh», sigo el hilo de mis sensaciones, no pienso, no pienso en el final, sólo ahora, ahora.

La cabeza de Igor va saliendo poco a poco. No entiendo bien lo que veo, aparece una cosa que no identifico; supongo que debe ser ya un hombre, pero es una cosa extraña que no sé qué es. Cuando, por fin, reconozco que se trata de una oreja, constato con sorpresa que la cabeza del bebé tiene por lo menos el doble de tamaño de lo que imaginaba. Probablemente el triple.

Sale la cabeza, se hace un silencio. Sale el resto del cuerpo, oigo a Sonia decirle a Ana María «¡Espera!», y deshacer la vuelta de cordón que trae Igor alrededor del cuello. Lo ponen encima de mí y lo cubren, frotándolo. Sonia le dice a Nuno: «Háblale, ¡dale la bienvenida!». Nuno está mudo. Yo siento la piel de Igor en mi piel y lo veo abrir los ojos y mirarme. Nuno dice: «¡Abrió los ojos!».

Y la cabeza aparece toda, muy oscura. Después veo el cordón, envuelto alrededor del cuello. De pronto, el bebé sale todo y es colocado de inmediato sobre el pecho de la madre. Como una cosa inerte, inanimada, con la cabeza colgando y ese color azul, contrastando fuertemente con el color amarillo del resto del cuerpo. Las comadronas dan friegas al bebé para darle calor, y Sonia me dice: «Dile algo, Nuno, dale la bienvenida». Pero yo estoy mudo de terror, pienso que el bebé está muerto o que va a morir, no se mueve, no llora, tenía el cordón alrededor del cuello. Y esos colores, esa cabeza totalmente azul oscuro y ese cuerpo amarillo pálido... De repente, el bebé abre los ojos, y eso es la primera cosa que digo. Y me caen lágrimas de alegría y de alivio. Lo veo comenzar a respirar, sin llorar. Abrazo y beso a Constanza. Pasado un poco, Igor comienza naturalmente a llorar, y yo le digo acariciándolo: «Igor, Igor, Igor».

Yo miraba al pequeño, entre extrañada y maravillada, pensando: «¿Ya está? ¿Ya está aquí?». Sentí el maravilloso olor del parto, el olor de mi hijo recién nacido. Nuno cortó el cordón. Tosí y salió la placenta.

Se hace de día y salgo a la calle para fumar un cigarrillo y observo el cielo azul, me parece un cielo nuevo. Me cruzo con desconocidos en la calle y siento que tengo una sonrisa de oreja a oreja. Tengo ganas de agarrar a cada uno por los hombros y sacudirlos, mientras les digo: «Soy padre, ¡acabo de ser padre!».

Recuerdo esas dos horas después como un estar ahí disfrutando inmensamente de ese momento, casi sin hablar, sintiendo la piel de mi bebé en la mía, sorprendida con su carita, con su gran tamaño.

Me sentí fuerte y poderosa, agradecida por ese viaje que habíamos hecho todos juntos.

Constanza Brncic y Nuno Rebelo.

El altar para el momento más amoroso

Para mí, todo lo que soy y he sido apareció en ese momento, todo mi bagaje emocional y físico se materializó para dar paso a un ser distinto medio animal, medio humano, en estado de alerta absoluto, con todos los sentidos activados, en estado de presencia puro. Tal vez puedo describirlo como un estado de conexión profunda con esa parte instintiva muy interna que no conocemos de nosotros mismos o nunca hemos dejado salir.

Lo más importante fue conocer bien a las mujeres que estarían acompañándome: estar en contacto con ellas y hablar de todo lo que me preocupaba, de las ideas que yo tenía, de los miedos... Ellas fueron unas «magas» que me proporcionaron un gran apoyo antes, durante y después del parto.

Tomé sesiones del método Feldenkrais durante todo el embarazo; en ellas trabajábamos la disponibilidad de mi organismo para el embarazo y parto, sobre todo la apertura de los huesos de la pelvis y la adaptación del resto de la columna.

Practiqué también otras técnicas, como la visualización: me relajaba e imaginaba mi parto tal y como lo deseaba, con todos los detalles. Escribí de manera concreta los deseos con respecto al parto.

Hablé con las mujeres que forman parte de mi vida, amigas, familia... y les pedí algún objeto personal que para ellas fuera importante, para yo tener como amuleto.

Hablé mucho con mi pareja (Sergi) sobre cómo nos imaginábamos ese momento, de lo que íbamos a necesitar, de las dudas, los miedos. De la función importantísima de apoyo que él debía cumplir.

Por la noche, hice un pequeño ritual: fui a mi pequeño «altar», toqué los amuletos, algunos me los puse en el cuerpo (anillos, colgantes...). Llamé a mis ancestros mujeres y anoté sus nombres, así convoqué a la energía femenina de todas las mujeres que habían sido mis compañeras de vida, en ese momento pude sentirme acompañada y protegida. Visualicé el parto. Hablé con Ilai, mi hijo, le dije que yo ya estaba lista y que estaba comenzando su viaje, el trabajo era de los dos y que yo confiaba en su sabiduría, que él sabía el camino, que todo estaría bien y pronto nos veríamos en este mundo...

Entonces, me desnudé y me dije: «Ya estoy lista». Me sentía fuerte, llena de energía, conectada con una parte muy interna mía, conectada con mi bebé y conectada con una red energética de personas que desde distintos lugares acudían para acompañarme.

Sentí un gran alivio al estar en contacto con el agua, estaba activa, me sentía con fuerzas, sentí necesidad de colgarme en cada contracción y lo hice de Sergi, que estaba conmigo todo el tiempo.

Pasó el tiempo, y las contracciones eran cada vez más fuertes, estaba cansada, no tenía tantas ganas de moverme, en cada contracción sólo pensaba en abrirme y en estar adentro mío, sentía que era la única manera de soportar el dolor cada vez más intenso. Era como si todo lo de fuera (los demás, el espacio) hubiera desaparecido, como entrar en trance, en un espacio - tiempo que no es físico, un lugar que sólo estaba en mí. Me proponen salir del agua, por primera vez tuve la sensación de que algo podía no estar tan bien, me sentía cansada, intenté no pensar y volver a concentrarme en lo que fue mi palabra mágica: ABRIR. Entonces, pude comenzar a tocar la bolsa; en ese momento, sentí que tenía que hablarle a mi bebé, y me conecté más aún con él. Sentí que con mi fuerza no bastaba, que tenía que ir a buscarlo desde otro lugar; entonces, mientras me tocaba le pedía que viniera, que lo estaba esperando, que se quedara con nosotros. Fue un momento difícil, estaba exhausta, sentía que ya no podía más, y al mismo tiempo fue muy mágico, porque todos los que estábamos allí lo llamábamos: «Ilai ven con nosotros». Recuerdo esas palabras que mis compañeras repetían como una música, detrás de mí.

Poco a poco Ilai fue encontrando el camino hacia la salida. Entonces, el momento más maravilloso, ya sentada en la silla de parto: comienzo a ver un pequeño globito blanco lleno de agua saliendo de mí y dentro, al fin, su cabecita. Fue una mezcla de tantas emociones, me parecía impresionante que eso estuviera dentro de mí, no podía creer lo que estaba viendo ¡Ya estábamos muy cerca! Lloraba, gritaba, sentía que me abría cada vez más, sentía que me partía, fuego, calor, un volcán rugiendo dentro de mí.

Yo estaba en un estado de oxitocina pura, descontrol, y de repente, el universo explotó, la bolsa se rompió, y allí estaba su cabecita colgando de mí, un pujo más y ya estaba fuera todo su cuerpito. Vino volando por encima mío, desde los brazos de su papá hasta aterrizar en mi pecho, como un angelito todo blanco por el vérmix, tibio y resbaladizo. Esa carita, tan extraña y bella ¡era mi hijo! Lo veía enorme, aún no me creía que hubiera salido de mí. Con sus grandes ojos bien abiertos me miraba, me buscaba, su llanto constante era la fuerza de la vida en su expresión más pura.

Nos quedamos los tres abrazados fuertemente, temblando durante un largo rato, oliéndonos, besándonos, saboreándonos...

Así llegó Ilai a este mundo, con el sol de una siesta calurosa entrando por la ventana. Desde entonces, el mundo se tiñó de otro color. Así terminó mi viaje, exhausta, empapada en sudor y lágrimas, con el corazón en mis manos. Esa tarde volví a nacer...

Natalia Vergara.

La simbología del dolor

Gala es tu anestesia

Al inicio del embarazo aún no habíamos decidido cómo sería nuestro parto. Deseábamos acoger a Gala de la mejor manera posible, recibirla con respeto y con amor. Tanto por la experiencia profesional de Eva, que es enfermera y había trabajado en ocasiones en sala de partos, como por las vivencias recientes de otros padres. Estábamos convencidos de que sería difícil llegar a cumplir nuestro deseo en un hospital; al menos, ninguno cercano a Barcelona. Llegar a la opción del parto en casa fue, por tanto, un proceso gradual.

Además, buscamos información sobre el parto en casa, una posibilidad que cada vez nos interesaba más. Hablamos varias veces con el equipo de comadronas de Marenostrum, cuya actitud e implicación nos atrajo desde el primer momento. Sobre todo cuando lo comparábamos con la reacción de nuestro ginecólogo al intentar presentarle un plan de parto basado en el Protocolo para la Asistencia al Parto Normal del Departament de Salut de la Generalitat de Catalunya; igualmente podríamos haberle propuesto atender el parto disfrazado de bombero y pinchando música disco, que su respuesta habría sido el mismo airado «No», aunque quizás así no lo habría considerado obra de un «integrista obstétrico». Tampoco admitía comparación la comadrona de Atención Primaria, cuyos métodos parecían haberse quedado anclados treinta años atrás.

Cada vez teníamos más claro que de las tres alternativas (pública, privada y en casa), la que mejores sensaciones nos daba era la última. Una vez tomada la decisión, buscamos la manera de comunicársela a la familia. Prácticamente todos la aceptaron, salvo la madre de Eva. Inicialmente la idea le daba pánico, y no entendía por qué queríamos correr un riesgo innecesario. Finalmente, aceptó asistir a una de las reuniones mensuales de padres en Marenostrum y hablar con las comadronas. Sin quedar totalmente convencida, sí que acabó por entender nuestras razones y permitirnos afrontar con tranquilidad las últimas semanas del embarazo.

Gala decidió nacer en fin de semana. El viernes tuvimos las primeras señales con la pérdida del tapón mucoso por la mañana, y las primeras contracciones de preparación por la noche, justo tras salir de una reunión de padres. Creímos que aún podían pasar días hasta que se desencadenara el parto e intentamos irnos a dormir. Pero Eva no podía. Las contracciones eran demasiado intensas y empezaba a preguntarse si podría soportar «las de verdad». Probó diferentes técnicas para soportar el dolor: colgarse de un fular, ejercicios en la pelota de partos, posturas, respiración... pero antes de las dos de la mañana ya me había despertado para que la ayudara. Cubrí el suelo con empapadores, encendí dos velas (tres ya daban demasiada luz para ella) e intenté aliviarla un poco con masajes en la espalda. Veía que estaba entrando en el estado animal que llamamos «planeta parto», y por un momento tuve miedo de que no hubiera tiempo ni de llamar a las comadronas. No obstante, era aún muy temprano y continuamos contando contracciones y cambiando de postura cada poco. Antes de las seis de la mañana, llamé a María. No hizo falta explicarle mucho; a través del teléfono escuchaba los gemidos de Eva y enseguida dijo: «Voy». Llegó una hora después. Preguntó a Eva si quería que le hiciera un tacto, ella contestó que sí porque le preocupaba estar aún en la primera fase de la dilatación. No era así: había dilatado ya siete centímetros.

Pensábamos entonces que iba a ir todo muy rápido, pero no contábamos con el «síndrome del enchufado» (supuestamente las profesionales de la salud suelen tener partos muy largos, y esta vez no sería una excepción).

Hacia las ocho llegó Marta. Nos encontró llenando la piscina. Eva quiso meterse inmediatamente, y el agua caliente hizo su efecto. Las contracciones eran más llevaderas y espaciadas, e incluso llegaba a dormirse entre ellas. Aunque tenía ganas de empujar, el expulsivo parecía haberse ralentizado, y las comadronas decidieron que era mejor salir del agua. Tras probar varias posturas, Eva por fin rompió aguas. Faltaba muy poco, pero faltaba un mundo.

Eva se sentía ya muy cansada y pedía que le dieran algo. Llegó a pedirme a mí anestesia. Yo le respondía: «Gala es tu anestesia», pero no estaba seguro de que me entendiera. Alternaba momentos de lucidez con otros, la mayoría, de absoluto abandono al trabajo de parto.

Hacia las tres de la tarde se le notaba ya ansiosa porque todo aquello acabara. María pensó que lo que necesitaba era estar sola un momento para encontrar las fuerzas que creía que le faltaban. Le susurró unas palabras y la invitó a entrar en el baño, la única estancia de la casa que se podía cerrar, durante el tiempo que precisara. Al cabo de unos minutos, Eva salió diciendo: «No quiero ir al hospital». Se sentó en la silla de partos, yo hacía de respaldo.

Cuando se quejaba de dolor, Marta o María le llevaban la mano hacia la cabecita, que ya asomaba poco a poco. A las tres y cuarto nació Gala. Tenía los ojos abiertos, ojos azules que llenaban la casa aún en penumbra, y no lloró. Sus padres lloraban por ella. Nuestro deseo se había cumplido completamente.

Como es habitual en los casos de parto natural, el posparto no tuvo ningún tipo de complicación ni para Eva ni para Gala.

Amigos y familiares, a los que habíamos «engañado» anunciando que acudiríamos a la Maternitat, se sorprendían al conocer la verdad. Algunos se extrañaban de lo «valientes» que habíamos sido («¡Pero si tú eres enfermera!», decían), otros de lo rápida que había sido la recuperación de Eva. Y también hubo a quien nuestra experiencia le animó a imaginar su propia meta y recorrer su propio camino.

Fran, orgulloso papá de Gala.

La abertura de la vagina y el huevo de Pascua

Pol nació el lunes 5 de abril de 2010 con la mona de Pascua, en la semana 42 de embarazo. María ya había «previsto» esta fecha: siempre nos decía que veía a Pol dentro de un huevo de Pascua.

Tras una larga espera, el día 4 de abril por la mañana cayó el tapón mucoso. ¡Genial! ¡Esto significa que se inicia el proceso de parto! El día 5 por la mañana comenzaron las primeras contracciones, muy leves, sentía como un pinchazo en el bajo vientre.

Decidimos ir a caminar un poco, la cosa se iba intensificando, ya que cuando venían las contracciones tenía que parar de caminar, aunque eran perfectamente soportables.

Después de una buena siesta, las contracciones fueron aumentando en frecuencia e intensidad, me puse a cuatro patas al lado de mi cama, donde me apoyaba con un hombro.

Subi, mi marido, viendo que el proceso avanzaba, comenzó a preparar la lista de cosas que necesitábamos para el parto: la música, las velas... En todo momento nos fuimos comunicando con María; yo tenía claro que quería que María y mi madre vinieran a la fase final, en el expulsivo.

Mi madre llegó, yo estaba en la habitación de cuatro patas, y el dolor empezaba a ser intenso y bastante frecuente, cada siete u ocho minutos, aunque soportable.

Subi insistió en llamar a María para que viniera ya a casa. Krishinda llegó enseguida. Las contracciones eran muy intensas y cada tres minutos; en esta fase del parto noté un cambio físico: ya no eran pinchazos debajo del vientre, comenzaba a notar cómo el niño empujaba para salir. Yo estaba de rodillas en el suelo y cogía la silla de partos con los brazos. A ratos, Krishinda me abrazaba por la espalda dándome fuerza, y, ¡uf, qué fuerza transmite!

María llegó a casa, y en un momento ya lo tenía todo preparado. Una simple mirada hacia ella y una tranquilidad te invade, todo va bien.

Era plenamente consciente de lo que estaba pasando y el punto físico donde se encontraba Pol, yo no tenía que hacer nada a voluntad sino dejar que sucediera. Todo mi cuerpo trabajaba para dejar salir al niño. Cuando venía la contracción notaba una fuerza interior que empujaba para salir, el dolor era tan intenso en este momento que me salía un grito desde lo más profundo de mi cuerpo que le acompañaba y hacía la propia contracción más efectiva. Después de cada contracción, venía un momento de paz, momento de soltar, de relajarse para dar paso.

En el proceso de parto, la percepción del propio cuerpo aumenta; en mi caso podía experimentar una estrecha relación entre la boca, el sonido y los genitales, que había experimentado de forma muy sutil haciendo algunos ejercicios de yoga, y que durante el expulsivo se siente de una forma muy clara. Una apertura relajada de la boca dejando salir el aire emitiendo un sonido facilita la apertura de la vagina que permite que Pol salga.

Otra vez con la contracción venía una fuerza interior que empuja para salir acompañada primero de un grito muy profundo y grave para posteriormente evolucionar hacia un grito más melódico con la letra «A», que emitimos todos los que estábamos allí presentes: Subi, mi madre, María y Krishinda, que supone una fuerte apertura que da el paso definitivo y permite la salida de Pol, que fue de golpe y todo entero, a las 23:45 h. ¡Precioso!

Mención especial al papel de Subi, mi pareja, mi compañero de vida: él hizo posible que pudiera disfrutar del parto, en todo momento presente, preparando el entorno, acompañando, amando. Aunque soy yo la que parí, sin él no hubiera sido posible.

Marta Rovira.

El Nacimiento de Roger. La respiración

Ya pasaban de las nueve cuando noté una sensación desconocida por debajo del ombligo. Era algo así como un dolorcillo de regla o al menos estaba localizado por el mismo sector, pero no era doloroso, era más como una sensación continua que duraba unos segundos y luego desaparecía, como un cosquilleo…

Me metí en la bañera, y la primera contracción que me dio fue mucho menos dolorosa, apenas dolorosa, creo que ni siquiera grité, y pensé: «Qué tonta, tendrías que haberte metido antes en la bañera, esto es otra cosa». Pero llegó la siguiente contracción, muchísimo más intensa que las anteriores, las de fuera del agua, y entonces fue cuando empecé a alucinar.

En ese momento pensé: «Ahora, con el dolor que tengo, ¿cómo me va a ayudar el ponerme a respirar? Una epidural es lo que me quitaría el dolor», pero aun con las dudas y mi falta de fe en ese momento, cerré los ojos y me puse a respirar. El dolor no desapareció y la conciencia tampoco, pero la percepción temporal era totalmente distinta. En ese momento yo estaba respirando, y estaba de parto, y vino a mi mente Ángeles, con todos sus consejos del curso de renacimiento.

Pensaba: «Esto no hay quien lo aguante», y me planteé en mi interior decir «Vámonos para el hospital», pero todo esto sucedía mientras respiraba. Respirar me daba tiempo para recapacitar, porque mi mente estaba como separada de mi cuerpo: mi cuerpo iba haciendo el trabajo del parto, y mi mente iba pensando sin intervenir en la evolución de las contracciones y la dilatación.

Después de eso, en algún momento, mientras respiraba, noté un aire, una especie de ventosidad vaginal, abrí un poco los ojos y vi cómo salía una nube de líquido de mi vagina y se quedaba colgando un trozo de membrana.

Al empezar a empujar, y como después de varios empujones que coincidían con las contracciones Roger no salía, entré en una espiral de repetir «¿Y por qué no sale? Que salga ya». Suerte que yo ya estaba en lo mío, ya había entrado de pleno «en trance», y desde el «planeta parto» todo se vive diferente.

Entre empujón y empujón, Mireia me dijo: «Intenta moverte en los descansos para movilizar la pelvis». Se me ocurrió dibujar una especie de infinito con las caderas, estando de cuclillas, que no me dolía para nada. Así me entretenía entre empujón y empujón, a la vez que seguro que ayudaba al trabajo de parto. Yo estaba deseando notar la sensación de «cagar un melón» y la del «aro de fuego en la vagina», incluso me daba igual si dolía o no, eran sensaciones que significaban que todo estaba a punto de acabarse.

Me metí un dedo y noté una cosa blanda; pensé que era algún órgano mío que con el parto y la dilatación estaba por ahí en medio. Puse una cara de «yo no noto nada», y Mireia me dijo: «La cabeza es blandita». Entonces, volví a tocar, y evidentemente era algo blando, cubierto de pelo, que estaba aproximadamente a dos centímetros de la abertura de la vagina. Se trataba de Roger. ¡Era verdad que ya estaba allí!, así que ahora me tocaba ayudarle y empujar como una loca.

Empujé y empujé, incluso cuando no tenía contracciones: salió la cabeza. Cuando noté que la cabeza estaba fuera, me tiré para atrás y me apoyé en el respaldo de la piscina, cogí la cabeza con las manos y Mireia dijo: «¡No tires, no tires!».

Se paró el mundo, tenía a Roger entre mis brazos, nadie lo había tocado, sólo su madre, y había salido de la barriga y seguía estando en la barriga, pero por el otro lado. Roger estaba conmigo, nadie tenía intención de quitármelo, no había ninguna prisa, su sangre seguía latiendo desde la placenta.

Luego vinieron unas pinceladas respecto del posparto, pero sirven para avisar a todas las parturientas de que el parto es un rato, y se pasa, pero para lo que realmente se necesita ayuda es para el posparto.

M. Carmen García.

Parto en el agua

Relato a tres voces

Mireia (14 de noviembre de 2008, 02.25 h.): Llego y Patricia está de rodillas en el suelo con contracciones muy seguidas, hiperventilando.

Patricia: Yo ya estaba en mi «planeta parto», encajando muy bien las contracciones en el sofá. Me acordaba de Ángeles Hinojosa, de cómo me enseñó a respirar y de lo natural que me salía todo aquel trabajo.

Benet: Empezó una media hora después de hacer el amor, parece que funcionó muy bien el consejo... Cuando llega Mireia, una mirada y me dice: «Está ya muy avanzadita, parece de ocho centímetros». Narices, me dejó pasmado, le pregunto cómo lo sabe, así sin tactos ni parecidos, me responde que por la línea púrpura.

Mireia: Se va a la ducha un rato. Antes le miro la línea púrpura, parece de ocho cm.

Patricia: La ducha me relaja algo, pero las contracciones son fuertes, me cuelgo del grifo de la ducha para recibirlas.

Benet: Empezamos con el montaje de todos los cacharros, piscinas y demás. ¡Me parece increíble todo lo que cabe en ese maletero!

Mireia (03.15 h.): Sale de la ducha y va al comedor con Benet, continúa respirando y se pone de cuclillas. Benet la acaricia y está a su lado.

Patricia: Creo que Benet se multiplicó por tres, porque ayudaba a Mireia, lo veía por toda la casa organizando y lo sentía acariciándome y cuidándome...

Benet: Patri sale de la ducha, yo la persigo por todo el piso, haciéndole de hombros, de apoyo...

Mireia (03.30 h.): Las contracciones son tan seguidas que se solapan, y ella respira fuerte todo el tiempo. De vez en cuando dice que le duele, sobre todo el pubis, y antes ha comentado que siente ganas de hacer caca pero que no puede.

Patricia: En la piscina yo estaba deseando empezar a empujar, sentía mucha presión, pero no podía... Era como aquella sensación de querer hacer caca cuando estás súperestreñida y todo te duele y nada sale y piensas que si haces esfuerzo te romperás por la mitad...

Benet: Yo me apoyo en el borde, agarrando a Patri y consolándola en la oreja, bajito. Miro a Mireia, y ella simplemente sonríe, con esa cara de confianza suprema que me tranquiliza un montón.

Mireia (03.55 h.): Se ha colocado de cuatro patas, él le pone paños fríos en la frente. Ahora parece más relajada y tiene uno o dos minutos de descanso entre contracciones. Aguas claras.

Patricia: Mireia me sugiere que cambie de postura y encajo mejor las contracciones a cuatro patas, de frente a Benet, los paños en la cabeza me alivian, creo que la piscina me está relajando, las contracciones bajan de potencia, estoy endorfinada al máximo.

Benet: Patri está en otro mundo completamente.

Mireia (04.10 h.): Sale tapón mucoso y hay comienzo de dilatación anal. No pujos aún.

Benet: De vez en cuando, Mireia coge el frontal y le ilumina el ano desde el otro lado de la piscina (ahora entiendo por qué sus paredes son transparentes.). Yo la miro, y ella me sigue respondiendo con esa mirada de bruja sonriente que me calma un montón.

Mireia (04.30 h.): Ahora nota ganas de hacer caca.

Patricia: Noto tanta presión que siento que va bajando, pero al tocarme no noto su cabecita y me desanimo, creo que no avanza.

Mireia (04.50 h.): Llega María. Continúa en la misma posición. Hay pequeños cambios, se acerca el expulsivo, gime un poco más, continua hiperventilando. Comenta que está cansada.

Patricia: Empiezo a sentirme bloqueada, empujo pero me da la sensación de que las contracciones son demasiado cortas para ayudar a Nil a bajar. Empiezo a estar cansada, digo que no puedo más, que estoy agotada, a veces lloro, estoy perdiendo la fe. Veo a María sentada a mi lado y le explico que estoy destrozada, que no puedo más, que no quiere salir. Ella me dice que todo va bien, que confíe... La otra bruja sonriente me calma el doble.

Benet: Yo la intento calmar con palabras dulces, suaves en sus oídos; en su mundo, yo creo que le llegan mis calmosas palabras.

Mireia (06.00 h.): Patricia está algo agobiada y sugiero que salga de la piscina. Se mueve un poco y se pone en la silla de partos. Nota un poco de pujos. Benet le hace masajes en la espalda.

Patricia: En cuanto salgo de la piscina, comienzan a animarse las contracciones. Yo sigo endorfinada, las contracciones no me duelen demasiado, me siento desanimada porque creo que Nil no baja.

Mireia (06.30 h.): Patricia está desanimada, le propongo un tacto vaginal, ya que ella dice que no baja. Nota ganas de empujar pero no puede. Le explico que debe salir despacito, y que cuando empuja se mueve. Se sienta en la silla de partos con Benet detrás, y después de tres contracciones sale caca. Ahora empuja con fuerza y abomba el periné.

Patricia: Mireia me explica que Nil necesita su tiempo, que confíe y que todo va bien, que la cabecita está justo ahí y que se acerca el momento.

Benet: Ahí empieza lo escatológico, sale caca. ¡Y todo apesta a caca de Patri!

Mireia (08.30 h.): Está desanimada. Pienso que un descanso le irá bien. Come un poco de piña, pero le da náuseas.

Patricia: Al entrar en la piscina, me relajo y me quedo dormida, incluso teniendo contracciones, estoy tan endorfinada que puedo encajarlas sin decir nada ni moverme en absoluto. Estoy concentrada, la respiración me ha llevado a otro lugar.

Benet: Mireia y María me vuelven a sonreír, así que todo viento en popa y a toda vela.

Mireia (08.30 h.): Sale del agua, decidimos entre todos «parir de una vez», se va a la silla de partos y empieza a tener contracciones cada dos minutos y a empujar con fuerza. Empuja bien, pero se siente desanimada.

Patricia: Empiezo a sentirme más segura, estoy muy cansada de empujar, pero noto que el trabajo empieza a ser distinto, me siento distinta.

Benet: Está súperrenovada de fuerzas, y nada más salir ya le empiezan las contracciones, se cuelga de mi cinturón, yo la aguanto con todas mis fuerzas. Yo no hago el tour, pero algo cansadito también estoy, jeje...

Patricia: ¡Bendito «cabaret»! Fueron unas seis contracciones dolorosas, intensas, ¡pero por fin sentía que avanzaba! Sentía a mi bebé en el canal, cómo iba bajando... Aquella postura animó a Nil a ir bajando, y yo ya estaba mucho más animada.

Benet: El renombrado «cabaret» resulta que es un machaca-esposos. Cada vez que le da una contracción, yo abro las piernas, y agarrándola por la espalda, la dejo caer hasta que casi toque el suelo con el culo. Cuando termina la contracción, ascensor para arriba y a esperar otra.

Mireia (09.15 h.): Cabecita peluda avanzando y dilatando periné. Patricia ha tomado las riendas y empuja con ganas, se inclina un poco hacia delante. Protejo periné con trapito caliente.

Patricia: A partir de este momento, ni dolían las contracciones ni estaba cansada ni nada de nada. Ya veía el final, sentía que Nil estaría fuera en cuestión de minutos. Para mí fue orgasmo tras orgasmo. Noto el aro de fuego, quemaba, pero cada sensación que estaba teniendo era agradable, era un trabajo con un resultado, sabía que acabaría y lo estaba disfrutando. Notaba mucho poder y mucha fuerza en todo mi cuerpo. Era todo energía en movimiento.

Benet: Me armo de valor, y mientras le aguanto la espalda con una mano, miro por debajo del taburete y ¡ya le veo la cabecita asomando! Estoy súperexcitado, megaemocionado, me entran unas ganas de llorar enormes, me empiezan a salir lágrimas una detrás de otra... Patri es una campeona, qué pedazo de mujer...

Mireia (09.33 h.): Nacimiento de Nil, niño sano y vivo, lo coge Patricia al nacer y se lo pone piel con piel. Apgar 9-10-10, respira bien pero tiene mucosidad que saca por sí mismo.

Patricia: Sentía a Benet abrazándome por detrás y veía su cara de felicidad... Ya está fuera, cariño, ya está fuera... ¡Se le ve la cabeza, qué pasada, qué grande, ya viene...! Cuando salió el cuerpo completamente, lo agarré y me lo puse al pecho. De repente, abre y me mira. ¡Qué mirada! No puedo evitar sonreír, estoy emocionada, no puedo ni hablar, sólo quiero llorar, por fin Nil está en mis brazos, mi pequeño bebé, después de nueve meses... «¿Eras tú el que dabas patadítas ahí dentro?». «Dios mío, eres guapísimo...». Me senté en la sillita de nuevo y salió la placenta... Maravilloso orgasmo.

Benet: Al fin sale la cabeza, ¡enorme! ¡¿Todo eso tenías ahí dentro?! Mireia le dice que lo agarre ella, que es su hijo; Patri tiene miedo, pero ya no hay lugar para miedos. Se lo pone en el pecho, Nil echa un par de mocos y abre los ojos, mira a su madre un largo rato… Los cierra y los vuelve a abrir, y ¡me mira a mí! Y así un largo rato, mirando a la madre y al padre, y yo sin parar de derramar lágrimas… ¡Hoy empieza otro maravilloso camino!

Patricia Lodos.

De mudanza a la piscina... el gran milagro

Lia había decidido que estaba mejor dentro que fuera, pero estábamos en la semana 42 y no era plan de retrasarse más.

El sábado dormí todo el día; no parecía que Lia tuviera ninguna intención de venir al mundo… Mi pareja se cogió los quince días de paternidad para acompañarme en todo el proceso. «Perfecto», pensé, como mínimo la espera no será tan larga. Éste fue el detalle mágico: Lia estaba esperando a su padre, debíamos hacerlo en familia.

Esa noche, mientras cenábamos, noté una sensación extraña, parecía como si quisiera ir al lavabo… Ya está, me han sentado mal las almejas del mediodía, ¡no me las tenía que haber comido! Pero un instinto me hizo mirar la hora, un rato más tarde otra vez y qué casualidad que habían pasado quince minutos, noté cómo empezaba a sonreír, estábamos de parto, pero yo callada, sin decir nada, esperando a ver si quince minutos más tarde se repetía lo mismo. Entonces se lo dije a Xavi, le cambió la cara, seríamos padres, pero le duró un minuto, luego me mira y me dice medio enfadado: «¡Hace 45 minutos que estamos de parto y no me lo dices hasta ahora!».

Mi sonrisa, que acababa de empezar, estuvo presente todo el parto. ¡Estaba feliz! Y Xavi fue el acompañante perfecto...

Fue como calculado: las contracciones empezaban a ser fuertes, Xavi me llenó la bañera y vaya si me costó entrar; eso sí, una vez dentro, todo se relajó: el agua caliente mitigaba las contracciones y entré en estado de paz. Recuerdo volver a sonreír y hablarle a la pulguita: estamos a punto de vernos, podremos abrazarnos, no tengas prisa, sal cuando lo creas, nosotros te esperamos ilusionados.

Xavi iba apuntando todo, muy profesional él: las contracciones y su duración, yo ni me enteré de cuando llamó a María, pero llegó, oí cómo llamaba a Mireia, le decía que viniera que esto iba rápido, que estaba muy vocal. ¡Y tan vocal! No me hubiera imaginado nunca que de mi cuerpo pudiera salir una potencia de voz tan fuerte, mi cuerpo cantaba como si fuera una loba...

Mi cuerpo empieza a empujar y ya no me sentía cómoda en la bañera, así que a la cama... ¡Horroroso! Las contracciones fuera del agua eran insoportables, me vuelvo a la bañera mientras acaban de preparar la piscina... Me había puesto nerviosa y todo me molestaba, todo me dolía... Mireia me animaba: «¡Eres una campeona, lo estás haciendo muy bien!». María me relajaba: «Estáte tranquila, tu cuerpo es inteligente, confía en Lia, ella te dirá lo que quiere...». ¡El equipo perfecto!

De mudanzas a la piscina... ¡el gran milagro! Una vez allí dentro, entré en un estado de relajación brutal... Yo, la pulguita y nuestro mundo. El agua estaba muy caliente y nada me dolía, estaba de cuatro patas apoyada en la pared de la piscina, Xavi me mojaba la cara con agua fría y me daba sorbetes de limonada. No hablaba, no era necesario, ¡todo era mágico!

Noté cómo la cabeza entraba en el canal de parto, ahora sí quise un tacto, Xavi me cogía por detrás... «Sale la cabecita», dijo María. Recuerdo notar cómo la respiración de Xavi cambiaba, estaba emocionado, le apreté la mano... «Aún no te emociones», pensaba yo, «te necesito entero por si acaso».

«Ahora, si puedes, no empujes, tu cuerpo lo hará solo», dijo María... Y así vino al mundo Lia, sin esfuerzo, relajada y con una sonrisa constante de su madre... ¡El mejor momento de mi vida! Me la pusieron encima rápidamente, estuvimos bastante rato, era perfecta, ¡tan bonita!

Silvia Cerezo.

Momento mágico: parto en agua velado

Las tres y media de la madrugada (03.37 h.). Nace Boi.

Primero sale la cabeza, dentro del agua. Nadie se mueve. Silencio. La mente en blanco. La emoción lo puede todo. Pasan minutos muy largos. De repente, María, la comadrona, lo agarra literalmente y lo sube sobre el pecho de la madre, Steph, agotada y feliz.

A los pocos segundos ya está pegado al pecho. Es un momento mágico. Seguimos en silencio. Todo ha ido bien.

Parto en casa, natural, sin epidural, sin episiotomía, con Ortrud (médica), María (comadrona) y Adela (doula).

Boi pesa 3.400 gr. y ¡es un niño!

Vamos a buscar a Chantal (la abuela), que dormía con los niños en la sala, y despertamos los niños. Toda la familia... ¡numerosa! reunida. Roc y Bru, un poco cohibidos primero, enseguida se sueltan. ¡Qué bonito!

Todos los datos clínicos apuntaban al día 14 de enero como fecha de nacimiento, pero «mis cálculos» me llevaban al 24 de enero... Mi instinto no me falló...

El sábado 23 de enero a las 03.40 h., un pequeño líquido caliente empieza a fluir (¡aguas claras!, observación muy importante para determinar si todo sigue su curso normalmente). Muy poquita cosa, pero ya sé que el proceso ha comenzado. Mi bebé ya llega.

Despierto a Joan. Quiero compartir estos primeros momentos con él.

Estoy serena, pero llamo enseguida a María. Ella, con su voz siempre tranquilizadora, me aconseja descansar y observar mi cuerpo. Quedamos que nos volvemos a llamar por la mañana.

Los niños están intrigados por este líquido que cae de entre mis piernas. Les digo que todo es normal, significa que el bebé pronto estará con nosotros. ¡Por fin! Ya hace días que le esperan.

El día comienza «prácticamente» como siempre.

«Disfruta de tu último día de embarazo», «Escuchar el cuerpo, centrarte en ti y en el bebé, un paseo largo y bonito, comer lo que te apetezca, mejor crudos, claro, y ya nos cuentas» son sus mensajes.

He tenido un embarazo muy bonito, me he encontrado perfectamente a lo largo de estos nueve meses, pero las dos últimas semanas —quizás por la presión exterior—, mi tensión arterial estaba un poco alta, estaba a dieta de «arroz y crudos». Así que ha llegado el día y ya tengo ganas de que empiece mi parto.

Con unas agujas conectadas a unos electrodos repartidos entre los dedos de la mano, los tobillos y los dedos de los pies, me quedo tumbada sobre mi cama durante prácticamente 3/4 de hora. Llàtzer viene de vez en cuando —¡entre dos partidas de futbolín que disputa con los niños!— para ver si estoy bien, si aguanto las pequeñas descargas que han de activar el proceso del parto.

Estoicamente digo que sí, ¡aunque las agujas de los dedos pequeños de los pies me hacen más que cosquillas! La sesión termina a las 20.00 h. Llàtzer y María se van.

21.00 h.: Digo buenas noches a los niños y a mi madre, que se quedará con ellos durante las próximas horas.

Necesito intimidad, recogimiento. Joan está conmigo. Está sentado en un sillón, toma mi cuaderno y empieza a apuntar la frecuencia de las contracciones.

Nos inventamos una «escala de intensidad del dolor» del 1 al 5. Las contracciones se han intensificado: nivel 2 cada 10 minutos. Yo ya hace rato que sólo siento unas voces lejanas, unos susurros.

Escucho a mi bebé, intento ayudarle a bajar, le abro el camino como puedo. El dolor se intensifica poco a poco, y noto a mi hijo/hija... Nuestras mentes están conectadas. María me propone escuchar el corazón del bebé.

Sigo mis idas y venidas. Necesito moverme.

Son las 00.30 h.: Nivel 4. Tengo dolor, pero aguanto aún lo bastante bien. Estoy de cuatro centímetros. Tengo una idea clara desde que tomé la decisión de parir en casa: quiero parir en el agua. Me toco la barriga en todo momento. La acaricio. También gruño. Me duele.

Echada, la cabeza apoyada sobre el borde de la piscina.

Ya he pasado por todos los niveles de la escala del dolor y aquí, en el agua, pienso: «Ya no estoy en el nivel 5, ¡he llegado al nivel 6!».

El dolor es intenso, pero estoy muy concentrada. Necesito a la gente a mi alrededor: Joan, María, Ortrud y Adela. Están todos aquí. En silencio. Tengo la mano de Joan en la mía. Me abanica. Tengo mucho calor. Estoy agotada.

03.30 h.: Noto una presión fuerte. El pequeño/la pequeña está a punto de salir. Miro a María. Ella escucha al bebé. Todo va bien. Va bajando.

Empujo suavemente.

Noto muy bien cómo se detiene y cómo, de repente, al cabo de dos minutos, empuja, hace un movimiento de hombros, y... María tiene el tiempo justo de agarrarlo y ponérmelo sobre el pecho.

¡Ya ha nacido! Son las 03.37 h.

Qué sensación más bonita... No, no es la palabra adecuada. No hay nombre para describir la emoción, la satisfacción de haber podido traer al mundo... ¡a mi hijo! ¡Es un niño! Lo descubro en ese momento mágico.

Noto la mirada emocionada de Joan a mi lado.

Boi ha nacido sano, en casa, en el agua... en la bolsa de las aguas que ha acabado rompiendo él mismo. Éste era mi sueño. Mi parto ideal. Todo ha ido bien. Boi coge enseguida el pecho. Succiona con fuerza. Esto ayuda a que la placenta salga unos 25 minutos después. Ortrud está a mi lado.

Joan corta el cordón cuando deja de latir. ¡Un momento muy simbólico! Ya puede ir a despertar a los niños, que duermen con mi madre. Boi ya no es sólo mío. ¡Bienvenido a la familia!

El parto en casa ha sido para nosotros un momento mágico, muy nuestro. Tal y como lo habíamos imaginado, tal y como lo habíamos soñado: tranquilamente, suavemente, en la intimidad de nuestra habitación.

Un equipo de mujeres fuertes que hacen posible que una misma se sienta confiada, segura de sus actos.

Stephanie Derid.

Parto velado. Los bebés astronautas

Se dice que es una bendición especial nacer con las aguas íntegras. Esto significa que el saco amniótico no se rompe durante el parto, y la cabeza nace cubierta por la membrana o «velo». No sucede muy a menudo, incluso en los partos naturales. Casi nunca sucede en el hospital debido a que las «aguas» a menudo se rompen artificialmente. Algunos dicen que un niño nacido de esta manera puede tener poderes especiales intuitivos, quizás será comadrona, tienen una suerte extraordinaria o nunca mueren por ahogamiento.

Les llamamos cariñosamente «bebés astronautas», ya que parece que vengan de otro mundo envueltos en un casco lleno de líquido. Creemos que éste les sirve de protección, y hace que su viaje sea más suave y cómodo, ya que sería como un cojín blandito.

Maria Calvo. Comadrona.

Momento solemne. Marea de contracciones

Habíamos leído la estadística de una comadrona que había comprobado cómo los nacimientos a los que asistía eran completamente diferentes según la fase lunar en la que se desarrollaban. Según esta teoría, ese día, que era luna nueva, era probable que el parto fuese rápido y espontáneo. ¡No se equivocaba aquella mujer! Naciste el día 20 a las 14.08 h.

Esa noche fue diferente. Las luces estaban apagadas, las ventanas, cerradas, y un silencio de vigilia de domingo impregnaba toda la casa. Empezaba a intuir que quizás ése era el día... Consciente de la solemnidad de aquel momento, necesitaba expresarlo de alguna manera. Encendí dos velas, una para cada una de nosotras, y también una barra de un incienso especial que había comprado para la ocasión, y las situé ante el mandala de Tíbet que tenemos en el recibidor. ¡Todo estaba a punto para la maravillosa ceremonia del nacimiento!

A medida que me iba sumergiendo en las profundidades de mi cuerpo, tomaba conciencia de aquellas presiones, latidos, oleadas de energía, que se iniciaban en mi centro sexual e iban ganando terreno lenta y decididamente. Dejándome llevar por esa marea de sensaciones, mis manos descubrieron, bajo las sábanas, un atajo que me conduciría del camino del dolor al del placer. Entonces, algo se abrió dentro y fuera, en ti y en mí, algo que permitió que entrara toda la energía femenina de generaciones y generaciones para custodiar aquella noche mágica. ¡Me quedaba poco tiempo para conocerte!

Aquella libertad de improvisación y de movimiento contribuían sin duda a crear un ambiente de relajación y confianza que me permitían desactivar mi lado más racional. Con una mezcla de alegría, excitación y temor desperté a Jorge.

¿Seré capaz de aguantar el dolor? ¿Irá todo bien? Leer y escuchar las experiencias de otras mujeres me ayudó mucho a disminuir la ansiedad antes del momento culminante. Mi papel era claro: tratar de acompañar y sentir las contracciones con mi cuerpo, buscando la postura que más comodidad me ofreciera.

La marea de las contracciones fue avanzando a un ritmo que no esperábamos. Era muy divertido ver la cara que ponía tu padre cada vez que constataba que el espacio entre ellas se iba acortando. Parecía, mientras hacía las correspondientes anotaciones, un jugador de bingo compulsivo que va marcando casillas.

El equipo padre - madre - hija funcionaba aquella noche a la perfección.

Me había imaginado que a partir de ese momento no necesitaría más la compañía de tu padre, que quizá quisiera continuar en soledad. Pero no fue así. Su presencia durante todo el parto, su complicidad, amor y comprensión se hicieron capitales. La discreción y empatía con la que actuó durante todo el proceso le harían merecedor del título de doula masculino, que no sé si existe. Tu padre recuerda que entre las pocas palabras que pronuncié figuraba un «no puedo».

Justo en ese instante, llegó Alicia. La saludó y le transmitió lo que yo había dicho. Ella, cuando escuchó lo que había sucedido, y después de verme, dijo: «¡Perfecto!, esto quiere decir que todo va sobre ruedas».

El cuerpo de la mujer esconde una fuerza sobrenatural capaz de mover montañas, el problema es que hemos perdido toda conexión con nuestro ser esencial, primitivo y auténtico. Pero que estemos desconectadas de él no significa que haya dejado de existir. Su semilla habita dentro de nosotras para germinar, si se lo permitimos, en el momento adecuado.

Me encontraba en medio de un auténtico terremoto de contracciones que casi no tenían pausa cuando de repente sentí una fuerza sobrenatural que luchaba por salir. Era el momento preciso que habías escogido para dar el paso definitivo hacia una nueva existencia. ¡Todo había ido tan rápido que no me podía creer que ya estuviéramos a punto de conocernos!

La fuerza que sentía en mi interior era la de mil montañas, ríos, vientos, olas, que se abrían paso inevitablemente, inexorablemente, y yo sólo podía dejar que pasara. Tú eres la energía, y yo, el hilo conductor, el canal.

No se puede explicar la fuerza que una siente el día del parto, como tampoco se pueden explicar conceptos como «Dios», «felicidad» o «amor». Son palabras limitativas, códigos que nos sirven para establecer un diálogo entre nosotros pero que no pueden nunca contener la vivencia real a la que hacen alusión.

Alicia, discretamente situada detrás de mí, iba comprobando que todo fuera correctamente. La sensación de romperse por dentro, el calor extremo, todo pasó por mí como si de una película a cámara rápida se tratase. ¡En una sola contracción salió la cabeza, y en otro empujón lo hizo el resto del cuerpo! Fue impresionante la sensación que experimenté cuando escuché que tu pequeño cuerpo, caliente y húmedo, salía de mí.

Te abracé, allí mismo, embriagada de sorpresa, amor, incredulidad y agradecimiento. Según tu padre, las primeras palabras que te regalé fueron: «¡Duna, bienvenida, amor mío!».

María Folch.

Dorian y el melocotón

Eran las ocho y media de la tarde, por fin estábamos solos después de un día con mis padres. De golpe me apeteció pan con chocolate y un rooibos, y me encerré en una salita que teníamos entonces con un sofá, la tele y la pelota de dilatación.

Ahora eran las nueve, y las contracciones ya duraban un minuto y ¡me venían cada tres minutos!

Desde ese momento, Josep fue muy importante para mí, ya que en cada contracción me ayudaba a controlar la respiración.

A las 22.30 h. llegó María, me preguntó si quería que me hiciera un tacto, al cual yo accedí encantada. Nos confirmó que estaba de parto y que ya estaba de cinco centímetros. La alegría fue inmensa, y me cargó las pilas. Todo el esfuerzo que habíamos hecho mi pequeño y yo había servido de mucho. «Ya solo faltaba la mitad», pensé.

Las contracciones seguían viniendo, pero yo empezaba a notarlo todo como desde otra dimensión. Tenía los ojos cerrados constantemente, estaba muy inmersa en mi parto. No recuerdo pensar en nada, simplemente me dejaba llevar por la situación.

Ahora, con cada una de ellas, me venían unas ganas primitivas de empujar. De golpe, volví a ser consciente del parto, de dónde era y con muchas ganas de terminar. María me dijo que en el pico de la contracción se podía ver la cabecita del tamaño de una nuez. Yo miraba a Josep, y él me decía que sí con la cabeza, y a mí me daba fuerzas para continuar empujando.

¡Eso ya era otra cosa! Allí sentada, con Josep abrazándome por detrás y después de tomarme la infusión de miel y canela, me sentía poderosa y con mucha energía; empecé a empujar con todas mis fuerzas. Los minutos pasaban, le pregunté a María que cómo se veía, y ella me dijo que del tamaño de un melocotón. Y aquí viene la anécdota del parto, ya que al decirme eso, yo dije: «¿Sólo un melocotón?», pensando que aquello no era nada y que aún faltaba muchísimo, cuando mi hermana me contestó: «¿Reina, qué quieres, que sea como un melón?». Y sentí cómo todos se reían. La verdad es que ellas me ofrecían un espejo para que yo misma lo viera, pero en esos momentos era incapaz, no veía nada. Entonces, recuerdo que en la siguiente contracción empujé con todas mis fuerzas y de golpe sentí una presión muy fuerte. «¡Aaaah qué dolor!». Chillé, una magnífica señal de que por fin salía la cabeza. Me cogí fuertemente a las manos de Josep y empujé con todo mi cuerpo, quería que saliera ya, y... ¡Ploof! Al momento salió Dorian entero, y también justo en ese momento rompí aguas, ya que Dorian nació dentro de la bolsa.

María me lo colocó encima y me emocioné al ver cómo me miraba con los ojos bien abiertos. ¡Qué felicidad, por fin lo tenía en mis brazos! Sentí cómo Josep también se emocionaba, me sentí la mujer más feliz del mundo al verme allí abrazada por mis dos chicos.

Así estuvimos casi una hora, que es lo que tardó el cordón umbilical en dejar de latir. Entonces, Josep lo cortó, y María me animó a hacer el último esfuerzo y ayudar a salir a la placenta. Con un trocito de ésta me prepararon un batido con zumo de naranja que me supo a gloria. Me sentía eufórica con mi niño en brazos, del cual sólo me separé para que lo cogiera su padre mientras María me cosía un par de puntos del pequeño desgarro que me hice.

Éste es el relato de mi parto, un parto soñado y magnífico de cual guardo un recuerdo muy especial y que hicieron posible Josep, por su apoyo incondicional, por estar allí en todo momento consiguiendo que me sintiera segura y tranquila, y María, por transmitirme su serenidad, por saber estar sin estar, por su profesionalidad y por hacer posible un sueño. Gracias.

Erika Rodríguez.

Tierra y Mar

Mar, la isla de Menorca, la niña d'Es Grau.

Después de cada embarazo y parto aprendes, vaya si aprendes, y cada aprendizaje te marca para siempre.

En mi primer embarazo, parto y puerperio aprendí que una vez que llevas una vida dentro ya no sólo decides tú. Más tarde, mi primer aborto me conectó con el vacío y la soledad de no poder hacer lo que a uno le gustaría. Y por último, mi segundo aborto hizo brotar en mí la semilla del dejarse llevar y vivir lo que uno tiene al máximo sin grandes expectativas.

Cuando supe que Mar me habitaba, sentí alegría y miedo de perderla, la seguridad en mí misma (como madre tierra) se tambaleaba por momentos.

Marenostrum fue, ha sido y será fuente del agua que necesito beber en cada momento de mi vida. Junto con Ortrud y Vicente encontramos la manera de seguir creciendo, y eso se tradujo entre otras cosas en la posibilidad de que María y Alicia vinieran a Menorca para ayudarme a dar la luz.

Primero vino María, para cubrir un posible adelanto en la fecha probable de parto; ella me acompañó maravillosamente en mis miedos, dudas, transmitiéndome la confianza que necesitaba en mí misma (parir no es sólo un acto físico). Además, aprovechando su estancia, montamos un taller para embarazadas y fue muy enriquecedor para todas, quedando la semilla de un sentir, hacer y transmitir la atención al parto que todavía hoy brota y brota en mujeres de toda la isla.

El momento de dar a luz no fue con ella; partió hacia Barcelona y llegó Alicia para cubrir la segunda parte; «confía» era la palabra... Al día siguiente de aterrizar en Menorca, sucedió:

A las dos de la mañana me despertó un malestar en la barriga y pensé que no me había sentado bien el «all i oli» de la cena, así que salí a pasear... A esas horas, el pequeño pueblo de pescadores dormía plácidamente; me acompañaron la brisa, las suaves olas de la playa y el maravilloso cielo estrellado del mes de mayo.

Al volver a casa, todo seguía en silencio, la única diferencia es que mi hija mayor, Luna, dormía junto a Biel en nuestra cama (luego me enteré que durante mi paseo se había caído de la litera, cosa que nunca le había pasado), lo que hizo que yo ocupase su lugar en la pequeña y cálida habitación infantil, cuna en la que nacería su hermana.

Me quedé dormida enseguida, y a las dos horas me despertó la primera contracción. La alegría de saber que Mar ya venía al mundo inundó mi corazón. Empecé a poner música, encender velas, poner almohadas, pero una nueva contracción me dejó inmóvil, como avisándome de que iba en serio y que me dejara de decorados.

Llamé a Biel y le dije que llamara a Alicia, porque las oleadas eran muy seguidas e intensas. Los recuerdo a mi lado, pendientes de mis necesidades y complacientes.

El trabajo de parto fue concentrado y fugaz, pedía agua a menudo y me ayudaba de los barrotes de la litera para hacer fuerza. «¡Una bola de fuego intenso venía al mundo!», decía para mis adentros. «¡Qué energía! ¡Qué poder! ¡Qué claro que lo tiene!», eran algunas de las frases que se cruzaban por mi cabeza.

En el expulsivo, Biel se puso detrás y me dio apoyo hasta que apareció su cabecita por entre mis piernas (bonita sensación). Llevaba una vuelta de cordón (María siempre decía que los bebés que vienen así es que se ponen collares para la ocasión), Alicia lo desenredó y la subí a mi pecho. La sentí grande y fuerte. Despertaron a Luna para abrazarnos los cuatro.

Luego vino ese estado tan especial, el posparto, en donde estás extasiada por lo que ha sucedido y no puedes quitar la sonrisa de tu cara. Nos sentamos frente a la chimenea, disfrutamos del momento, de la infusión de canela, del batido de placenta, del olor a vida... La satisfacción de haber parido queda impregnada para siempre.

Por la mañana, todo el pueblo hablaba de lo mismo: que había nacido una niña esa madrugada, y los más mayores afirmaban que había sido la primera, y que ella sí que era «ben d'Es Grau».

Carmen Rubio.

Ona en el Delta del Ebro

Ser madre es la mejor sensación, la mejor vivencia que nunca he tenido. Tuve a Ona el 22 de junio de 2009.

Parir es maravilloso, ser madre es todavía mejor, pero también es muy duro, es romperse en mil pedazos y tener que recomponerte: como ser, como persona, como mujer... A mí me ha costado mucho; tardé nueve meses (todo un embarazo) en «ver la luz».

Supe que estaba embaraza en septiembre de 2008, dos días después de que muriese mi querido abuelo (unos se van y dejan paso a otros). Lo supe después de entrar al baño, sentir el olor de colonia de Albert y empezar a vomitar como loca.

El día 20, desde Marenostrum me propusieron que Llàtzer me hiciese acupuntura para desbloquear. Recuerdo vagamente el dolor de algún pinchazo, pero perfectamente cómo, en aquella sesión, dejé ir todos mis sentimientos y lloré con él durante una hora.

El día 21 lo dediqué a pasear por la playa: arriba y abajo, arriba y abajo. Al anochecer tenía alguna contracción más, así que me metí en la bañera para ver si pasaban. Nada, continuaron, pero como no había roto aguas, no había visto el tapón mucoso... me fui a dormir. A las dos de la madrugada desperté a Albert:

- Creo que esto va en serio.

- ¿Seguro?

- No sé, miramos las contracciones y decidimos.

Cada 5 minutos. Tendríamos que llamar a Ortrud, ¿no?

- ¿Cada cuánto son las contracciones?

- Cada 5 minutos.

A partir de aquí todo es un poco confuso, sólo recuerdo que no podía parar de andar, del salón al baño y del baño al salón, y a volver. Después de siete horas caminando, el dolor se hizo insoportable: «¡No puedo más! ¡Llevadme al hospital!». Ortrud le dice a Albert: «¡Ahora es cuando llega!». Y a mí me dice: «Meritxell, un poco de homeopatía, una ducha, quince minutos de esfuerzo y, si lo necesitas, hacemos un traslado».

Antes de diez minutos, yo estaba en el baño, Albert me pregunta que cómo voy y le digo: «¡Llámalas, que ahora viene!». Noté que algo rompía, un hilo de sangre...

Ellas ayudando, yo apretando, Albert acompañándome, el «aro de fuego», ¡qué dolor, qué gritos! Ortrud, poniendo calor en la zona y diciendo: «Envíale oxígeno a tu hija, así, así, respira con la tripa... Mira, mira, ya sale... Meritxell, toca la cabeza». «No puedo, no puedo, qué miedo...». «Ya está aquí, ¡coge a tu hija!».

No sé dónde estoy, sólo siento que el dolor ha pasado, tengo un bebé en los brazos, Albert llora y me abraza, Ortrud y Txus ríen y ayudan a mamar, yo tiemblo. Pero qué sensación tan maravillosa, Ona ya está aquí.

Con el mismo respeto que durante todo el proceso, me ayudan y me tumbo en la cama con mi hija en brazos, sin dejarla ni un segundo. Un rato después, Albert corta el cordón, y Ortrud dice que hay que empujar una vez más para sacar la placenta. «¿Otra vez? ¡Pero si no puedo!». Un esfuerzo, ¡ya está! ¿Cómo pueden decir que es «placentero»?

Después pesamos a Ona, una infusión, descansar...

A partir de aquí es una nueva concepción de familia, una nueva concepción de pareja, ser una nueva persona. Todo es luz, todo es niebla, todo es amor, todo es sentimiento, sensación... Todo es nuevo... Todo es Ona.

Meritxell Barroso i Saura.

Hijo, ¡eres luz! La luna llena de Cádiz

Querido Lucas, hijito:

Jueves y luna llena (como habíamos acordado), después de toda una noche viajando del interior de mi útero al mundo exterior, naciste.

Te recibimos tu papá, tu tía María (tu madrina y matrona a la vez) y yo, tu mamá, claro. Quiero decirte que es la noche más bella que tengo en mi memoria a pesar de que nunca había sentido tanto dolor como el de aquellas contracciones que anunciaban tu llegada.

Creo que todo empezó el domingo anterior, hizo mucho calor ese fin de semana, y tu padre y yo fuimos a la playa de Punta Candor. Casi estaba desierta, el agua deliciosa y disfruté de lo lindo flotando con mi barriga y estirando mi cuerpo dentro del mar. Di un par de paseos y te canté la canción de siempre, la de «duerme negrito». Entonces sentí unas ganas enormes de dar gracias a Dios por todo, por lo bien que iba el embarazo, por estar con Fernando, tu papá, porque no nos faltaba de nada. También recé y, orando, supe y afirmé que todo iba a ir bien en el parto «insha-allah».

Tu padre se estaba dando un baño, y ante la duda de si ya estabas llegando nos sentimos tranquilos y felices. No tenía miedo alguno al parto, es más, había soñado en varias ocasiones que daba a luz yo sola, sin ayuda.

Al día siguiente fui a la clase de gimnasia de preparto con mi «súper plan» de parto para enseñárselo a Carmen, la matrona, por si acaso tuviese que parir en el hospital. La matrona me revisó y te tocó la cabecita, me dijo que «tenía muy buena pinta», que ya estaba preparándome: el cuello uterino estaba borrado.

Fui al mercado de los gitanos a buscarte ropita. Estaba con contracciones, pero indoloras.

Llamé a María. Decidió ir corriendo al aeropuerto de Barcelona y milagrosamente consiguió un vuelo para poder llegar al parto. A las 12 llegaba a Sevilla. La fueron a buscar Sara y Manuel, que conducía a 160 camino de Rota, preocupado por no llegar.

Había tiempo de sobra, pero las contracciones eran cada vez más dolorosas. Dilatando en la bañera con manzanilla y lavanda y tomando infusiones de frambuesa, deseaba que llegara María.

Era importante, como me aconsejaba María, acompañar la contracción, como una ola, y no intentar evitarla o rechazarla, pues el dolor se hacía más difícil de soportar.

No tardé en sentir ganas de empujar. Tu madrina preparó un baño —para mi gusto demasiado caliente—, allí sudé mucho y bebí agua, entrando al poco en una especie de trance gracias a las esperadas endorfinas.

A veces miraba a María en busca de apoyo, y me decía que lo estaba haciendo muy bien. Tú también, Lucas, tú también lo estabas haciendo fenomenal, descendiendo, y tu corazón latía estupendamente. Gritar me daba fuerza y me ayudaba a concentrarme en el trabajo de expulsión.

Entonces, entre un pujo y otro, con los ojos cerrados, vi una luz muy blanca que lo llenaba todo por unos instantes. Era hermosa y me trajo el pensamiento de que era la luz que experimentarías al nacer en breve. Por un segundo pensé/sentí que esa luz podría serlo todo: la vida, la muerte, Dios. Fue un momento místico que se desvaneció al empujar y que busqué conscientemente de nuevo en el siguiente descanso.

Con tu cabecita le tendías la mano a María, según me contaron. Naciste en posición «superman». Me acordé de aquel sueño en el que me dabas la mano estando en mi vientre, y ahora tomando el pecho lo haces continuamente...

Tu madrina me dijo rápidamente: «Toma tu hijo», y te sostuve... María le dijo a papá que se quitase la camiseta rápido y te colocó en sus brazos. ¡También a él le succionabas la piel!

Tu llegada fue motivo de euforia, nos sentimos muy afortunados y enamorados. Ahora, la rutina y monotonía del trabajo de papá y las limitaciones que tu total dependencia nos supone los problemitas del día al día, nos han puesto los pies en la tierra de nuevo... Sigues siendo lo más hermoso que nos ha pasado en la vida.

Nos regalaste una tardecita en la playa, han sido días preciosos y me di un buen baño mientras tú tomabas tus primeros rayos de sol con papá. ¡Qué raro meterme en el mar sin ti! ¡Tan acostumbrada a sumergirme en el agua contigo en mi vientre!

Tu mamá, Carlota.

Segundos hijos o más

Consejos a mi hija

Me desperté de repente notando unas intensas punzadas en la barriga: eran contracciones; me invadió la ilusión y se me dibujó una sonrisa en la cara, pero enseguida pensé que no podía ser ya, que aún faltaban trece días para la fecha aproximada del parto y que más valía no hacerme ilusiones porque seguramente era una falsa alarma.

Por la mañana, cuatro horas más tarde, cuando Lluís se despertó y le dije que tenía contracciones y que desde entonces no habían parado, se puso muy contento y llamó a Alicia.

Jan tenía que desayunar e ir a la escuela, y Lluís se tenía que encargar de él, así como de ordenar la cocina y encender la chimenea para que la casa estuviera caliente para la llegada de Ilona.

Yo ya me quería poner en otra órbita, lo sentía todo y me sentía animada, pero tenía que compenetrarme con Ilona. Se fueron a la escuela, me puse música, cogí una silla y la puse delante de la puerta para que el sol de aquel día tan precioso me tocara la piel. Arrodillada frente a la silla y respirando serenamente sentía cada contracción más larga y más intensa, quería que Lluís volviera y me pusiera sus manos calientes en mi barriga, como siempre había hecho durante el embarazo, dándome ese calor que me reconfortaba. Quería dominar la situación, notar cada contracción para que el dolor no me cogiese desprevenida.

Pero al cabo de un rato, las contracciones eran más suaves y decidí llamar a mi madre. Parecía que al relajarme habían vuelto a ser más intensas hasta el punto de que cada vez que venía una ya no podía hablar. Mi madre estaba a una hora de camino y habíamos quedado en que el día del parto ella estaría.

Yo sentía frío y calor, estaba nerviosa y notaba cómo las piernas perdían fuerza con cada contracción.

Alicia escuchó el corazón de Ilona, me tomó la presión y comprobó que todo estaba bien, como yo ya notaba. Finalmente, me hizo un tacto; estaba de cinco centímetros, contenta, pero por la intensidad del dolor y las ganas de apretar que tenía me pareció poco.

Se fueron del comedor y me quedé sola, no quería estar sola, pero Lluís estaba buscando leña, de modo que fui a la cocina con mi madre y estuvimos hablando. Pero otra vez la intensidad de las contracciones era más fuerte y parecía que no tenía que desconcentrarme, de modo que cerraba los ojos y me imaginaba que cada contracción que sentía era para hacerle paso a Ilona, para que tuviese más espacio para poder salir.

Notaba que tenía ganas de empujar, sentía un peso cada vez más fuerte, estaba muy cansada y como en una nube. Sudaba, me ponían toallas de agua fría en la cara, Lluís me hablaba al oído, y las comadronas iban haciendo su papel. Mi madre estaba por allí ayudando a las comadronas y apoyándonos a mí y a Lluís. Todo estaba en marcha.

Quería sacarme ese peso de encima, quería apretar muy fuerte y alargar al máximo las contracciones para romper aguas. Cada contracción que tenía la acompañaba de un pequeño gemido y, después de un gran esfuerzo, rompí aguas, pero no me sentí menos pesada. Estaba agotada y tenía que continuar. En aquella habitación sólo se oía mi respiración, y cuando abría los ojos, todos me sonreían para darme ánimos.

Las contracciones seguían, yo iba apretando, y entre contracción y contracción me apoyaba en Lluís, que me iba acariciando el pelo. De repente, me invadió un ardor muy fuerte, notaba el cabecita de Ilona entre mis huesos, y Alicia ya la veía. Tenía la sensación de que me partía, de que aquel dolor ya no podría ir a más. Aquella contracción fue muy fuerte, Ilona ya avanzada a pasos gigantes, quería apretar muy fuerte para que saliera su cabeza, pero no lo conseguí. El periné me tensaba, y tenía la violenta sensación de irme abriendo por momentos. Le pedí a Alicia que me pusiese su mano en el perineo para aliviar esa tirantez de la coronación. Le toqué la cabeza, como me decía Alicia, tenía que sacar fuerzas de donde ya no quedaban, y con la siguiente contracción finalmente la cabeza de Ilona ya estaba fuera. Yo me abandoné, ya no podía más.

Estaba fuera de mí, le pedí a Alicia que tirara de ella, que yo estaba muerta, pero Lluís, al oírme, me decía que él también me ayudaba, que ya era el final y que después de todo el esfuerzo no me podía rendir. Así que toda sudada y extasiada para poner fin saqué las fuerzas de donde pude y con dos contracciones más, acompañadas de un grito, Ilona salió.

Alicia me dijo que la cogiera. Así lo hice, no sabía cómo sostener esa cosita deslizante, morenita y calentita, todo me flaqueaba, pero me la fui acercando para ponérmela encima y empecé a llorar. ¡Por fin Ilona estaba aquí!

Ella también sollozaba, pero enseguida se enganchó al pecho y se tranquilizó, nos mirábamos los tres mientras yo le acariciaba su piel suave, le daba la bienvenida con palabras dulces. Nos habíamos reencontrado, y desde ese momento ya la amé.

Diez meses más tarde, lo recuerdo, a pesar del sufrimiento en algunos momentos, como un regalo. Parir de esta manera me ha hecho crecer como mujer y como persona.

Después de mis dos partos, muy diferentes el uno del otro, puedo decir que nuestro cuerpo está preparado para soportar el dolor del parto, que el cuerpo no va a crear un dolor que no podamos aguantar. Es sólo cuestión de dejarse llevar y confiar plenamente en él, hacerlo serenamente y dominar la situación sin que te invada el miedo.

Es lo que yo le diré a mi hija si algún día decide tener un hijo.

Anaïs Pinyol Mas.

El Fuego de San Antonio

Mi segundo embarazo llegó después de más de tres años de perplejidad, de cierta locura, de observación y de descubrimiento de mundos nuevos para mí: el de la maternidad y el de las sombras.

Marina ya había cambiado mi vida. Los hijos son así: llegan y lo cambian todo. Ella me obligó a olvidar muchas certezas y a modificar casi todo lo que pensaba acerca de la maternidad. Nació en una clínica de Barcelona, y la recibí como pude en aquel momento. Hoy sé que me equivoqué, porque no era eso lo que yo quería. Ella me dio la oportunidad de buscar, averiguar y rectificar.

De vez en cuando, los comentarios de algún conocido me hacían dudar. Y aunque una profunda convicción me impulsaba a seguir por esa vía, no fue fácil seguir un camino tan poco transitado.

Llegó el Fuego de San Antonio, como lo llaman en el país de Arianna. Estaba en la semana veinticinco de gestación, y un herpes zóster en el sacro me complicó la vida durante todo un mes. El dolor me hundió, creí que me haría desistir de mi idea de dar a luz en casa sin analgesia. Pero no. Ese dolor me convenció del todo. Si había resistido eso, ¿cómo no iba a resistir un dolor que vendría con premio?

Los relatos de los últimos viernes de mes me ayudaron mucho. Mujeres altas, bajas, corpulentas, delicadas, españolas, catalanas, extranjeras, decididas o tímidas iban explicando sus partos en casa. Todos, partos diferentes. Todas lograron emocionarme profundamente. Recuerdo con mucho cariño y admiración esos relatos.

Blanca nació oliendo a vida, con su manita en la oreja, en un entorno íntimo y cálido, rebosante de oxitocina, con un cordón corto y grueso. Recibió todo el respeto: piel, consideración, verdad, atención y besos que una nueva vida merece. David lloró. Yo, un poco. No puedo describir aquel olor, pero sé que está grabado en algún rincón de mi cerebro.

La fase de expulsión fue rapidísima. María y Ana M. estaban en la cocina, pero llegaron justo a tiempo de cogerla. Se habían presentado en algún momento de la noche: María, como un gatito sigiloso; Ana M., con esos brazos arremangados que todo lo pueden. Yo iba pasando cada contracción como podía.

La noche había empezado muy movida. Al caer la tarde, cuando me di cuenta de que todo había empezado, avisé a David. Su día no había sido fácil (una boda inoportuna). Tenía que ocuparse de muchas cosas a partir de ese momento: de mí, de la intendencia y de Marina. Intentó ejecutar nuestros planes. Se llevó a Marina a casa del abuelo, pero ella cambió de opinión y no quiso dormir fuera. David intentó convencerla en el coche y acabaron llorando los dos. A las dos de la mañana volvieron a casa. Yo me enfadé con él. El parto se detuvo. Marina quería estar conmigo. Sólo tenía cuatro añitos. Luego supe que ella pensaba que yo iba a morir. Creía que un parto era morir. Me acosté a su lado y se durmió. La llevamos a su habitación y la acostamos en una cama en la que nunca antes había dormido. Perdoné a David y todo empezó de nuevo.

Nos tumbamos en la cama y le dije que durmiera. Silencio absoluto. La casa, a oscuras. En el baño, sólo una vela. Las contracciones eran fáciles de sortear. Luego se fueron complicando. No quise moverme de mi cama. Me sorprendió que mi sitio fuera ése. No quería piscina de agua y no me apetecía pasear. Estaba bien ahí, acurrucada, a oscuras, con el olor de mis sábanas. Cuando una contracción llegaba, me ponía a cuatro patas y me aferraba a la almohada.

En algún momento pensé en Michel Odent. Me imaginé saltando olas. Pensé en sus teorías sobre el calostro y el hombre ecológico. Las contracciones ya no eran tan fáciles de pasar.

Y entonces vi a María sentada a los pies de la cama. Me hablaba bajito, con esa delicadeza tan suya, acariciándome. Casi no me tocó. Me tranquilizó saber que estaba allí.

Blanca salió en unos ocho minutos. Bueno, eso de los minutos lo leí luego en el detalladísimo informe de María. Me cuesta recordar lo que iba ocurriendo. Algunas cosas me las ha explicado David. No tengo conciencia de haber pasado miedo.

Me vino a la cabeza la imagen de Àngels y de la pelvis que utiliza en sus clases. Y luego, ese olor. Y ya la tenía en mis brazos. Mojada y calentita. Pegadita a mí. Enseguida empezó a mamar. Luego, más contracciones en la silla de partos. Era el turno de la placenta.

Marina se despertó y vino a ver a Blanca. No le gustó el cordón (el «tubito») ni el desmadre que vio en el suelo, así que se puso a fregar. Pasados unos minutos, soltó: «Me aburro», y se fue a jugar a la sala. En las horas siguientes, me sentía eufórica. Allí estaba mi niña. Nunca creí que fuera capaz de hacer algo así. Claro, en realidad no tuve que hacer gran cosa, sólo dejar que todo ocurriera. Pero conseguirlo me llenó de orgullo.

Pero el posparto es el posparto y tiene sus dificultades, sobre todo si una sinusitis se aferra a tu cabeza. Los sentimientos se desbordan. Hay que encajar a un nuevo miembro en la familia y los demás han de resituarse. Un lío. Luego, poco a poco, todo se va recomponiendo.

Pasadas ya esas seis primeras semanas, un día me asaltó de nuevo la felicidad. Mis momentos más felices nunca han sido grandes acontecimientos ni fechas señaladas. El primero que recuerdo es paseando a Marina en cochecito durante mi primera baja maternal. Llegaba a casa y buscaba las llaves entre los pañales. Marina dormía. La subí en brazos y me senté en el sofá con la intención de atrapar ese momento para siempre. El segundo, igual de intenso, me pilló en el tercer banco del andén de la estación de Fontana. Blanca, pegadita a mi pecho, dormía. Un metro pasó en sentido contrario. Y de nuevo ocurrió: la felicidad en estado puro. Mi metro llegó, cogí la bolsa y me subí intentando no acercarme a nadie. No quería que me interrumpieran. Ese día me dirigía al curso de posparto de Marenostrum.

Cristina Prieto.

Madre de tres, tres nacimientos distintos

Antes de explicar cómo fue nuestro parto, primero debo explicar los nacimientos de mis otros dos hijos, ya que es gracias a ellos que he llegado hasta aquí.

Mi primera hija, Gisela, nació en julio de 2004. Nació vaginalmente en un parto medicalizado. Me rompieron la bolsa, me monitorizaron y me pusieron la epidural. Y a esperar, tumbada en la camilla del paritorio y sin sentir absolutamente nada. Me decían que la niña no bajaba, pero cuando ya estaba dilatada, empujé y nació en tres empujones (totalmente dirigidos, claro).

No tengo mal recuerdo del nacimiento de mi hija, por entonces pensaba que era la experiencia más especial que había vivido nunca (y lo sigo pensando, aunque con diferente perspectiva).

Adrià nació en abril de 2006, por cesárea programada por estar de nalgas. Mi bebé estuvo de nalgas siempre; durante todo el embarazo deseé con toda mi alma que se diese la vuelta, pero no lo hizo. El destino no quiso que diese con la tecla de las diferentes opciones para intentar que se girase.

La recuperación fue muy dura, nunca he sentido tanto dolor (y digo nunca, ni siquiera en mi parto natural), me sentía inútil y muy dolida, por dentro y por fuera.

Pero algo no curó: estaba triste y abatida, y sólo pensar en la cesárea me ponía a llorar. Entonces, pensaba que había tenido muy mala suerte, que la cesárea había sido necesaria, y que el destino no había querido que pudiese parir a mi hijo. Eso me hacía sentir todavía más desgraciada.

Buscando algo que me hiciese dar sentido a todo lo que me obsesionaba di con la lista de Apoyocesáreas. Y ahí aparecieron mis ángeles. Encontré a mujeres, muchas, que sentían lo mismo que yo, que me comprendían y con las que me sentí totalmente identificada. La lista me ayudó muchísimo, y a partir de ahí empezó mi recuperación; el «click» definitivo fue cuando una comadrona me dijo que me habían robado mi parto. Ese día sí que lloré, fue como despertar a otra realidad, como si me hubiese quitado las gafas de madera y la niebla hubiese desaparecido de mi mente.

Con tiempo y acompañada de mujeres valientes, y sus testimonios y apoyo, aprendí a vivir con los sentimientos que me desbordaban, a no sentirme culpable y a perdonarme por no haberme vuelto a mi casa el día que me programaron la cesárea y pelear más.

Mi marido también me ayudó un montón. Un día me dijo que por él no tendría más niños, que dos ya estaba bien, pero que sabía que yo siempre había querido tener tres, y que si quería tener ese hijo deseado y encima de una manera que me hiciese estar mejor, pues que adelante, que me apoyaría en todo.

El día del parto me alegré de ver a Alicia. Estaba muy lúcida todavía y quise ducharme; entonces llegó Ana Mª, otra agradable sorpresa, es doula y experta en lactancia, y vino para acompañar a Alicia. La ducha me sentó genial, y las contracciones fueron más llevaderas ese rato (mientras, mi marido cortó jamón, y con pan con tomate comieron algo). Cuando salí, Ana Mª me dijo que me tumbase a ver si conseguía descansar un poco, me dejó sola, pero cuando me tumbé me vino otra contracción; dolía el triple al estar tumbada, me puse a cuatro patas y noté como una suave explosión en la entrepierna y calor, había roto aguas, aún no sé cómo en medio de la contracción me bajé rápido de la cama porque no quería manchar las sábanas.

Me hizo un tacto: estaba de cuatro centímetros. Me derrumbé un poco, pensé que todavía quedaba mucho y me entraron ganas de llorar. Pero intenté serenarme y concentrarme en respirar bien (con la ayuda inestimable de Ana Mª, que me hacía dúo y me reconducía). Mentalmente (ya no podía casi hablar) le decía a mi bebé que aguantase, que juntos lo lograríamos.

A las 00.10 h. me dieron homeopatía para relajarme y para los miedos; no sé si fue eso o que mi cuerpo y mi bebé decidieron poner el turbo, el caso es que estaba de rodillas a los pies de mi ya querida cama cuando noté ganas de empujar, me sorprendí, y Alicia y Ana Mª aún más. ¡En quince minutos había dilatado de cinco a diez centímetros y entrado en expulsivo! A partir de ahí fue todo como una tormenta de sensaciones, la parte más dolorosa pero la más intensa y especial.

Cuando después de un pujo salió el cuerpo, tuve una sensación increíblemente agradable, el dolor desapareció de golpe, Alicia me dio a mi hijo entre mis piernas (yo estaba de rodillas), lo cogí, le sacó una vuelta de cordón (era la segunda, ya le había sacado una cuando salió la cabeza) y lo abracé. Mi bebé, mojado y caliente. Creo que lloré, él también lloró.

Sé que entró mi suegra con la niña, me besó pero no vi a mi hija (por lo visto no salió de detrás de la pierna de su abuela). ¡Entonces me di cuenta que no sabíamos si era niño o niña! Con la emoción del momento y a la luz de las velas no nos habíamos fijado.

Llamé a mi hija para que viese a su hermano, y entró ya más decidida, le dio un beso y la abracé. Espero que recuerde el momento el resto de su vida, es mi regalo para ella, futura mujer y madre.

Una anécdota: el mosqueo que pilló mi hija cuando le dije que era un niño. Ella quería una niña. Mi otro hijo no se enteró de nada, a la mañana siguiente se despertó y se puso contento cuando vio la sorpresa que le había traído la noche.

Cuando ya estábamos en la cama y más tranquilos, llegó el momento de decidir el nombre: llegamos a un acuerdo los tres, se llamaría Jan. Cuando esas dos fantásticas mujeres se marcharon, Luís durmió, por fin, a la niña.

Me duché y entonces me quedé sola con mi hijo, la casa en silencio, solos los dos (mi marido se fue a dormir a la habitación de los niños), mi bebé dormido desnudito encima mío y yo reviviendo una y otra vez todo el parto, eufórica e inmensamente feliz.

Mónica Ucar.

De nuevo en nuestra casa

Los dos tesoros: Jofre y Joana

Los niños hace poco que se han dormido. Hace dos años y medio que cada noche acompaño al pequeño Jofre a enfrentar el silencio y la oscuridad de la magia nocturna, y desde hace siete meses también conduzco a la pequeña Joana a las estrellas nocturnas, siempre bajo la mirada atenta de la leche materna, protectora por antonomasia de los bebés.

Recuerdo como si fuera ahora los dos momentos más intensos e íntimos de mi vida: el nacimiento de mis dos tesoros acompañada por el incansable Ramón, mi amor.

La llegada de Jofre fue muy diferente a la de Joana, pero en cambio sí que coincidieron ambos en iniciar su venida en una noche de luna nueva, y eso que siempre se ha dicho que las noches de luna llena las salas de partos trabajan más que nunca.

El parto de Jofre me pareció una maratón de 50 km. marcha con la sensación de no llegar nunca a la meta; el de Joana, una carrera de 5.000 obstáculos que poco a poco llega a la meta.

Fueron muchos ratos de lectura intensa de autores imprescindibles para parir en casa, como Michel Odent, Frederik Leboyer, Isabel Fernández del Castillo, Laura Guttman... Y muchos ratos también de compartirlo con Ramón, fundamental para poder afrontar después el parto con toda tranquilidad.

Lo importante es confiar en la naturaleza y en uno mismo, a la vez que también se confía en las manos que ayudarán a que tus hijos abran la puerta de la vida exterior con tanto respeto y amor, con tanta sensibilidad, con tanta profesionalidad y con tanto sentido del humor...

Relatar el parto me parece que no es tan necesario para mí como explicar realmente que lo más importante fue creer que lo podía conseguir, olvidarme de los miedos que durante todo el embarazo van apareciendo, olvidarme de los comentarios de la gente de que estamos locos de arriesgar la vida de nuestros hijos, prescindir de los paternalismos y las conductas sobreprotectoras del embarazo y el parto y confiar en la gente que sabe de esto y tiene la sensibilidad y profesionalidad para llevarlo a cabo.

Dos años después me doy cuenta de cómo un parto natural y en casa me ha cambiado como mujer, como hija, como pareja, como ser humano, me ha convertido en MADRE. Ahora, las prioridades son otras. Creo honestamente que un parto en casa crea un vínculo familiar tan fuerte que nada es capaz de romperlo. Se crea tanta sensibilidad a flor de piel...

Como escuché una tarde de viernes en una de las charlas mensuales de Marenostrum, las mujeres no deberíamos prepararnos para parir, pues todas lo estamos, en cambio sí que nos deberíamos preparar para ser madres, pues el cambio y la llegada del bebé es tan brutal que puede llegar a ser abrumador.

Sólo tengo palabras de agradecimiento a toda la gente de Marenostrum, y en concreto a María, que hizo el seguimiento en casa de Jofre, y a Mireia, que abrió la luz a nuestros pequeños. Y, cómo no, agradezco profundamente la presencia constante de Ramón conmigo, su comprensión y su apoyo, tan respetuoso y amoroso. No puedo olvidarme de Idoia, quien con su tesón hizo posible que no desfalleciese durante el camino de llegada de Jofre, y también agradecer a todas las madres del mundo su entrega desinteresada a los suyos, y en especial a ti, mamá, que siempre estás, y sin tu apoyo no hubiera podido hacer realidad el sueño de ser madre.

Y, cómo no, gracias a mis dos angelitos: Jofre y Joana.

Meritxell Cegarra.

Nueva profesión: mamá de dos

Me he encontrado muy bien durante mis dos embarazos, exceptuando los tres primeros meses en los que tuve algún malestar y alguna vomitona, pero poca cosa. Con Bernat, trabajé hasta los ocho meses; el noveno mes lo dediqué a mimarnos y prepararnos para el gran momento, necesitaba estar tranquila y descansar, también quería tiempo para pensar en el parto y en mi nueva profesión: «mamá».

En el primero, preparada preparada no lo estuve: fue un parto largo, de doce horas, pasé la noche con contracciones en el sofá, y a las seis de la mañana, cuando Enric se levantó para ir a trabajar, le dije que mejor se quedara. Como me encontraba con ánimos, llevamos a nuestra perrita Boira a casa de mi madre y después ya nos encerramos en casa.

A partir de aquí, tanto Enric como yo tenemos una nebulosa porque no nos acordamos de si comimos o no y de otros detalles. Sólo sé que, cuando empezaron las contracciones seguidas cada seis minutos aproximadamente, me fui al lavabo y allí me quedé sentada a oscuras en la taza. No me quería mover para nada; como me temblaban las piernas, cuando me venía la contracción hacía fuerza con los pies en el suelo. Rompí aguas en la taza y llamé a María, que me dijo que me tocara para ver si notaba algo. ¡Oh, sí! ¡La cabeza de mi niño! Mireia, la comadrona, ya venía de camino.

A las 20.00 h. nos fuimos a la habitación, y Mireia me hizo reflexología porque estaba tensa, pero no me funcionó. Notaba como si las contracciones todavía fueran más fuertes, así que volvimos a la taza, donde me sentía más segura; Enric me refrescaba la cara y me daba a beber las infusiones que preparaba Mireia. Me sentía cansada y desmotivada, parecía no tener fin.

Me duché y volvimos a la habitación, probamos a empujar a cuatro patas y en la silla de partos, pero no avanzaba. Más tarde, sobre las 23.30 h. ya estaba totalmente dilatada, y Mireia nos sugirió el cabaret; así lo hicimos durante veinte minutos, pero sin progreso alguno. Estaba muy cansada y tuve que comer alguna cosa para ganar energía, volví a la habitación, y cuando entró Mireia ya vio la cabecita de Bernat. Fue un empujón más y ya estaba en mis brazos.

Fue un parto largo, posiblemente por ser el primero, pero creo que si me hubiera movido más y hubiera aceptado el dolor como algo necesario y positivo como explicaban en las clases de parto hubiera sido más fácil. Estuvimos con Mireia una hora esperando a que dejara de latir el cordón, después Enric hizo los honores y lo cortó cual inauguración de un pantano. Bernat nació cansado y le costó un poco coger tono, pero estaba bien.

Tuvimos problemas de lactancia debido a la retrognatia y al frenillo corto de la lengua de Bernat. Ana Mª, de Marenostrum, nos propuso cortar el frenillo y probar otras posturas. La diferencia, al fin, fue cortar el frenillo; a partir de ahí se acabaron las grietas.

Con Anna, las cosas fueron diferentes. El embarazo fue muy movido, corriendo detrás de su hermano de dos años, pero el hecho de no estar trabajando fuera de casa lo hizo más «tranquilo» y de calidad.

Su nacimiento empezó a prepararse una mañana a las 8.30 h. Cuando Bernat y yo nos despertamos, fui a hacer un pipí y salió el tapón mucoso. Sabía que el momento estaba cerca. ¿Esa noche? ¿Al día siguiente? Yo aposté a que sería esa noche. Desayunamos, nos fuimos a hacer algunas compras, estuvimos un rato en el parque, comimos, hicimos la siesta, con algunas contracciones muy suaves y espaciadas. Cuando llegó Enric por la tarde, mi cuerpo se relajó y empezaron otra vez las contracciones cada diez minutos, pero bastante soportables; nos fuimos al parque, pero al ratito me encontré rara, y ya nos preparamos para llevar a Bernat y a Boira a casa de la yaya.

Las contracciones empezaron cada 2 - 3 minutos, fui a la cocina, donde pasaba las contracciones agarrada al fregadero, entre una y otra respiraba e intentaba concentrarme en dejar trabajar mi cuerpo, en dejar pasar el dolor. Enric se despertó al oírme y me sugirió sentarme en el váter, y allí fuimos.

Sentada, empecé a tener ganas de empujar, y sobre las 3.45 h. llamamos a María. Los pujos ya eran señal de que Anna estaba muy cerca, tan cerca que al rato noté el aro de fuego, y Enric veía la cabecita. Nos pusimos en cuclillas, Enric cogió una toalla, y al siguiente empujón nació Anna en los brazos de su papá. Yo le pasé el dedo por la boca por si tenía alguna mucosidad y nos fuimos a la cama a esperar a María y a Adela, las llamamos para saber si teníamos que hacer alguna cosa con el cordón (que a diferencia del de Bernat, éste rápidamente dejó de latir), pero nos dijeron que no, que esperáramos en la cama. Cuando llegaron, reconocieron a Anna y comprobaron que estaba perfecta. Luego tuvimos que esperar dos horas a la señora placenta, así que después pude degustar un batido de placenta para ganar energía. Aun solos, no tuvimos miedo del nacimiento de Anna, estábamos tan concentrados en ayudarla a nacer y poderla coger bien que quien trabajaba creo que eran el instinto y la oxitocina. Anna se ha cogido bien al pecho y es una niña risueña y feliz.

Mònica Milán.

Parto vaginal después de cesárea (PVDC)

Martina y nuestro viaje

Nuestro viaje, de hecho, empezó hace cuatro años, un 6 de noviembre de 2006, de madrugada. En el momento en que nació Darío, nuestro primer hijo, el que cambió nuestras vidas por completo... Sin quererlo o sin saberlo, nos abrió los ojos, nos enseñó que otro camino era posible... Aquella noche tomamos unas cuantas decisiones erróneas, así que acabamos en cesárea.

Pasó el tiempo y, una noche de mayo, miramos felices el segundo test de embarazo positivo. Nuestra hija se empezaba a hacer sitio en nuestras vidas. Nos pusimos a leer *Parto Seguro, La Revolución de Nacimiento...* ¿Quizás podríamos parir en casa?

Y así empezó el viaje. Esperábamos con ilusión cada consulta, cada sesión de preparación al parto, cada reunión de las familias. Detalles que nos hacían sentir seguros, acompañados, comprendidos... En las mejores manos.

La dulzura de nuestras comadronas María, Mireia y Alicia, la manera de estar por nosotros y nuestras dudas y nuestros miedos... La tranquilidad y la naturalidad de Àngels Massagué, la anatomía hecha juego... La expansividad de Ana Mª Morales, su humor... Todo el equipo que nos acompañó.

Martina nació el viernes 13 de febrero a las 23.47 h. Nos hacía ilusión que naciera el día 8, ya que nuestras dos hermanas nacieron ese día, con diez años de diferencia, pero nuestra pequeña tenía sus propios planes.

La fecha probable de parto era el 11 de febrero, pero ese día no pasó nada. Eché a los chicos de casa, me metí en la bañera, con mis velas y mi música y me relajé, hablé con mi nena, conecté con ella... Le dije que saliera cuando quisiera, que la estábamos esperando. El día 12 no noté nada raro tampoco. Por la noche me dieron cinco contracciones seguidas, aunque aguantables; no quise mirar el reloj. Me dormí esperando la sexta. Me desperté algo decepcionada porque aquello parecía haberse parado. Las contracciones volvieron, no muy fuertes, y luego se fueron espaciando.

Me pasé el día con Darío, como siempre, jugando en la alfombra. A mediodía, las contracciones habían desaparecido del todo. Llegó Miguel a comer, y con él, las contracciones. Mi cuerpo parecía saber que tenía quien encargarse de Darío y que yo ya podía dedicarme a lo mío. Decidí ir al centro de salud a por el parte de baja y de paso sacar un rato el perro. Iba pesada, despacio, disfrutando del solecillo de febrero. Durante el camino de vuelta llamé a María. Había tenido tres o cuatro contracciones muy seguidas, pero aguantables. Me dijo que la llamara antes de irme a dormir.

(...)

Sola en la habitación, bajé las persianas y me subí a la cama, a cuatro patas. Cuando se iba la contracción, apuntaba la hora en una libreta. Seguían cada diez minutos, dolían, eran muy largas...

Estaba a gusto, calentita, el perfume de jazmín de mi vela lo envolvía todo. Con cada contracción gritaba «aaaaaaaaa», las vocales del nombre de mi hija. Miguel apuntaba la frecuencia, me ofrecía agua fresquita.

Le pregunté a Miguel, y me dijo que eran cada siete minutos. Me parecía increíble, porque no me daba tiempo de recuperarme. Le pedí que apagara las velas y la música (había apretado el botón equivocado y había sonado la misma canción una y otra vez. La volví a escuchar hace unos días y no, no la aborrezco).

La cosa va en serio, duele mucho, me pongo a mover las caderas como una posesa, grito, me descontrolo cuando oigo a Miguel hablando de nuevo con María, que ya viene. Siento que no puedo más, no quiero que me toquen, me derrumbo por un segundo y empiezo a llorar: «No puedo. No puedo más». Miguel me anima, me intenta masajear el sacro, pero es peor. Se sienta en la cama, sé que está sufriendo porque no puede aliviarme el dolor, y yo quiero, pero no puedo decirle que esté tranquilo, que su simple presencia es muy importante para mí.

De repente veo a María sentada en un rincón en la silla de partos. Me pregunta si quiero saber cómo estoy, le digo que no. Tengo miedo de que me diga que sólo estoy de 2 - 3 cm. Se van, me dejan a lo mío. Llega Alicia. Grita conmigo en cada contracción, me ayuda a concentrarme, me acaricia la espalda... Está pariendo conmigo, pega su frente a la mía y me ayuda a no perder el control.

En otra contracción, Alicia me dice que he roto aguas, pero yo no noto nada. Están claras, me quedo tranquila. Empiezo a notar un pequeño cambio, el dolor es diferente, pero no digo nada. Me parece imposible que esté tan cerca el expulsivo.

No puede ser... De repente noto ganas de empujar. Se lo chillo a Alicia, me dice que empuje, con voz dulce y firme. Estoy asustada, no me puedo creer que haya llegado el momento. Tengo muchísimo miedo, el fantasma de la cesárea está allí. «No puedo. No quiero», grito. Salgo al pasillo, necesito un momento a solas con mi hija.

De repente, noto muchísima presión en la vagina, duele una barbaridad, el famoso aro de fuego. Entro en pánico, me quedo sin fuerzas y no puedo aprovechar la contracción. «Sácala, sácala», grito. Tengo la sensación de que se ha quedado atascada... Le toco la cabecita abultando en la vagina... En la siguiente contracción está fuera, María me pide que no empuje, que jadee, pero no da tiempo de nada más, noto cómo sale el resto del cuerpecillo de Martina. Tenía prisas por salir.

«Coge a tu hija».

Está mojadita y resbaladiza, y huele tan bien... No me lo puedo creer. La criatura que está en mi regazo es Martina, y también es Darío; tengo el sentimiento de que por fin he cerrado el círculo: una paz inmensa me invade. He parido.

El cordón deja de latir, y Miguel lo corta. Martina se engancha en la teta, es perfecta, preciosa. Sale la placenta, Alicia nos la enseña. Todo en orden. Toca coser un pequeño desgarro, hacemos bromas mientras tanto. Nos tomamos el batido de placenta, riquísimo. Las comadronas se van; Miguel, también, y allí nos quedamos las dos abrazadas. Estoy inmensamente feliz. He tomado mi revancha.

Demetra Stoica.

Carolina Blas y Julieta

Es una historia de parto y nacimiento muy especial: Carolina y Juan tenían las ideas muy claras y sólo nos planteábamos un traslado en caso de fuerza mayor o situación de vida o muerte. Creo que es uno de los partos en que más calor he pasado y más he sudado.

Fue mi primer parto compartido en casa con mi hermana Mireia, trabajando juntas en Marenostrum. Guardo un recuerdo imborrable y muy intenso de cada momento.

Inma Marcos. Comadrona.

He estado mirando el texto y ya no recordaba tanto detalle; tras tres años lo que recuerdo es el cierre de mi herida emocional, fue una experiencia tan reparadora que no recordaba el dolor y la desesperación durante el parto. Aún ahora me arranca lágrimas leerlo, no puedo añadir nada porque lo que realmente ha hecho ha sido refrescar mi memoria. Recuerdo que Consuelo Ruiz me dijo que la cicatriz de mi cesárea era la parte más fuerte que tenía, y tras ese parto salvaje creo que tenía razón, resistió como toda yo. Os llevo en mi corazón.

Me di cuenta de que se estaba acercando el parto un viernes por la mañana en la Plaza de Cataluña, una contracción más fuerte de lo que era habitual, estaba muy contenta, pues se retrasaba once días y ya estaba empezando a ponerme nerviosa.

Estuve totalmente descolocada, perdida y no sabía qué era lo que tenía que hacer. Estaba esperando instrucciones, un auténtico desastre, de hecho el parto se paró desde el domingo por la mañana temprano hasta el domingo hacia las nueve de la noche. Gracias a los masajes y ánimos que me daba Assumpta, mi amiga, comenzó de nuevo.

Después fue como un despertar y dejarme llevar por la situación sin saber hacia dónde, pero más centrada en lo que estaba sucediendo con mi cuerpo.

La segunda parte fue el verdadero parto: sabiendo más lo que pasaba, desconectada del tiempo, sin desesperarme demasiado por cada contracción que venía y no parecía ser muy efectiva. La cosa empezó a centrarme más cuando toqué la cabeza de mi pequeña Julieta, y el tiempo voló. Cada contracción creía no tener fuerzas para seguir, pero desde algún sitio recóndito de mi alma, mi cuerpo empujaba con una fuerza increíblemente poderosa. Los gritos liberaban esa energía que salía desde dentro de mi cuerpo.

Con el último empujón apareció mi pequeña sobre mi barriga y volví a la realidad. Me di cuenta de que la habitación no era tan grande como pensaba, mis queridas Inma y Mireia Marcos, saltando y llorando, Juan, con los ojos llorosos, y yo, sin saber muy bien qué estaba pasando. Había «vuelto». Era lunes a la una de la tarde.

Poco a poco volví a la realidad, había estado cuarenta horas de parto y seis de expulsivo con 39 años («añosa» para los ginecólogos) y una cesárea innecesaria previa, creo que no está nada mal.

Poco a poco voy dándome cuenta de la situación tan tremenda por la que pasamos, y que de no ser por esas dos maravillosas hermanas tenía todas las papeletas para acabar en un hospital derrotada y fracasada. Ellas confiaron en mí y en mi cuerpo para lograr que mi hija tuviera un nacimiento digno y respetado.

Había esperado cinco años para disfrutar de estos maravillosos sentimientos. Ahora me parecen un suspiro, y lo mejor de todo es que me siento muy sanada, la cicatriz emocional está cerrada, me siento absolutamente llena de alegría y ahora sé que PUEDO PARIR, soy una mamífera de verdad.

Carolina Blas.

El arco púbico bajo

Decidimos llamar a Mireia para que viniera a darnos un poco de luz. Quiero parir y no puedo. Supongo que se debe a mi cesárea anterior, después de total dilatación y muchas horas de parto en hospital.

A las 4.30 h. aparece Mireia. Ve que mi cuerpo quiere parir, pero yo estoy demasiado terrenal y preocupada. Mi marido y ella duermen, y yo sigo con mi parto.

Llamo a mi hija, a mi madre, a mi suegra y a mi cuñada. Todas me vienen a ver y me dan ánimos; lloro un rato por mi estancamiento, me siento triste. Mi madre me da más ánimos que nadie y empieza a acariciarme la barriga con energía; de golpe, las contracciones regresan con fuerza. En ese momento vuelven Mireia e Inma. Comemos algo.

Inma me lleva al váter y me sienta del revés. Me indica que cuando puje, me incline hacia atrás agarrándome del asidero del papel del váter y de la cisterna, mientras ella me hace una masaje en los riñones con los dedos pulgares. ¡Qué bien! No tengo dolor y encima me hacen una masaje.

Me paso un par de horas así; Inma me lleva al comedor y me hace cambiar de posición. Ahora sé que en ese momento decidieron hacer un cambio para ver si el parto avanzaba porque si no me hubieran llevado al hospital. Antes, Inma me hace un tacto para comprobar que estoy de diez centímetros. De vez en cuando auscultan a Martina y me dicen que mi hija es una campeona.

Sientan a mi marido en la silla, y a mí encima suyo a horcajadas, mientras la sábana atada nos envuelve a los dos por debajo de las axilas. La consigna es que cada vez que tenga una contracción, que no paran, tire mi cuerpo hacia atrás mientras mi marido me sujeta con la ayuda de la sábana.

Paso un buen rato haciendo una fuerza que yo creo que ha sido única en mi vida, y de golpe y porrazo, sin saber qué es, algo explota en mi interior y noto que me mojo las piernas.

Soy incapaz de hablar, sólo sé que no puedo más y que me tiembla todo del esfuerzo. Tengo ganas de llorar, pero no puedo. Tengo la sensación de tener una pelota en el culo. Mireia e Inma se agachan, con la linterna me miran la vulva y la vagina y confirman que gracias a la rotura de bolsa, Martina ha podido salvar mi arco púbico bajo y deslizarse hacia la vagina.

Quiero decir que quiero estar en cuclillas, pero no sale nada de mi boca. No puedo hablar, estoy en mí y en mi cuerpo. No puedo pensar, sólo puedo sentir. Continúo pujando mientras me agarro de mis rodillas: «¡Dios! ¡Qué fuerza! ¡Que salga ya!». Me traen un espejo y veo, con la ayuda de la linterna, la cabeza de mi hija que asoma y la toco.

Tengo varices; una ha explotado. Inma presiona para que no salga más sangre, y Mireia va a buscar las gasas heladas de tomillo para que pare la hemorragia. Me piden que no puje durante dos contracciones y comprueban que no haya vueltas de cordón umbilical; a la tercera empujo para que salga el resto del cuerpo. Martina acaba de nacer. Es un ser precioso y me parece muy diferente a mi hija mayor. Sonrío como una loca: «¡Lo he conseguido!».

Baja mi madre y llamamos a mi cuñada, que tiene a Júlia. Todo está bien. Júlia coge la manita de su hermana mientras se hace la pipa. Ahora ya somos cuatro y estamos encantados. Somos una familia feliz. Soy una madre feliz. He conseguido lo que quería: parir a mi hija.

Eva Pegenaute Bresme.

Parto vaginal después de dos cesáreas PVD2C

Los delfines de Marenostrum

Nunca me había planteado un parto en casa. No es que me pareciera mal. No es que me pareciera una locura. Simplemente, no me lo había planteado.

Después de dos cesáreas, además de un hijo y una hija maravillosos, me quedó la amargura y el convencimiento en mi fuero interno de que yo podía parir y que lo que había sufrido era un robo en toda regla. Pero también quedaron el miedo y la inseguridad. ¿Qué era más potente? ¿El instinto de saber que hubiera podido parir si no me hubieran sometido a inducciones totalmente innecesarias antes de tiempo o el miedo a ser incapaz de conseguirlo?

Estaba informadísima: razonaba cualquier punto.

Mi pareja —que había despertado algo tarde a toda la angustia que yo venía arrastrando por dentro— fue precisamente el que más insistió, el que me empujó en todo momento a buscar la opción que no me llevara al mismo final que las otras veces. Él fue quien tuvo la clarividencia y quien me apoyó hasta el último minuto.

Cuando miras atrás, a veces te das cuenta de que el destino nos lleva de la mano, a veces por caminos más o menos tortuosos, hasta el lugar adonde debemos llegar.

Ya está, ya lo tenía. Ya había encontrado quien me acompañara, quien me llevara de la mano: Marenostrum. Había encontrado los brazos en los que me podía dejar caer. Nadie me iba a juzgar.

Cada vez que Dave y yo íbamos a las clases de preparación al parto me sentía fuerte, viva, apreciada, apoyada, comprendida... ¡Cuántas buenas vibraciones tiene esa sala pintada de azul! En las consultas nadie me dio porcentajes de éxito, nadie me hizo promesas tampoco, sólo me decían: «Nosotras vamos a estar contigo, a esperar lo que haga falta, a respetar tus tiempos». ¿Qué más quería yo? Esto y no otra cosa era justamente lo que buscaba.

Llegó el día. Justo el día que cumplía 42 semanas empezaron las contracciones continuas.

Recuerdo de aquel parto a la gente trajinando por el apartamento haciendo sus cosas, con total tranquilidad, como si aquí no pasara nada: Dave, preparando comida china, debatiendo animadamente con Inma como si yo no existiera. Los oía como de lejos, desde mi bañera calentita, no pudiéndome decidir si prefería que estuvieran conmigo o lejos de mí.

Inma venía a menudo a echarme agua caliente en la tripa cada vez que tenía una contracción. Finalmente, como digo, Inma me «convenció» para salir. En pocos minutos, dilaté dos centímetros más. Ya estaba en transición. Eran algo más de las ocho, y estaba en el baño sola, sentada en el retrete. Empecé a empujar sin darme cuenta. Inma notó el cambio en el tono (gruñido) de voz y me dijo: «¡Estás empujando!». Llamó a María, vino enseguida, pero la cosa se paró.

Sin embargo, nuestro bebé era un campeón. En ningún momento dio signos de estar pasándolo ni medio mal. Él me animaba a seguir. Me empeciné. Me volví a meter en el baño, volvieron los pujos, y yo le gritaba entre dientes: «Ian, te voy a sacar de ahí». Finalmente, y tras hacer todo el kamasutra del expulsivo, Ian asomó la cabecita, y oí a Inma detrás de mí, que exclamaba: «¡No me puedo creer lo que estoy viendo!». Luego, gritos de alegría de todos los presentes: «¡Cógelo Anna! ¡Coge a tu bebé!».

Y lo vi. Vi a mi bebé de espaldas. La imagen más maravillosa jamás imaginada. ¡Había salido de mí! Era precioso y había hecho orgullosa a su mamá. Su papá tampoco paraba de sonreír. Aquello era increíble. Después vino la gloria: meterme en la cama con mi pareja y nuestro bebé. Los tres desnudos. Hasta la mañana siguiente. Aún flotando, casi sin creernos lo que acababa de suceder.

Tanto disfrutamos de la experiencia que repetimos veintitrés meses después.

Y también, cómo no, el parto fue muy diferente al anterior. Apenas tres horas de principio a fin. Rompí aguas y tenía contracciones muy seguidas. Dave llamó a María, que se presentó junto con Luisa en cosa de minutos. No había problema, las aguas no eran del todo transparentes, pero estaban muy diluidas. Además, el bebé estaba fenomenal, me hicieron un tacto y estaba ya de 7 - 8 cm. Me entró la risa. ¿Estaba ya en transición? ¡Si acababa de empezar! Miré a María y sólo le dije dos palabras: «La piscina».

A las seis y diez nacía Edgar. Visto y no visto. Ni piscina ni velas ni música aborigen. Nada de lo que me había imaginado. Excepto otro hermoso bebé. Nuestros hijos volvieron del colegio y conocieron a su nuevo hermano.

Otra cosa que atesoramos especialmente es la experiencia que parir con Marenostrum ha significado para nuestros otros hijos mayores. Ellos habían seguido con mucha naturalidad nuestro tercer embarazo y el parto en casa, y alguna vez les habíamos explicado el papel de las comadronas. Unas semanas después del nacimiento de Ian, nuestro primer hijo nacido en casa, estábamos viendo un documental en la televisión sobre animales marinos y se vieron unas imágenes de un delfín hembra dando a luz acompañado por otros delfines, mientras Fiona, nuestra hija de seis años, exclamó: «Mira mamá, son los delfines de Marenostrum». ¡Gracias, Marenostrum!

Ana Mosquera.

El parto como yo lo había soñado

Ésta es una historia que comienza hace cinco años, el 24 de octubre de 2003, con el nacimiento de Alba, nuestra primera hija, por cesárea tras una inducción fallida por un motivo que después descubrimos injustificado. La historia sigue con el nacimiento por cesárea programada de nuestra segunda hija, Júlia, dieciséis meses después, y por motivos aún menos justificados —supuestamente, mi útero, «cesareado» una vez, no hubiera resistido un parto vaginal—.

Los sentimientos negativos que me produjeron esas dos cesáreas comenzaron a aparecer más de dos años después. Me sentía triste, me sentía engañada, robada. Había perdido algo muy importante para mí: el nacimiento de mis hijas. El dolor que sentía se hacía insoportable. Deseaba tener otro hijo, pero debía liberarme antes de todo ese dolor, de todo ese resentimiento. Y, así, llegué a la lista de Apoyocesáreas, donde encontré respuestas y donde me hice más preguntas. Conseguí liberarme de la rabia y del dolor. Y comencé el viaje más maravilloso, sorprendente y transformador de toda mi vida. El 20 de febrero de 2007 murió mi abuela; ese día supe que estaba embarazada.

El camino de nuestro embarazo comenzó en la misma clínica en la que nacieron Alba y Júlia. Allí me sentenciaron de nuevo: será otra cesárea. Pero salí de aquella visita con una sonrisa en los labios. A mí nadie me volvería a engañar. Yo ya sabía demasiado. La idea de parir en casa comenzó a ganar espacio en mi mente. Creí que convencer a Xavi sería una difícil tarea, pero decidí hablar con él cuando yo ya lo tenía claro, y creo que mi seguridad lo dejó sin argumentos en contra...

Sólo dos ecografías, dos analíticas completas, escuchar el corazón de Cristina y comprobar con las manos expertas de mis comadronas que nuestra bebé crecía en mi interior de forma normal.

El martes 28 de octubre me levanté triste, muy triste y desanimada. Empezaba a pensar que mi cuerpo no iba a funcionar... Necesitaba que alguien me diera ánimos y mimos. Xavi lo hizo.

A las dos de la mañana me despertó la primera contracción, luego vino otra y otra... Parecía que algo se ponía en marcha. Eran contracciones perfectamente soportables, así que pensé: «Helena, esto va para largo... Aún no estás de parto, así que será mejor que vuelvas a la cama e intentes dormir. Guarda fuerzas para cuando llegue el momento». Volví a la cama y conseguí dormir.

Llamé de nuevo a las comadronas, todo seguía igual. También llamé a Gloria. Ella tuvo a su hija en casa hace casi tres años. Cuando empezamos nuestro viaje para conseguir que Cristina naciera en casa, ella era una de las pocas personas que me entendía, con quien podía hablar de ello y sentirme a gusto. Le pedí si querría estar en nuestro parto. Ella aceptó.

Llegó Llàtzer. Yo seguía en el sofá, dejando pasar las contracciones. Había poca luz y silencio. Puso las agujas, yo seguía en la misma posición, dejando pasar las olas. Seguían cada tres minutos, como un reloj. La acupuntura hacía que las contracciones dolieran menos.

—¿Has llamado a María y a Gloria?

—Todavía no.

—Pues llámalas.

A las 11.30 h. llegó Gloria. Las contracciones seguían cada tres minutos. Para Gloria era evidente que el parto era inminente, y se lo dijo a Xavi. Todo seguía igual. Al verla entrar me alegré... Sentí otra vez esa sensación de tranquilidad y seguridad que ella me da.

En ese momento, Gloria recibió un mensaje de María: «Estoy en otro parto, no puedo ir. Irá Ortrud». Ortrud vive en un pueblo cerca del mío, así que de todas formas era la que podía llegar antes, pero llegó ocho minutos después de que naciera Cristina.

Al cabo de unos minutos empecé a tener mucho calor y le pedí a Xavi que me trajera una camiseta de manga corta. ¡Empecé a sudar como si estuviera corriendo una maratón! Luego tuve ganas de orinar, y le pedí a Xavi que me acompañara al baño. Al sentarme, sentí una contracción más fuerte y, luego, «plof»: se rompió la bolsa.

Sentía ganas de cagar un melón... ¡Eso quería decir que Cristina estaba saliendo! Me transformé... Era una mamífera pariendo a su cría y nada más. Entonces les dije: «¡Ya sale!».

Colocaron un colchón a mi lado y me tumbé. Gloria me pedía que no empujara, que soplara rápido... Pero es que no era yo la que empujaba... Yo no podía pararlo. En una contracción salió media cabeza... La sentía allí. En la siguiente contracción salió todo su cuerpo... Gloria la cogió y le quitó la vuelta de cordón que llevaba en el cuello. Luego la puso encima de mí y nos tapó con la manta. Pregunté si estaba bien, porque no lloraba. Pero enseguida escuchamos su vocecita... «Sí, está bien». La miré con orgullo por lo que acabábamos de hacer. Busqué a su padre con la mirada... «¡Ya la tenemos aquí!». Pero sus ojos no brillaban de felicidad... y es que no todo fue perfecto.

Mientras Cristina nacía, su padre estaba al teléfono, indicando a Ortrud cómo llegar a casa, y ella dándole instrucciones de cómo intentar frenar un poco el parto («túmbala, que respire rápido...»). Para Xavi no fue un momento feliz. Fue un momento de nervios, estaba enfadado. Todo había salido bien, pero él no lo había podido disfrutar.

Así fue el nacimiento de Cristina. No fue perfecto. Nada lo es. Pero fue como yo lo había soñado. En ningún momento tuve miedo ni me importó que no estuvieran las comadronas. Confiaba en mí, en mi cuerpo y en Cristina, y sabía que nada iba a salir mal. Gloria se ha convertido en la madrina espiritual de mi hija... Su nacimiento las ha unido para siempre. Para Xavi, Gloria es un ángel que estaba allí porque tenía que estar. También algo les unirá para siempre.

El nacimiento de Cristina fue un camino de aprendizaje que me ayudó a poner las cosas en su sitio, que me permitió cerrar heridas y entender que todo tiene un porqué, algo positivo de lo que podemos aprender y, así, avanzar más fuertes y más sabios.

Me ayudó a conocerme mejor, a saber que soy muy fuerte y que, a pesar de tener al mundo en contra, puedo conseguir lo que me proponga. Me demostró que el parto sólo necesita confianza en tu cuerpo, en la naturaleza y en la gente que te acompaña.

Helena Ferreira.

Presentación sacro: los bebés románticos

La posición más común para un bebé durante el parto es con la cabeza hacia abajo, con la parte posterior de la cabeza (occipital) hacia la parte frontal de la madre (anterior).Cuando la parte posterior de la cabeza está hacia la parte posterior de la madre, la posición del bebé se llama occípito - posterior o «de sacro». Ocurre en un 15 - 30% de los partos. Un bebé que no gira en una posición anterior durante el parto se considera una «posterior persistente».

Cuando el bebé está en posterior, la parte ósea de la cabeza presiona contra la parte ósea de la pelvis. La presión de las contracciones empuja la cabeza hacia la pelvis y puede causar un dolor de espalda tremendo. Algunas mujeres sienten la presión incluso entre las contracciones. Es lo que algunos denominan «parto de riñones».

Cuando el bebé permanece en una posición posterior (5'5% de los partos), tanto la fase de dilatación como el expulsivo suelen ser más largos.

A mí me gusta llamar a estos bebés «los más románticos», ya que en vez de estar en anterior, mirando el culo de sus madres, están en posterior, mirando las estrellas.

Maria Calvo. Comadrona.

Pau, mirando las estrellas

Todo hacía creer que sería un parto rápido, todo el mundo dice que en el segundo parto casi no se tiene tiempo, que el bebé ya está fuera. Pues no fue así en nuestro caso. Aún así, estoy muy feliz, feliz de haber tenido un parto respetuoso conmigo, con el niño y, sobre todo, con la naturaleza del evento.

Estoy con el TENS puesto, y esto me hace más soportables las contracciones. María hace broma porque tengo un concierto de los Simply en la tele. Apagamos todas las luces artificiales y ponemos velas por el comedor, se hace un ambiente muy tranquilizador.

Me da la sensación de que llevo mucho tiempo de parto. Me animo cuando María me hace un tacto y me dice que ya estoy dilatada del todo y que ya se palpa la cabeza de Pau. Me dice que le abra camino, que lo deje salir.

María, al ver que no pujo con las contracciones, me hace salir del agua. Dice que quizás Pau quiere tener contacto con la tierra. Me tranquiliza cada vez que auscultan el corazón de Pau y le siento el latido fuerte y claro, él está feliz y no sufre.

Me proponen probar la «posición del cabaret». No me gustaba nada, no podía controlar la situación y ni tan siquiera quise probar. Me siento en la silla de partos, María me hace reflexoterapia en el dedo gordo del pie, Laura me masajea la espalda y Lemi se sienta delante de mí y me coge las manos con cada contracción.

Comienzo a tener ganas de empujar. Me cago y pienso que así Pau tendrá más sitio para salir. A las 02.15 h. le toco la cabeza a Pau por primera vez y comento que es «calvito». Esto me anima aún más, ya lo veo cerca. De tanto en tanto, miro de reojo al espejo que tengo debajo, entre las piernas.

Y por fin nace Pau. Aún se me caen las lágrimas cuando pienso en las sensaciones que tuve en aquel momento. Lo cojo por primera vez en brazos y me lo pongo piel con piel. María comenta que ha nacido «mirando las estrellas», es decir, con la cara hacia el pubis en vez de al cóccix, y que por eso el expulsivo ha sido tan largo.

Cristina González.

La cuarta sinfonía de Beethoven

Dicen que las sinfonías pares de Beethoven son tranquilas y pausadas, a diferencia de las impares, que son majestuosas y tremendas. Ortrud, que vivió intensamente el parto de Ferrán, me dijo, horas más tarde, que aquel nacimiento había sido como la cuarta sinfonía de Beethoven, «una esbelta doncella griega entre dos gigantes nórdicos» (en palabras de Schumann). Escuchándola una y otra vez, recordando aquella mañana de septiembre una y otra vez, no puedo evitar poner en duda el juicio de algunos expertos que la tildan de sosegada y serena. El nacimiento de Ferrán fue lento, muy lento. Después de una noche de espera, una mañana incierta, aparentemente tranquila, fue el punto de partida de una sinfonía en cuatro movimientos, exquisita, en algún momento amenazante, con un final optimista y lleno de vitalidad.

Era un 11 de septiembre en Barcelona, caluroso, con las calles repletas, con los balcones adornados con banderas catalanas, con el paseo del Born embriagado de humo de butifarras braseadas.

Estaba todo preparado: toallas y sábanas limpias.

Siempre había pensado que no había mejor forma de venir a este mundo que en el agua. Soy mujer de mar, de azul, de sol. Tomo baños todo el año, y si no lo hago añoro las olas y la sal. Ferrán, quizás porque intuía que aquélla no era ni fresquita ni salada, no nació en el agua.

La casa, muy luminosa, se iba quedando a oscuras, y empezamos a encender velitas, a circular silenciosamente. Hablábamos en voz baja. Aún oigo el Stabat Mater de Vivaldi en remojo. El agua de la piscina, un poco demasiado caliente. *Carcinosinum* disuelto en agua a cucharaditas. Toallas húmedas en la frente. Las manos seguras de Ramón y de mi madre, de mi madre y de Ramón. Oscurece. Una lenta espera. Camas para todas y para Ramón. Descanso.

Ya era de día, las contracciones persistían, y el agua de la piscina continuaba siendo demasiado caliente.

María tenía que irse porque debía asistir otro parto. Llega Ortrud: la fuerza de la naturaleza con una sonrisa en los labios.

Me temo que empiezo a estar un poco fatigada. Hace horas que no dejo de tener contracciones que me permiten respirar, que me permiten ir haciendo, pero que me empiezan a desgastar. Ortrud me dice que Ferrán está tan fresco —nunca rompí aguas—, que no me preocupe. Lo que pasa es que se ha girado hacia la derecha y el expulsivo será complicado. Las contracciones son tremendas, empiezo a quedarme sin energía, pero él no quiere salir. Ortrud escucha a Ferrán una y otra vez y me dice que todo va bien, pero yo siento que no le ayudo a salir, que no le muestro el camino con claridad. Empiezo a sentir que quizás no podré. Ando por la terraza.

En posición de silla de la reina, enlazo el brazo izquierdo al cuello de Ramón, y el derecho, al de mi madre; tengo a Ortrud enfrente. Un par de contracciones imposibles y, a la tercera, ni la razón ni el cuerpo sino todo al mismo tiempo, energía infinita y expulsión. Luz cegadora, lágrimas, y Ortrud que me da a un pequeño pelirrojo y yo que casi no puedo ni sonreír (soy morena y tostada de piel, el pelo de Ramón es casi carbón). Un parto velado. Una criatura nacida en una nube de bienestar y una madre desgarrada en diversos puntos, zurcida (fue inevitable) por algunos y con la herida llorando por otros.

Mi madre sostiene que le es casi imposible explicar la emoción que sintió al vivir el parto de una hija: «Poder presenciar el nacimiento de una criatura es una experiencia extraordinaria, y aún más si esta criatura es tu nieto».

Hoy, dos años después, recuerdo aquel día con emoción y agradecimiento. Agradecimiento a quien estuvo conmigo en la Ribera, agradecimiento a quien también estuvo, agradecimiento a mi cuerpo y a mi mente, agradecimiento al regalo que es la vida.

Teresa Sancho.

Parto de nalgas. El bebé se ha sentado

La mayoría de los bebés se colocan de manera longitudinal en la matriz con la cabeza hacia abajo antes de la semana 34 de gestación. Sin embargo, en un pequeño porcentaje, los bebés se posicionan al revés, sentados con las nalgas en la parte inferior del vientre materno. En la mayoría de los casos en España, estas embarazadas son referidas al obstetra, pues no forman parte de las competencias de las comadronas por tratarse de una «anormalidad». De antemano, se ofrecen unos procedimientos para intentar revertir la postura y conseguir que el bebé se coloque de forma cefálica: postura de mahoma, moxibustión, acupuntura o, en último caso, la versión externa. A continuación presentamos testimonios del éxito de partos en los que el bebé ha querido tener otra visión del mundo y ¡nacer al revés!

Sonia E. Waters. Comadrona.

Una oportunidad

Estaba convencida de que este segundo parto sería mejor y que por fin podría parir tal como me lo había imaginado. No obstante, mi bebé tenía otros planes para mí.

Mi embarazo se caracterizó por la ansiedad y el miedo. No tenía miedo a parir; ya sabía y tenía la total confianza en que mi cuerpo estaba diseñado para hacerlo y confiaba plenamente en él. En otros aspectos, no confiaba tanto en mi cuerpo.

Ya al final de mi embarazo, mis preocupaciones cambiaron: el ginecólogo de rutina me dijo que era raro que el bebé no se hubiera girado, que aún quedaba tiempo, pero que muchos ya en esas fechas estaban colocados de cabeza. Volví con mi lucha interior: una parte de mí decía que aún quedaba tiempo, pero otra me decía que existía la posibilidad de que el bebé se quedara así, que me tocara otra cesárea, otro dolor en el alma.

Lloré por mí, por otra oportunidad perdida, por no poderme sentir femenina, por no poder demostrar que era mujer y que todas las mujeres podemos parir vaginalmente si nos dejan. Lloré y lloré, por mí y por mi bebé, no nos merecíamos esto.

Me detesté por haber transmitido mis miedos al bebé durante el embarazo.

Por suerte, mis comadronas pusieron luz en la oscuridad; me dijeron que las mujeres también podemos parir de nalgas, que antes, cuando la cesárea no era tan común, las mujeres parían así. Me dijeron que hasta la semana 42 había tiempo; todos los días hacía la postura de mahoma, gateaba por toda la casa, hacía moxibustión y, sobre todo, me daba masajes en la barriga y susurraba a mi bebé que todo iba bien, que nosotros lo cuidaríamos y que no tenía que preocuparse por nada. El bebé no se giró. Él había elegido venir al mundo de nalgas, y yo se lo respeté porque mi intuición me dice que él sabe lo que es mejor para él.

También contacté con una maravillosa doula; en cada visita suya mi corazón crecía, me llenaba de confianza y, sobre todo, me hizo creer en mí.

La danza alegre de mis contracciones cambió por otra, las contracciones ya no eran tan suaves; ahora me exigían que me concentrara. Era como una llamada de mi cuerpo; ahora que todo está tranquilo es hora de ponerse en marcha, escúchame, concentra todo tu poder femenino.

El trayecto de mi casa al hospital era de una hora, todos estábamos en silencio, un silencio especial, una oscuridad especial. Cuando puse los pies en el hospital me abracé a mi doula, un abrazo intenso donde no faltaba decir nada, y a la vez que todo estaba dicho.

Yo lloré, porqué sabía que si me dejaban podía parir, necesitaba una oportunidad.

Al fin llegó mi ginecóloga y todo cambió; me dejó una habitación con luz tenue para mí y para mis tres campeones, tenía total libertad de movimiento. Al principio me puse sentada, pero luego pasé el rato de cuatro patas, balanceándome al son de mi dolor de riñones, notando el tacto suave de los masajes de mi doula, que me acompañaba entre susurros hacia una respiración calmada. El aura de magia nos volvió a envolver; sólo se respiraba energía femenina.

Me fui caminando hacia la sala de expulsivo, me tumbé y, para sorpresa de todos, ¡había salido un pie! ¡Ya tenía el pie de mi bebé fuera! Recuerdo que di dos empujones, mi doula me sujetaba la mano y me susurraba ánimos al oído. Mi marido, con mi hijo en brazos, estaban en primera fila.

En el tercer empujón hubo problemas, me dijeron que éste tenía que ser el último empujón y que me tenían que hacer una episiotomía, que el bebé necesitaba salir y no podía esperar más. No sé de dónde saqué tanta fuerza, pero por dentro pensé que lo tenía que conseguir, ¡mi bebé se merecía salir así! ¡Y lo conseguí! Vi a mi bebecito salir de mi cuerpo, todo morado, estaba sano, me lo pusieron encima enseguida, él dejó de llorar al notar mi cuerpo, no paraba de mirarme y yo de mirarlo a él, descubrí que era una niña, mi niñita, sus ojitos, su piel suave, la cosita más bonita del mundo.

Me sentí femenina, me sentí mujer, me sentí en el mayor estado de plenitud en que me haya podido encontrar.

Clara Madrid.

Primeriza y de culo, cesárea seguro. Nuestro parto vaginal de nalgas.

Nunca antes había sentido un amor tan intenso, tan sobrecogedor. Aquellos ojos, aquel cuerpo menudo sobre mi pecho... Una realidad entonces confusa debía cambiar nuestra vida, había de alterar nuestro ritmo y derribar todo aquello en que me apuntalaba. Todo se tenía que volver tan salvaje...

Teníamos previsto un parto en casa con una comadrona independiente, pero Isaac, por alguna razón que desconocemos, decidió tirar por el derecho, ser diferente y se sentó en mí para nacer con los pies por delante.

Probamos todo para que se girara, siempre guiados por los consejos de los profesionales de Marenostrum, con los que estábamos haciendo el curso de preparación al parto: posturas tan inimaginables como incómodas, volteretas en la piscina, homeopatía, acupuntura, moxibustión, incluso nos atrevimos, no sin miedo, a hacer una versión externa.

Isaac lo tenía claro, estaba convencido de lo que hacía, seguro de sí mismo y, por más que le mostrásemos el camino que debía recorrer para poder darnos a conocer, él no cambiaba de parecer.

«Primeriza y de culo, cesárea seguro», reía un médico de atención primaria. «Venga, mujer, que hoy en día las cesáreas no son como antes, la cicatriz ni se ve, te podrás poner el bikini, no tendrás dolor».

Pero yo quería parir a mi hijo. Sabía que era capaz. Soy una mujer, una mamífera y, como tal, puedo hacer lo que la naturaleza dicta, y no lo que la incompetencia y la desinformación tienen preparado para los bebés del siglo XXI.

Deseaba vivir con intensidad el dolor que me tenía que guiar hasta el clímax, que debía acompañar a Isaac en el camino hacia una nueva vida. Anhelaba el olor de la vida, la penumbra de mi territorio, la ayuda constante y silenciosa de Txema a mi lado siempre, los gemidos que saldrían de mi yo más escondido... No podía ni imaginarme cómo me sentiría si finalmente mi niño pequeño me era arrebatado por unas manos frías e instrumentalizadas. Sólo sabía que, por mucho que la cicatriz no se viera, nunca se borraría.

(...)

Hacia la una de la madrugada, el dolor ya era mucho más fuerte. No podía pensar en nada más, y para soportar las embestidas debía arrodillarme en el suelo apoyada en la cama, respirando pausadamente y hondo. Yo me preguntaba: «¿Por qué? ¿Por qué? ¿Por qué este dolor si de todos modos dentro de unas horas me anestesiarán?». Había perdido la fe en mí misma, había olvidado el sentido de todo aquello, me sentía frágil, pequeña y tan incapaz... «No puedo más».

Txema iba anotando, diligente, los minutos que pasaban entre contracción y contracción y lo que duraba cada una. Asimismo, estaba para mí. Le necesitaba tanto... Sobre todo cuando el dolor era más fuerte me dejaba ir sobre él, todo mi peso sobre su cuerpo, era el puntal que me sostenía. Y es que el sufrimiento no se acababa nunca. Se me estaba haciendo eterno, y con cada sacudida yo menguaba, me empequeñecía, me descomponía.

Ahora pienso y me enrabio por haber flaqueado de aquella manera, de haber vivido parte del proceso como una lucha de la que el dolor había salido vencedor. Quizá fue la idea del hospital. La maldita epidural rondando por la cabeza y apoderándose de mí.

Al día siguiente, tras 28 horas de dilatación en casa, me vinieron unas ganas irreprimibles de empujar.

Txema enseguida llamó a María, que preguntó si quería que subiera a casa. Pero yo ya me estaba vistiendo, sabía que no había tiempo para nada más. Salimos a la calle. Me agachaba a menudo para empujar, fuera de mí, no veía nada ni a nadie, todo era oscuro, todo se desvanecía, irreal. Empujaba fuerte, fuerte y todo se fundía, desaparecía, sólo yo y esa fuerza brutal que me hacía gritar como nunca lo había hecho. En el coche, en un viaje hacia el más allá de cuatro patas en los asientos traseros, sentía que me moría. Pensaba que me moriría allí mismo. Ya nada me importaba, todo me daba igual.

Gritaba y empujaba, aullaba y empujaba... Sólo sentía presión, dolor, la mente en blanco, entonces sí, y mi sexo latiendo, aquel ano a punto de resquebrajarse... «¿Y la epidural? ¿Cuándo me pondrán la puta epidural? ¡No quiero! ¡La puta epidural!». Cómo me arrepentiría más tarde de haber pedido la peridural...

¡Isaac sacó un pie! Lo toqué... Qué alegría, qué emoción, qué felicidad...

Llegó el anestesista. «¡No te muevas! ¡Manténte quieta! Es lo más difícil que he hecho nunca». Pinchazo, camilla, deprisa, deprisa hacia la sala de partos, correas, tumbada en litotomía, gente, rostros y más rostros, oxitocina en vena en el brazo, pantallas, frío, frío, frío...

No había dolor, y me pedían que empujara. De repente, una bofetada de cruda realidad me transportó al mundo racional, me obligó a abandonar mi mundo interior y me dejó un vacío que tampoco soy capaz de describir con palabras. Fue como si el parto se acabara con esa punción en la espalda.

Ahora un pie, ahora el otro, ahora el culo, ahora ¡la cabeza! Todo fue tan rápido... Lo miré, contemplar, casi adorar... Mi criaturita preciosa, pequeña, indefensa... me hizo redescubrir el AMOR.

Lo cojo en brazos, me abraza y bailamos, bailamos, bailamos juntos hasta el infinito. Bailamos juntos, amor mío...

Gracias, Isaac, por enseñarme cada día a ser madre y mejor persona. Gracias, Txema, por ser tú y estar conmigo. Os quiero.

Marina Álamo Sala.

Parto vaginal de nalgas

Soy cabezota, de ideas claras, y no me doy nunca por vencida, y menos, si creo que tengo razón. Y tenía claro que un parto es un acontecimiento único. Es el más primario de los instintos: nacer y, por tanto, dar a luz.

El embarazo de Cloe fue una lucha constante. Quería un parto natural, respetado, poco medicalizado. Cada visita, cada negativa, cada puerta cerrada me dolía, me irritaba, me asustaba. Mi embarazo comenzó a ser problemático. Tenía contracciones muy a menudo. En una clase de preparación visualizamos el parto. Cloe estaba de nalgas, y lo comentamos con la comadrona. Enviaba la energía hacia donde debía ir la cabeza. Ella se movía mucho, pero no giraba.

(...)

El camino de vuelta lo hice mirando el reloj. Tenía contracciones cada cinco minutos. Al día siguiente... Chof. Había roto aguas. Cuando se lo dije a Néstor, me respondió que no podía ser. «No tengo ninguna duda», dije yo. Una visita rápida al baño para asegurarme de que no era sangre o aguas oscuras y fuimos a urgencias.

Cloe no se movía. Yo iba perdiendo líquido constantemente. Muy desagradable. Confieso que lloré. En la calle. «Qué le pasa a mi niña...», repetía llorando.

Cloe empieza a hacer arritmias, bradicardias. Un comadrón me pide que cambie de posición. No mejora. Nos quedamos solos. Una enfermera pasa y se lleva mi botella de agua. La ginecóloga está haciendo una cesárea y sé que yo soy la próxima. Pido que entre mi madre, y le digo que Cloe está apunto de nacer. Vuelve Néstor.

Me llevan a la sala de operaciones. Las lágrimas me caen dentro de las orejas. Sólo las puedo secar con la mano derecha.

La doctora tiene muy buen humor. Me siento como en una peli de ciencia ficción. Sobre la mesa de operaciones, con una luz inmensa deslumbrando. Olor a quemado. La doctora explica a otra cómo tiene que coger a la niña. Le pide que la coja de las caderas y le dé la vuelta, que tire... y la coja. «¡Hola Cloe!», dice la doctora. La veo pasar sobre mí, es muy pequeña. Parece un gatito. Pero creo que es idéntica a su padre. No la oigo llorar. El anestesista vuelve. Se sienta a mi lado. «Ha llorado, no necesita respiración y está en brazos de su padre».

Ya está, ya ha pasado. No importa que no haya podido parirla. Cloe también es de ideas muy claras. Dicen que los niños que vienen de culo son así: tienen otra visión.

El embarazo de Greta fue bastante diferente. Pero entonces, un nuevo fantasma empezó a molestarnos. Greta también estaba de culo. A media noche me despertaba y me ponía en posición de rezar a la Meca. Aprendí a palparme. Sabía qué era cabeza y qué era culo. Nadie sabe por qué Greta no se giraba. Hablo con Greta y le digo que si quiere salir de culo que salga, que para mí ya lo puede hacer. Cuanto más grande sea, más complicado será parir.

Sólo estoy de 36 semanas; una noche mancho marrón. Llamo a María. Me dice que haga la bolsa inmediatamente y marche hacia Caldes, donde tenemos casa. Al día siguiente, sábado, estoy de 36'3 semanas. Caminamos mucho, me sobra energía, y por la tarde nos vamos a hacer una caminata por los bosques de la zona. Piso piedras y surcos de tierra. Siento que el parto se acerca. Por la noche, cuento contracciones. No son muy dolorosas, pero son diferentes a las indoloras que tuve durante los dos embarazos anteriores. Son cada siete minutos. Esto se anima. Nos vamos a dormir. Rompo aguas. ¡Yupi! Qué ilusión. Greta está a punto de nacer. Me levanto y voy hacia la ducha. Todas lo hacen, ¿no? ¡Pues yo también! ¡Contracciones cada dos minutos! Le digo adiós a Cloe, que duerme, y no me hace ni caso. Le explico que su hermanita está a punto de nacer. Nos vemos mañana. Contracciones muy fuertes cada dos minutos. No tengo tiempo de recuperación entre una y otra. Nos vamos. Ningún coche en la carretera. Ninguna mujer de parto en el hospital.

Un primer vistazo. Dilatada de dos centímetros. La ginecóloga dice que sí, que lo intentaremos. Pero que no me puede poner epidural. Fantástico, ¡yo no la quiero!

La sala de parto natural es muy acogedora, de madera y en colores naranjas. Hay cosas... Lo pruebo todo, nada me va bien. Todo acentúa el dolor. Sólo me queda por probar un balancín que no me llama nada la atención. Sin embargo, me siento. Me balancea. Cuento. Sube. Baja. Me detengo. Mi compañero sabe cuándo taparme y destaparme sin que yo le diga nada. ¡Cómo ha aprendido en las clases preparto! Veo que entendió aquello de: «el hombre, mejor calladito».

Me llevan a la sala de operaciones. La luz, el ambiente metálico y frío me cortan el rollo totalmente. No soy capaz de reír. Me dicen que me pondrán epidural por si tienen que hacer una cesárea urgente. Otra vez el fantasma.

Pujo con todas mis fuerzas sin saber cómo lo hago porque tengo medio cuerpo dormido. Le dicen a Néstor que se acerque. Ya se le ve. Noto el calor, siento cómo se desliza. Yo también la quiero ver. La comadrona corre y trae un espejo enorme. Veo el culo de Greta. Y la vulva. Greta cuelga de mí, ya tiene las piernas fuera. Es impresionante.

Greta se queda sobre mí quieta y muy tranquila, no llora. La han tapado con toallas. Ella me mira. Se me hace extraño. Es una cara desconocida. Néstor hace una foto. Pasamos la mañana solos, los tres. Veo correr a Cloe por el pasillo a través del ventanal de la habitación, de golpe ¡se ha hecho tan grande! Nunca olvidaré la cara de iluminación e ilusión de Cloe. Ella mira mi barriga y me pregunta si aún hay otra Greta dentro. La quiere coger. Greta la tiene entre los brazos. Su cara es impagable. ¡Somos tan felices!

Clara Tiscar.

Pasados de fecha: embarazos de más de cuarenta semanas de gestación

No todos los bebés comienzan a andar a los doce meses. Algunos andan a los diez, otros a los quince... y no tiene mayor importancia ni significado el hecho de que cada uno de nosotros tenga un ritmo de desarrollo diferente, tanto a nivel cognitivo, intelectual, físico, de habilidades...

De la misma manera, creo que no podemos esperar que todos los bebés nazcan en una fecha concreta, si bien es cierto que la mayoría lo hará, aunque no puede decirse que hay un problema si otros no lo hacen. No creo que se pueda generalizar de manera acertada en esta cuestión ni en muchas otras.

La gestación, en principio, dura aproximadamente 40 semanas a partir de la fecha de la última regla, pero no todas las mujeres tienen ciclos regulares ni los ciclos de una mujer son siempre iguales, por lo que puede haber una variación de la gestación real en función de la fecha de concepción, que es la que hay que tener en cuenta.

Ciertamente, se ha observado que a partir de las 42 semanas, la placenta tiende a envejecer, y eso puede ser un problema si afecta al flujo de sangre —y, por lo tanto, de oxígeno y alimento— que recibe el bebé. Por este motivo, en los protocolos de muchos países se induce el parto en torno a esta edad gestacional.

Es algo a tener muy en cuenta, pero también es importante valorar siempre cada caso en particular. Si un bebé no ha nacido a las 42 semanas gestacionales, debemos plantearnos por qué, ayudar a desbloquear conflictos, invitar al bebé a nacer de manera natural... y, siempre que el bebé y la mamá estén bien, el flujo de la placenta sea correcto y no haya signos de alarma, también ofrecer la posibilidad a la pareja de esperar, valorando de manera continua la situación.

Alicia Martínez. Comadrona.

Nora, te veía la cabecita: el mejor recuerdo

Querida Nora:

Llegaste a nosotros de una manera decidida. Jordi y yo teníamos tantas ganas como miedo a un nuevo embarazo. El embarazo de tu hermana mayor, Júlia, me llevó mucho reposo y una cesárea. No sabíamos si la historia se volvería a repetir. Y nos parecía difícil vivir la misma situación teniendo ya una hija que aún me necesitaba mucho. Pero las ganas no se apagaron nunca, y finalmente llegaron la inspiración y la fuerza. Fue después del verano, cuando la energía del sol y la paz de las vacaciones todavía están bien adentro. Y tú, que estabas preparada, llegaste a nosotros inmediatamente.

No ha sido fácil: Júlia y yo siempre habíamos estado muy unidas, y me tocó delegar su acompañamiento fuera de casa a Jordi y los abuelos. Más tarde llegó la enfermedad de Júlia, que le permitió lo que supongo que más deseaba: estar con nosotros los últimos meses del embarazo.

Como Júlia aún tomaba pecho, estaba ratos bien apretada a la barriga y, desde dentro, tú le dabas golpecitos y caricias. Vuestra relación ya era intensa antes de tu nacimiento.

El buen tiempo nos acompañaba y nos instalamos en casa de los abuelos, en Argentona. Yo gozaba de la libertad recuperada y me sentía cogiendo fuerza para el parto. También ganaba confianza con las clases de preparación en Marenostrum. ¡Jordi incluso deseaba que pudiéramos parir en casa! Pero mi historial no lo aconsejaba. Así que pactamos que Sonia nos acompañara en el parto como comadrona, primero en casa y luego en el hospital. Carmen Guasch nos recibiría en el hospital y haríamos con ella la última fase del parto. Todos estábamos preparados, pero el momento no llegaba y nos íbamos poniendo nerviosos. Hice trabajar al equipo completo de Marenostrum, pues estábamos en la semana 42. Para acabar de arrancar, utilizamos una cura sorprendente: el aceite de ricino.

Así que aquella noche, una vez más, salimos a pasear con mis pies hinchados y los zapatos de tres tallas más de lo habitual. Después me di una duchita y comí la cena que Jordi me preparó. Todo estaba tranquilo. Finalmente, aunque nos habíamos cogido una película de risa, que dicen que también va bien para fomentar las contracciones, me sentía agotada y con ganas de oscuridad, así que me acosté, medio emocionada, medio preocupada. ¿Haría efecto esto? A las tres, cuando pensaba que el aceite de ricino no era para tanto, comenzó el gran viaje...

Qué horas más intensas... Recuerdo pensar a ratos: «No pasa nada, esto lo puedo vivir bien, es doloroso pero soportable». En otros momentos pensaba: «¿Y si empeora? ¿Y si después hace más daño? ¿Cómo lo llevaré? ¿Y si me canso?». Estos pensamientos cruzaban la mente de una forma rápida; la mayor parte del tiempo no podía ni quería hacer otra cosa que dejarme fluir, sobre todo desde que llegó Sonia a casa. Con ella y Jordi, que estaba en un estado de serenidad y atención impresionantes, no me era necesario controlar nada, sólo dejarme llevar. Ni me daba vergüenza gritar ni cantar (¡yo no canto nunca!) ni expresar los miedos cuando alguna vez aparecían. La mayor parte del tiempo lo pasé haciendo carreras al lavabo o tumbada de lado en la cama.

Finalmente, llegaron las ganas de empujar. Ahora sí que la fuerza era muy intensa. En medio de la contracción, mi cuerpo trabajaba solo. Yo sólo podía intentar no perder la respiración, animada por Jordi y Sonia. Recuerdo sus palabras al oído: «Respira, Mireia, que este aire es para tu hija... Ánimo, que se acerca, que cada vez está más cerca». Ya sabía que oiría estas palabras, pero oírlas en ese momento me daba ánimo para no perderme y seguir en mi piel sin querer escapar. Llegado a este punto, yo ya tenía claro que no me quería mover de casa. Quería recibirte aquí, en nuestro rincón del mundo, en la intimidad, sin interferencias y, sobre todo, sin tener que coger el coche. Así que Sonia avisó a María, que enseguida estuvo en casa. Debo decir que este equipo de matronas se multiplica cuando trabajan juntas. Son jóvenes, pero están bien conectadas con esta fuerza vital del nacimiento. Con su firmeza y capacidad de reacción, decidieron que era mejor ir al hospital, pues parecía que tu corazón sufría con las contracciones. Así que, de repente, yo estaba vestida y me dejé llevar hasta el coche. El camino se les hizo más largo a ellos que a mí, porque yo estaba en lo más profundo de mí, viajando de contracción en contracción. Finalmente, todos juntos de nuevo, y ahora ya con Carmen Guasch, entrábamos en la sala de partos. ¡Estaba dilatada del todo! Ahora sí que tocaba empujar. Carmen pidió un espejo, y de esta manera pude ver cómo la cabeza aparecía y desaparecía con cada contracción. A mí me parecía que no avanzábamos, hasta que Jordi pidió ponerme un poco más vertical para tener la gravedad a favor. Qué cambio. Ahora sí que te sentía salir... Ya veía la cabeza... Éste es el mejor recuerdo que tengo. Llegado este punto, podía controlar la fuerza para acompañarte tranquilamente hacia fuera. Recuerdo un punto que había algo más de resistencia, pero no un dolor ni un ardor... y sí un gran placer de ver cómo tu cabeza ya estaba fuera. Entonces, Sonia hizo un par de maniobras y ya estabas fuera, sobre mi vientre. Cálida, húmeda y mirándolo todo. Pura vida... Qué magia... Qué felicidad... Te pude abrazar, y dimos tiempo al cordón para dejar de latir. Qué placer cuando finalmente salió la placenta... Después, todo fue pura alegría y sentí un agradecimiento intenso. En el pasillo, antes de llegar a nuestra habitación, ya te cantábamos canciones. Tanto daba donde estábamos... Estábamos juntos.

Pasada la euforia inicial, y una vez en casa de nuevo, cuando las dolencias se hacen más evidentes y aparecen las dudas... Si estoy cicatrizando bien, si la granizada de Nora y su color son normales, cómo ayudar a Júlia a vivir estos cambios con más serenidad y menos miedo... Sonia nos vino a ver. Estas visitas nos dieron mucha paz para vivir esta nueva etapa de maternidad. Creo que es lo que más se necesita en todo el proceso: paz y confianza en una misma, en la familia y con el equipo que te asesora.

Me siento orgullosa del parto que hemos vivido juntas, de haber escogido a los compañeros de viaje adecuados y de haber tenido fe en nosotras. Siento que he hecho un gran viaje del primer al segundo parto. He aprovechado la experiencia ganada con mi querida Júlia para tener un mejor principio para toda nuestra familia. Creo que, poco a poco, las cosas van cambiando. Sin tener miedo de cuestionar, buscar y elegir. Con nuestro cambio, propiciamos que las condiciones que un nacimiento y una crianza merecen vayan llegando poco a poco. Supongo que ahora estoy en un momento lleno de esperanza y fe en el futuro: es el regalo de mis hijas.

Mireia Calmell.

Un parto internacional a las 42 semanas y 6 días

Mamá: Becca, inglesa. Papá: Carlos, catalán.
Doula: Marie, francesa.
Comadronas: Alicia, murciana; María y Mireia, catalanas.
Doctora: Ortrud, alemana.

Todo estaba bajo control, y aún a una distancia segura. Después de 36 años de ser solamente yo, yo y yo, estaba dispuesta a entregarme a ser madre. ¡Qué sencillo sería todo! ¡Qué ingenua y arrogante que era!

Al pasarme de fechas, me reuní con Mireia, quien me aclaró las dudas, y pusimos en marcha técnicas de inducción natural. El viernes tuve mi primera sesión de electropuntura con Llàtzer. El sábado tomé el aceite de ricino, que no me resultó tan asqueroso como habia oído. El domingo, más inducción italiana, una sesión de reflexología, más caminatas y comida picante por la noche.

Semana 42: el lunes tuve mi segunda sesión con Llàt-zer. Todo bajo control en mi barriguita. Las comadronas no estaban preocupadas, pero aconsejaron una monitorización diaria para estar tranquilas y seguras de que Aleix seguía bien.

Y, finalmente, me pongo de parto. Mis recuerdos del parto son más bien como fotogramas o pinceladas.

Ya había agotado las pilas de la máquina TENS antes de necesitarla, y también había agotado las de repuesto en los ensayos.

¿Dónde están mis endorfinas? En un momento dado en la ducha, Carlos extendió su brazo para que yo pudiera colgarme de él, y sólo se me ocurrió hincarle mis dientes. Pobre, con la lagrimita cayendo no se atrevía a decir que le dolía.

La única manera de mitigar un poco el dolor era con el teléfono de la ducha, sentada en un taburete.

Con cada contracción en posición vertical sentía que una de mis vértebras iba a dislocarse.

Cuando me dijo Alicia que Aleix empezaba a cansarse, pensaba: «¿Qué hago ahora? ¿Por qué me lo dice a mí?». Pero no era capaz de decirlo.

Luego llegó Ortrud y me administró mi remedio de homeopatía con cada contracción. Carlos me dijo que fue entonces cuando por fin dejé de ser tan racional y me entregué a mi cuerpo.

Hacia el final, yo estaba en la cama, empujando contra Carlos, Alicia, Marie y Ortrud, uno en cada miembro. Con cada contracción, me dirigió Ortrud a enviarle a Aleix espacio, oxígeno y luz.

Contracción verdadera número uno. Seguía concentrada en enviarle a Aleix espacio, oxígeno y luz. Bajé los 89 escalones, no sé apoyada en quién. Contracción verdadera número dos. Por Dios, estoy a punto de dar a luz en las escaleras, se va a caer de cabeza en el duro suelo de piedra... ¿qué hago?

Después de seis horas de intentar ayudarle a salir, ahora intento con todas mis fuerzas mantenerle dentro. Llegamos al coche y me tumbo en el asiento de atrás con Alicia, quien sigue monitorizando sus latidos. Pasa algo en la calle, una especie de altercado. No soy consciente de nada excepto de intentar evitar que Aleix nazca en el coche (contracción verdadera número tres) mientras le envío espacio, oxígeno y luz. Llegamos al hospital.

Con la última contracción salió Aleix, una cosa larga y delgada, color tabaco.

Los recuerdos son borrosos, pero qué alivio no tener que salir de casa y que las comadronas vengan a vernos a Aleix y a mí. No está subiendo de peso como debería. No come porque duerme, y duerme porque está demasiado débil para hacer nada. Está demasiado débil porque no come, así que tengo que cortar este círculo vicioso. Me han pedido que le dé teta cada dos horas las 24 horas del día, y que tome nota de cuánto tiempo lo hace, y de cómo y cuánto ensucia sus pañales.

Durante todo este tiempo, me he sentido como una madre horrible, desnaturalizada. Me culpo por no estar en sintonía con él, por la forma en que sucedió el parto, por mi tendencia innata a complacer —o al menos a no contrariar— a todo el mundo a expensas de aprovechar el momento clave para establecer el vínculo afectivo con mi hijo.

Ortrud dice que Aleix es un luchador, y su mamá también, y esto me hace sentir mejor.

La maternidad es lo más difícil que he emprendido, y estoy muy agradecida porque Aleix y yo tenemos este apoyo tan delicado como incondicional en un solo lugar. Tardé mucho tiempo en admitir y perdonarme por pensar: «Si él muere ahora, la gente me culpará por haber tenido un parto en casa». Es decir, el que me preocupara más la opinión de la gente que el que mi hijo sobreviviera.

Aleix y yo nos conocimos muy gradualmente, y el enamorarnos fue también gradual. Encuentro muchos mensajes que le escribí declarándole mi amor, pero sé que cada vez que le escribía uno nuevo pensaba: «Ah, ahora sí que te quiero de veras».

Rebeca Ellis.

Parto íntimo

No puedo creer...

«No puedo creer que haya sido capaz de hacerlo. No me podía imaginar que un parto podía ser tan suave y salvaje a la vez. Gracias, mi niña, por lo que me has enseñado, y lo mucho que me seguirás enseñando».

Éste es un fragmento del diario que escribí a mi hija, Júlia, nacida en casa la noche del 25 de noviembre de 2009. Nuestro hijo Ricard había nacido en el hospital. Fue la mayor alegría de nuestras vidas. Por fin éramos padres.

Los meses previos al segundo parto estaba llena de dudas sobre mi capacidad de dar a luz en casa. En el fondo, sabía que podríamos hacerlo, pero necesitaba que alguien me tranquilizara. Ya se sabe... con las hormonas nos volvemos más mimosas.

Inconscientemente debía querer estar sola, porque no sé cómo no pude darme cuenta de que estaba de parto con todos los indicios que tenía. Recuerdo haber notado la primera contracción fuerte justo al salir del lavabo. Seguía diciendo a Ritxi que NO estaba de parto, que a lo mejor mañana por la mañana. Le dije que no me notaba dilatar. Y, sin embargo ya estaba en el planeta parto, visualizando un túnel, visualizando a Júlia avanzar, respirando, bebiendo las manzanillas que iba preparando Ritxi. Parece mentira, pero seguía pensando que esto iba para largo...

Al llegar a la habitación, justo antes de entrar en el cuarto de baño, le dije a Ritxi: «¡Otra! Creo que ahora he dilatado tres o cuatro centímetros».

Entrar en el agua caliente me relajo muchísimo. ¡Qué alivio! Además, recordaba las semanas anteriores durante las cuales había tomado un baño cada noche con mi hijo, rodeado de velas y explicándole cómo iba a nacer su hermanita. Era un poco como si estuviera con nosotros.

María venía de camino. Vive muy cerca de casa.

—¡Que viene la cabeza!, dije yo.

—¡No pot ser!, dijo Ritxi mientras se le caía el móvil de las manos.

—¡Aaaaaaaaaaaaaaaaaaaaaaaaaaaaaaaaaahhhhh!

—¡Ostras, sí!, dijo Ritxi.

En este momento, sale la cabeza de Júlia. No noto romperse la bolsa de agua. Vuelvo a sentir cómo se contrae mi barriga y un grito salir de mis pulmones, y se me escapa otro grito sin que haya ordenado a mi cuerpo que lo haga... Es difícil de explicar. Sale el cuerpo de Júlia. Ritxi la coge, diciéndome: «¡Aquí está tu niña!».

Cojo a mi pequeñita en brazos. La miro, está de un rojo intenso, se parece a su hermano. Tiene dos vueltas de cordón, se los quito sin esfuerzo. Me la pongo en medio de los pechos para que escoja ella el lado que prefiere: escoge el izquierdo. Me tumbo de lado para que su cuerpo esté en el agua y no pase frío. Va comiendo y me mira. Le hablo en francés, parece escucharme. ¡Gran trabajo, mi niña! ¡Vaya equipo formamos, ¿eh?! Júlia es diminuta, tranquila, observadora, tiene un bonito color rojo, come plácidamente. No sé cuánto tiempo estoy en la gloria mirándola, ajena a lo que ocurre alrededor.

María está a un semáforo de casa, dándole instrucciones a Ritxi:

—¿Se encuentra bien? ¿Te encuentras bien?

—Sí.

—¿Se marea?

—No.

Llega María cinco minutos después de que haya salido Júlia. Estoy en la gloria con mi pequeñita enganchada a la teta, ambas en el baño de agua caliente. NO me doy ni cuenta de que la bañera está llena de sangre. Júlia me mira y sigue enganchada a la teta.

Nos sacan de la bañera, todavía unidas por el cordón, que sigue latiendo. En la cama, la cambio de lado. La luz de la lámpara de sal proyecta un bonito color naranja en la habitación, hablan todos en voz baja. Sigo embobada mirando a mi niña ajena a lo que ocurre, no me puedo creer que haya sido capaz de hacerlo. He tenido el parto que quería: un parto íntimo, un parto en casa.

María mira la placenta, nos explica dónde está la bolsa que acogió a Júlia estos meses, nos explica que está todo bien, está entera. Nos dejan solos a los tres. Sigo abrumada por lo que ha pasado; permanezco en este estado hasta varias horas después.

Nos traen un batido de placenta que me sabe a gloria. A Ritxi, no tanto. No me mareo. Tengo una energía increíble.

Magali Chane Yu Chiu.

El lenguaje de la naturaleza

Éste es un año que no olvidaré, después mi segundo embarazo, y lo he acabado pariendo el día 27, cuatro días antes de finalizar el año... y en mi casa.

Si me remonto a nueve años atrás, después del parto de Laia muchas veces sentí que me había perdido algo, que lo que vivimos Laia y yo no era manera de encontrarse madre e hija, de recibir a tu bebé después de nueve meses esperándolo en tu vientre. Eran sentimientos, sensaciones... que estaban ahí, que a veces afloraban, y un tema que siempre salía y que con el tiempo vi que tenía que curar...

No creé «Kebuskas» por casualidad, este blog nació de mi necesidad de gritarle al mundo lo que pienso sobre la manera en que se trata el nacimiento en los hospitales y a sus principales protagonistas: la mamá y el bebé.

A partir de las 12 h., ya entrando en el día 27, todo cambió: las contracciones irregulares, de pronto, se convirtieron en contracciones más intensas y se iban repitiendo cada cuatro minutos. Cuando la contracción estaba en pleno apogeo, me colgaba del cuello de Javi y le dirigía sus manos a mis lumbares; el calor que desprendían me aliviaba muchísimo.

Él siguió apuntando, y de vez en cuando me preguntaba: «¿Fuerte?». Yo no podía contestarle, a veces casi me faltaba el aire. Pero ese momento de dolor pasaba... Entonces recordé una imagen de unos días antes, en la playa... Estuve caminando por la orilla, con Guillem en mi vientre y mirando el eterno movimiento del mar, me vino esta frase: «Las contracciones son como olas que vienen y van... y una de ellas traerá a Guillem». En una de esas contracciones sentí un peso en el culo, como cuando tienes ganas de cagar, y me asusté... Pegué un bote de la bañera y salí rápidamente; al poner los pies en el suelo, plooooooooffff, rompí aguas. A partir de aquí, todo fue tan rápido que aún hoy me cuesta creerlo. Siguiente contracción: Guillem ya asomando su cabecita, y en la última, todo él asomando, ¡alucinante! Javi lo cogió en el aire y escuchamos su llanto. ¿Y la comadrona? Pues Mireia aún no había llegado, a Guillem las primeras manos que lo tocaron fueron las de su padre, sí señor...

Merche Escursell.

Distocia de hombros

El parto mío

La historia de mi parto empieza el siglo pasado. Ya tenía una hija, Alicia, que había nacido en Bruselas de un parto inducido y con la peridural, pero con un personal humano.

A los dieciséis meses, en Barcelona, nació mi hija Celia.

En cada visita me manosearon como si fuera un cacho de carne, siempre me hicieron daño y jamás mostraron la más mínima delicadeza. Enfrente de la silla ginecológica había una puerta por la que entraban y salían tantos médicos o enfermeras que parecía una estación de tren, y yo con el trasero al aire. Dejaron entrar a Santi cuando la cabeza de Celia ya estaba casi fuera. A él también le robaron el parto de su hija.

Diez años más tarde, cuando ya no pensábamos a tener más niños, Nicolás nos dio la sorpresa.

Santi, que suele ser el primero en despertarse, ese día batió su propio récord y se levantó más tarde que nunca. Así que se fue con Celia, y yo pasé la mañana haciendo cositas y esperando la primera contracción, que vino justo antes de comer.

Llené la bañera, llamé a Mireia y dejé de mirar el reloj. El agua era muy agradable, pero las contracciones fueron a más y me acordé de haber leído en un foro que va bien respirar por la vagina. Lo intenté (visualizándolo, claro), y me ayudó mucho a relajar la parte baja de la barriga.

Después de un rato llegaron Mireia y María Jesús. Escucharon el corazón y me dijeron que todo estaba bien. Me metí en la piscina, el agua estaba más caliente que en la bañera y me cubría toda la barriga, me pareció fantástico.

De repente, sentí miradas en mi trasero y pregunté si estaban observando la línea púrpura. Noté un impulso de empujar como cuando tienes que vomitar, sólo que hacia abajo.

Empujé y salió su cabecita. En la siguiente contracción volví a empujar, esperando que saliera disparado el resto de su cuerpo, pero no fue así. Esperamos otra contracción, y lo mismo. Pensé si estaría pasando algo raro, pero antes de poder inquietarme ya había entrado Mireia a la piscina y liberado el hombro de Nicolás, que estaba encajado. No había notado sus manos, pero en la siguiente contracción, Nicolás salió. Me pareció muy chiquitín, con unas manos inmensas y lleno de vérmix. El cordón umbilical dejó rápidamente de latir, y mis hijas lo cortaron.

Las comadronas siempre estuvieron en un segundo plano, dejándome parir tranquilamente, ocupándose de todo y ayudando cuando hacía falta. Dándome la posibilidad de parir así me han hecho un regalo para toda la vida. ¡Gracias! ¡El parto fue maravilloso y mío!

La lactancia, como había temido, fue difícil. Le costó engancharse a la teta, tenía retrognatia y no abría bien la boca. Hace pocos días, después de mamar por la mañana, me dijo Nicolás: «Me gusta leche teta». Después se fue corriendo a la cocina a desayunar el segundo plato.

Nicole Distl.

Kay sigue nadando

Parir es cosa de dos: madre e hijo, ambos tienen que estar conectados y vencer el miedo a lo desconocido para verse las caras al final del camino. Lo habíamos escuchado tantas veces que, yo, ilusa, creía que esta idea ya la tenía asimilada. ¡Pero qué equivocada estaba! A pesar de tener un parto precioso, no fue hasta que vi a Kay que fui totalmente consciente de que estaba pariendo un bebé. Había idealizado tanto este momento: cómo sería, cómo me comportaría... que me olvidé de lo esencial: disfrutar del momento más importante de mi vida y dejar que transcurriera él mismo, fluyendo como el agua de la misma forma que todos mis fluidos se convirtieron en el río por donde bajó nadando mi pequeño.

Es por esta razón que para poder tener un parto consciente debemos de hacer del embarazo una etapa de nuestra vida donde conectar con nosotros mismas, con nuestra pareja (si tenemos) pero, por descontado, con el bebé que está comiendo directamente de nuestra alma, pequeño ser que bebe de ti.

Con los años, y siendo como soy de una isla, la variante del agua no tardó en aparecer. Fuente de vida esencial: el agua siempre me había relajado, había hecho desaparecer mis preocupaciones, me abrazaba siempre como una madre protectora... Parir dentro de ella sería un placer sin medida...

Me sentía como un globo lleno de agua, casi no podía caminar, tenía la barriga tan grande que todo el mundo me decía por la calle cosas, me sentía como una ballena fuera del agua... Pero me sentía feliz. ¡Benditas hormonas!

A las ocho y media de la mañana del domingo 19 de julio de 2009, me desperté al sentir un chorro de agua que salía de mí, hacia arriba, como un géiser, estando acostada panza arriba. Me sorprendió la fuerza con la que salía el agua. Avisé a Rafa, que aún dormía a mi lado, y no pasó ni una hora cuando ya tenía contracciones bien fuertes. No podía parar de moverme, de la habitación al salón, del salón al baño... Rafa me seguía y llamó a Mireia. Tengo el recuerdo de una imagen muy surrealista: yo, toda drogada por las endorfinas, agarrada a la estantería de la habitación, de pie, con unas contracciones muy intensas y rítmicas y pensando: «¿Qué me habré tomado hoy para estar tan fuera de mí?». Mireia llegó a las 10:40, me encontró delante del sofá-cama.

A las 12 h. comencé a empujar con las contracciones. Ni siquiera podía hablar, estaba muy concentrada y mantenía una conversación interior conmigo misma, no del todo consciente, de por qué me encontraba en esa situación, bastante dolorosa y sin tener el control de mí misma. He de admitir que soy una persona que me gusta tenerlo todo bajo control y que no fue hasta mucho tiempo después del parto que me di cuenta que el fondo mi cuerpo, mi parte «no racional» lo tenía todo previsto, controlado en todo momento por una fuerza más potente que cualquier raciocinio: la fuerza de la vida abriéndose paso por mis entrañas.

No debería haber estado tan preocupada de no perder el control sino de aferrarme a mi propia naturaleza de mujer: si estamos programadas para tener hijos y lo llevamos haciendo desde el inicio de los tiempos ¿por qué tanta preocupación por un acto tan natural? Hemos olvidado que el ser humano no es sólo racional, sino animal.

A las dos del mediodía, por fin, pude meterme en la piscina. ¡Qué sensación! Me metí estando aún vacía, no podía esperar a que estuviera del todo llena. ¡Sentí alivio desde el instante en que metí un pie dentro! Sólo había agua suficiente para mojarme los pies, pero me senté, y alternaba las contracciones con una relajación total de los músculos propiciada por la constante entrada de agua.

Llevaba una hora dentro del agua y empecé a desesperarme. Las contracciones seguían siendo cada minuto y medio o dos. Entre contracción y contracción, la paz total.

Rafa me cogía las manos cuando estaba de rodillas con fuerza, lo sentía tan relajado que hasta lo veía cerrar los ojos cuando yo no gritaba. Me sentía un poco enfadada: él tan tranquilo, y yo ahí sufriendo.

Mireia, sentada al lado de Rafa mirándome con tranquilidad y una gran sonrisa. Me dice: «Háblale a Kay, explícale que tiene que salir».

Imagino que Mireia se dio cuenta de algo y me sugirió probar una postura llamada «cabaret». Yo no daba crédito a sus palabras: «¿Y ahora qué dice esta mujer?», pensé. Si casi no me puedo ni mantener en pie ni tampoco salir de la piscina. Siento demasiada intensidad en mi cuerpo, una energía muy fuerte que no me dejaba moverme.

Mireia nos pasa una tela anudada firmemente a los dos y a la silla, como si fuera un lazo de cowboy, de manera que no pueda caerme, y Rafa hace que yo caiga hacia atrás gradualmente provocando que me abra mucho más y que note la cabeza de Kay saliendo en sólo dos contracciones.

Tenía la cabeza de Kay atravesada en medio de mis piernas, como si llevase una pelota incrustada en la vagina, y eso no me dejaba casi ni caminar. No sé cómo fui capaz de dar los pasos necesarios para llegar al agua.

Siento una presión muy fuerte, y dolor, y que me partiré en dos, y comienzo a sentir mucho miedo de que pueda hacerme daño en el cóccix. Hace muchos años ya me lo rompí en un accidente y no quiero que se rompa de nuevo.

Todo está a oscuras, como yo quería, sólo entra un poquito de luz por las rendijas de la persiana, la justa para ver un poco en penumbra. Todo el parto ha transcurrido a oscuras, y en el mismo momento en que noto cómo Mireia entra en el agua noto como un pez dentro de la vagina que nada hacia fuera dándome puntapiés, impulsándose hacia fuera, veo una luz inmensa en mis ojos que no sé de dónde sale, y al mismo tiempo oigo a Mireia diciéndome: «¡Cógelo!».

Me doy la vuelta, todavía de rodillas, pero no sé qué tengo que coger, y ahí mismo, todavía unido a mí por el cordón umbilical, saco del agua a un Kay resbaladizo, que se me queda mirando fijamente y llora con fuerza, para calmarse al instante que me vuelve a sentir. Lo miro y me quedo anonadada al verlo... ¡Tan pequeño, con un pelo tan negro, con la cabecita un poco tipo los «cara-conos»! ¡Pobrecito mío, se ha debido estresar, pececito mío, nadando siguiendo el flujo de la vida, como si fuera un río que llega al mar! ¡He dado a luz un bebé!

Kay Rubio Delcourt nació el día 19 de julio de 2009 a las 16.10 h., y pasaron seis minutos desde que salió la cabeza hasta que salió el cuerpo.

Kay me miró desde su maxi-cosi y entendió que su madre aún no había acabado; se durmió todas las horas que estuvimos intentando que la placenta saliera. A las 16.55 dejó de latir el cordón y se cortó, y esperamos hasta las 20.35. Finalmente, mediante fuerza materna más tracción en cuclillas encima del sofá, reflexología, masajes y acupuntura que hizo la acupuntora Eva Garriga, por fin, la placenta en forma de corazón nació.

Carolina Delcourt.

Cuando en casa no es posible, vamos al hospital

Siempre decimos que el parto en casa es seguro gracias a la existencia de los hospitales. Aunque parezca paradójico, la colaboración del equipo hospitalario es necesaria para garantizar la seguridad del proceso del nacimiento en casa.

Sabemos que la naturaleza es sabia, que el parto funciona cuando no lo interrumpimos ni lo dirigimos, pero también somos conscientes de que, como en todos los procesos de la vida, cabe un margen de error o la necesidad de requerir asistencia tecnológica (que para eso se ha inventado). Los aparatos, las anestesias y los quirófanos son necesarios para reducir la morbi - mortalidad en casos en los que se ha detectado un problema. Es decir, reservar la intervención para cuando surge la necesidad, no antes...

Así pues, desde el marco del parto en casa se debe considerar al hospital como el equipo aliado, no como el enemigo, siendo una ayuda bienvenida, una mano amiga.

El proceso se ve interrumpido, y las comadronas deben pasar el manejo a otros profesionales, mientras que la mujer de parto se entrega ahora a la acción de nuevos responsables del resultado, muchas veces en detrimento de su capacidad como mujer para decidir, controlar y ser activa - protagonista del proceso. Sin embargo, el camino, aunque ha tomado otra ruta, continúa con el mismo fin, y la mujer debe continuar su trabajo e intentar no rendirse. Saber que el parto puede darse naturalmente a pesar del entorno les da coraje y aprenden a interiorizar su parto concentrándose.

Con todo y con eso, las comadronas siguen en la retaguardia, pendientes de la evolución (seguramente desde la sala de espera o a través de mensajes de móvil) y no abandonan, ya que el apoyo hacia la pareja debe ser en estos casos mucho mayor que si se hubieran quedado en casa.

Los sentimientos de frustración afloran cuando no se consigue lo deseado, y surgen dudas acerca del poder como mujer. El desenlace es positivo cuando se mantiene una mentalidad abierta, flexible y se amolda a nuevas circunstancias y retos. Adaptarse con paciencia a aquello que temían sirve de lección para emprender un camino que empieza repleto de imprevistos y nuevas hazañas.

Sonia E. Waters. Comadrona.

El universo en su mirada

Cuando me quedé embarazada, pensaba que todos los niños nacían en el hospital, que lo que podía esperar de mi parto era que o bien me hiciesen una cesárea o bien una episiotomía y que la lactancia materna era una cosa que quería hacer si podía, ¡claro!

A media que crecía mi barriga, lo hacía también el interés por los temas relacionados con el parto, la lactancia y la crianza. A partir de ahí, miles de dudas: ¿lo contamos? ¿nos callamos? ¿y si nos preguntan? Optamos por decir la verdad, al fin y al cabo, con todo lo que estábamos estudiando, nadie mejor que nosotros sabría defender nuestra postura.

Cada viernes decía en el trabajo: «A ver si es el último». Pero los lunes seguían llegando para desesperación mía uno tras otro. El embarazo se alargaba.

(...)

Al romper aguas, mentalmente iba repasando lo que tenía que hacer. Uno: estar tranquila; dos: determinar el color de las aguas (perfecto, eran claras); tres: avisar a María; cuatro: controlar las contracciones... ¿Qué? Pero, ¿qué contracciones? ¡Si yo estaba más fresca que una rosa! «Bueno, paso a paso», me dije.

Ya con las contracciones potentes y regulares, lloraba y le decía a María que no podía, y ella o Alicia me animaban e iban controlando los latidos de Joel. Se hizo lento y eterno, mis energías se consumían.

Llegó el domingo por la tarde; de repente tenía ganas de empujar y a los pocos minutos ya no. Algo extraño estaba pasando. No me decían nada, que todo iba bien, que Joel era un campeón, que sus latidos eran todo el rato constantes pero sus caras me decían otra cosa. Cuando Ortrud llegó, me hizo un tacto y confirmó que mi bebé estaba mal colocado.

—¿Quieres ir al hospital?, dijo Ortrud.

—No, le contesté, con cierta perplejidad ante la pregunta.

—Está bien, vamos a intentarlo, me dijo.

Parece ser que Joel no estaba en la postura más idónea, lo que añadía una dificultad extra a la hora de dilatar el último centímetro. Pero él estaba bien, y yo podía aguantar, así que me vestí. No sé de dónde saqué las fuerzas, porque estaba realmente agotada, pero sabía que al final de todo eso estaba mi pequeño esperando, y en ese momento nada importaba más. Bajamos las escaleras y volvimos a subir los cinco pisos haciendo movimientos pélvicos.

Ortrud me miró fijamente a los ojos y me dijo: «Eres muy valiente, y tu pequeño, también, pero llevas muchas horas de parto, no llegamos a poder corregir la postura del niño y necesitas ir al hospital». Yo quería parir en mi casa, tener controlada la situación, y en una fracción de segundo, todo a mi alrededor era un caos.

Decidimos ir al hospital; una vez me hizo efecto la epidural, me pusieron oxitocina y pude descansar un rato. Una comadrona me dijo con una voz dulcísima que si quería agua, y después, de igual manera y con la misma calma, que iba a intentar colocarme al niño, que ciertamente era difícil, pero que podíamos intentarlo. No sé que hizo ni qué tocó, pero metió la mano hasta límites insospechados dentro de mí y se fue con una media sonrisa en la boca. Después, entró como un torbellino. Menudita y morena: Olga. Es curioso cómo hay personas que se cruzan en tu camino unas horas y te acuerdas de ellas toda la vida. Si hubiese más profesionales como ella, seguramente no buscaríamos alternativas al parto en hospital. Aunque ya se lo agradecí en su día, sirvan estas palabras para reconocérselo públicamente.

—De ésta ya me encargo yo, dijo.

Mandó a todo el mundo fuera y apagó la luz.

—Sé que te duele, pero si te ponemos más anestesia, no podrás empujar.

A partir de ahí, puso música. El dolor no cesaba, y las contracciones cada vez eran más seguidas. Fue un momento de «tierra trágame», pero no pude evitarlo. Ella me miró, se rió y dijo: «Eso es lo que estaba buscando, ahora ya estás lista». Mi marido decía: «Ya está aquí, ya está aquí. ¡Le veo el pelo!». «¡Eso lleváis diciéndome dos días, que ya está aquí, pero nunca viene!», decía yo.

Es curioso cómo en un segundo se puede pasar del dolor más profundo a la felicidad más absoluta. No lloraba, simplemente alzó la cabeza, y cuando aquellos dos ojitos, abiertos de par en par, se cruzaron con los míos, ya no me importaron ni las horas que llevaba de parto ni el traslado ni nada de nada. El mundo, ¡qué digo!, el universo entero se detuvo con aquella mirada.

Raquel Molina.

La fuerza de los pujos

Unai Nadeu Soto nació el 24 de junio de 2005 a las 06.20.

Cuando estaba embarazada, me ayudó mucho leer otras historias de partos, de mujeres que habían decidido parir en casa y que confiaban en su cuerpo, en sus propias fuerzas. Recordé algo que había leído: que una mujer de parto necesita meterse en sí misma, ni siquiera debe hablar ni responder nada porque entonces empieza a funcionar una parte del cerebro (más racional) que nada tiene que ver con la más instintiva, que es precisamente la que se necesita para parir.

Estaba muy metida en mí, como ida (casi no oía ni los petardos de la verbena de San Juan), me sentía fuerte, capaz de aguantar esas sensaciones.

Un poco más tarde —no sé cuándo— empecé a tener miedo, me empecé a sentir como una niña; le dije a Inma que el bebé era muy grande y que temía que no pudiera parirlo. Inma me tranquilizó, junto con Ferrán, hasta que llegó la doctora Ortrud.

Hubo un momento en que, estando dentro de la piscina, Ortrud me propuso que yo misma metiera los dedos en mi vagina y tocara la cabeza de Unai. Cuando me lo dijo no me apeteció y no lo hice. Ahora que ya ha pasado un tiempo, creo que quizás sentí miedo de tocar la cabeza de mi propio hijo, ese ser tan cercano y a la vez tan lejano que había crecido dentro de mí; ese misterio sin rostro que estaba a punto de ser desvelado y que me iba a convertir en madre; un papel nuevo, desconocido, lleno de responsabilidad y exigencia. ¿Iba a estar yo a la altura?

Al cabo del rato, decidí tocarla, y la sensación que tuve, aunque suene extraño, no me gustó. Fue como tocar una membrana demasiado blanda, poco humana, no sé por qué creí que iba a tocar un cabezón bien duro. Me sentí algo aturdida, deseaba comunicarme con mi hijo y, al mismo tiempo, me daba miedo.

Pero las horas pasaban, los pujos cada vez eran más fuertes, y Unai parecía que no podía bajar más.

Primero me venía el dolor fuerte de la contracción y, después, unas ganas tremendas de empujar, era como si toda la musculatura de mi espalda y mis piernas, desde el cóccix hasta la punta de los dedos de los pies, estuviera atada por hilos invisibles a una mano desconocida que quería llevarme a las profundidades de la tierra. Si me dejaba llevar y no me resistía, la fuerza de esa mano me arrastraba hacia abajo, hasta el límite de mi elasticidad y de mis fuerzas. Cuando pasaba ese terremoto, pensaba: «Ya no puedo más». Al cabo de unos gloriosos segundos de calma, volvía a ser zarandeada por esa mano.

Al principio me resistía, dentro de mí pensaba: «Ahora ya no empujo más, me quiero esconder de esa bestia, quiero que me deje tranquila, pero no podía esquivarla». Así que volvía a sacar coraje —todavía no sé de dónde— y empujaba con toda mi alma; volvía a dejarme zarandear como una marioneta.

Ferrán, que se colocó detrás de mí sujetándome las manos, me explicó después que se quedó asombrado por la fuerza de los pujos.

Al final, y para mi decepción, Ortrud me dio la mala noticia: había que ir al hospital.

No pensé en ir al hospital hasta el final, porque me sentía con fuerzas, y sabía que Unai estaba bien. Cuando la decisión de ir al hospital ya estaba tomada, sentí una mezcla de sensaciones: miedo por no saber quién ni cómo iban a atenderme allá y alivio porque realmente estaba ya muy agotada.

Aquí empezó mi pesadilla. Me tumbaron en una camilla y me informaron de que me iban a poner la epidural.

Después de utilizar forceps, me cosieron de una gran episiotomía y de un desgarro de tercer grado, y eso que muchos ginecólogos afirman que las episiotomías evitan los desgarros.

Ahora que vuelvo la vista atrás, recuerdo con mucho cariño las horas que pasé en casa. Sé que no puse en peligro la vida de mi hijo porque me atendieron dos profesionales que supieron cuándo era el momento de trasladarse a un hospital. Lo único que lamento es no haber podido acabar el parto en casa, pero la naturaleza, que no es perfecta, a veces se presenta así y hay que aceptarla.

Mayca Soto.

Canción de cuna para una princesa negra

Me ha costado mucho aceptar que el parto acabara en el hospital, te sientes muy frustrada y culpable. Y si hubiera hecho esto, y si no hubiera hecho aquello, si hubiera aguantado más... Con el tiempo lo he ido viendo todo de otra manera y estoy orgullosa de cómo traje al mundo a Cristina.

Durante el parto no quería comer, no quería beber, quería que se acabara. Suerte que Adela me iba dando agua de canela.

No recuerdo el momento, pero sé que empecé a cantarle la *Canción de cuna para una princesa negra* a Cristina. Habían pasado muchas horas. Recuerdo que María me preguntó qué quería hacer, si quería que fuéramos al hospital. Le contesté que no, que quería que Cristina naciera en casa, y me dijo: «Entonces, tienes que parar de luchar y acompañar las contracciones y conectarte con tu hija». ¡Lo hice! Estaba sentada en la pelota, me imaginé que iba a caballo, recuerdo que pusimos música, *La Pasión según San Mateo,* de Bach.

María me hizo un tacto y no había cambiado nada. En ese momento, teníamos que ir al hospital porque las aguas habían comenzado a salir sucias y ya no era seguro para Cristina. Recuerdo muchas correderas, como un vendaval.

En el hospital recuerdo ir sintiendo los latidos del corazón de Cristina a través del monitor, y cuando venía la contracción desaparecían, me asusté mucho. Me pusieron oxitocina y la epidural, que me ayudó a descansar. Al cabo de dos horas largas, nos trasladaron a la sala de partos, y después de la tercera contracción salió Cristina. ¡Preciosa! ¡Éramos una!

Al día siguiente, comenzaron tres días de pesadilla en el hospital. Me sentí agredida, presionada psicológicamente, amenazada, me metieron el miedo en el cuerpo... Recuerdo a María en el hospital enseñando a Juan cómo sacar las gotitas de calostro para dárselas a Cristina. Eran como el oro.

Ya han pasado once meses de alegría de tener a Cristina con nosotros, y aprendiendo cada día de la aventura de ser padres.

Anónimo.

Nacimiento Lotus

Una mujer nueva

Azul nació un sábado a las 10.50 de la mañana, después de nueve horas de contracciones, esfuerzos, pausas, emociones y mucho, mucho amor, cariño y paciencia por parte de Luc, Sonia y María.

No puedo describir todo lo que sentí aquella noche/mañana pues no hay palabras para nombrar el proceso de aprendizaje y crecimiento que duró nueve hermosos meses y culminó en el parto. Lo único que puedo decir es que me siento una mujer nueva, que he superado muchos miedos y que soy súper feliz con la hermosa niña que tengo en brazos.

Me puse de parto tras una sesión de acupuntura. Recuerdo que le dije a Luc, mi pareja: «Esto no va ser tan fácil como pensaba...». Creo que fue entonces cuando me dejé llevar por el dolor, sólo quería sentir y no pensar, dejarme llevar y naufragar en las olas de contracciones que se iban acelerando poco a poco.

Recuerdo que pasé todo el proceso en el sofá. Me agarraba con fuerza a él para pasar los picos de dolor, luego me tumbaba e intentaba descansar y coger fuerzas para retomar la siguiente contracción. A mi lado, Luc, en silencio y con el máximo respeto aguardaba a cualquier petición mía. Me hacía escuchar el corazón de Azul... Su sonido me alentaba a seguir, sabía que con cada contracción el camino se hacía más corto.

Azul nació de una vez, su cuerpecito caliente salió de mí y enseguida me llenó de amor, me sorprendió su olor, ¡qué rico!, y desde ese momento lo llevo grabado en lo más profundo de mi ser.

No cortamos el cordón, decidimos en el último momento hacer un Nacimiento Lotus, algo que soñé dos veces. El proceso duró seis días, los cuales nos sirvieron para conocernos y dejarle tiempo a ella de separarse de lo que la había cuidado y alimentado durante nueve meses.

Lo mejor ha sido alumbrarla en casa, al lado de la persona a la que más quiero, en respeto con mi cuerpo y con mi bebé, en silencio, en un instante único que durará para siempre en mi corazón.

Laura Serradilla.

Despedida de la placenta a su tiempo...

El parto ha sido una de las experiencias más intensas y bonitas de mi vida. Y vivirlo así con mi pareja, Xavi, ha sido precioso.

Mi madre había tenido a mis hermanos prematuros, así que, después de haberle repetido a mi bebé mil y una veces que se tomara el tiempo que necesitara, después de haber deseado intensamente que no se adelantara, de repente lo esperaba con impaciencia, con unas ganas inmensas de verle la carita y tenerla en mis brazos.

En algunos momentos, disfrutábamos de caminar juntos en silencio, y en otros, comentábamos lo que había sido el viaje, el embarazo y cómo lo habíamos vivido.

A veces, según las reacciones de la gente, yo me entristecía... Pero él tenía esa travesura, esa sonrisa tierna... La verdad es que con ternura hemos disfrutado de nuestra complicidad, de lo bien que nos entendemos y de esa sensación que surgió desde el primer día y se intensificó tras el parto de «esto sólo podía ser contigo».

Después de haber caminado tres horas sin parar, empezaron las contracciones. Al principio, con ilusión, porque llevaba días esperándolas pero, joder, ¡cómo duelen!

Así me encontró María, la primera comadrona que vino: sentada en el silloncito, relajada, mirando la llama de una vela y describiendo las contracciones. Fueron los peores momentos.... el dolor... no se puede describir. Una cosa es decirlo, y otra, vivirlo, atravesarlo... Finalmente, llegó la piscina. Qué alivio... Ésa fue mi epidural.

Yo sabía que Noa había hecho su camino y que estaba preparada, que era yo la que tenía que abrir, soltarme, permitírmelo... Algo que me solía resultar difícil... Pregunto por la hora, y me dicen que no miremos el reloj... que todo lleva su tiempo, que es normal...

Pero llegado cierto punto, veo que me es imposible, pero me es igual, necesito empujar; miro a María y le digo: «Todo mi cuerpo me pide empujar». Así nació nuestra hija... Fuimos a nuestra habitación y salió la placenta, que prepararon con sales, lavanda y esencias, para que Noa se desprendiera de ella tranquilamente, a su tiempo...

Eva Arricivita.

La placenta

Del latín 'placenta', significa «torta», y desde luego que es como un pastel, de aspecto visceral y apetitoso.

Es el árbol de la vida, que nutre y protege. Tiene raíces que se implantan en la matriz materna, tronco y un gran follaje.

La llamamos «la casita del bebé» porque se ha formado desde el principio de la gestación y forma un hogar estupendo para que el bebé se desarrolle. Es como si hubiera muchos mayordomos de lujo atendiendo las necesidades del feto, proporcionándole el mejor de los servicios: sirve comida, oxígeno y cariño, depura lo que sobra de las funciones del cuerpo del bebé, mantiene la temperatura y hace de barrera protectora para los extraños que quieran entrar.

Sonia E. Waters. Comadrona.

Anna y el Taj Mahal

Anna nació el 18 de junio de 2009 a las 15.18 h. Empezamos todo un proceso de transformación, de lecturas, búsqueda de médicos, clínicas y otros, fue entonces cuando la idea de un parto en casa empezó a cobrar forma pero, claro, con cierto temor. «¡¿Y si hay algún problema...?!», que no es más que el miedo a lo desconocido.

El miércoles por la tarde me entraron muchas ganas de pasear, así que cogí a mi madre y dimos un paseo de unas dos horas. Durante el paseo, tuve la primera contracción fuerte, que me dejó doblada, así que pensé: «¡Genial! Anna ya está a punto de llegar».

El expulsivo fue sentada en la silla de partos y colgada al cuello de Jordi, toqué la cabecita de Anna cuando empezó a coronar y eso me dio aún más fuerzas, notaba una gran presión y quemazón, y finalmente lo conseguí: Anna nació a las 15.18.

Enseguida se enganchó al pecho sin problemas, pero la placenta no salía... así que tuve un segundo parto. Con todo mi esfuerzo, tardé casi cuatro horas y media en expulsarla. Perdí bastante sangre y me quedé muy débil, así que me pusieron suero.

Vino Ortrud con el kit de homeopatía, buenas vibraciones y su gran experiencia, así que nos pusimos manos a la obra.

Tras una hora de sobreesfuerzo, pensé que no quedaría más remedio que ir al hospital, pero ante la idea de que mi niña también tuviera que ir, no se de dónde saqué las fuerzas, pero al final lo conseguí. No lloré en el momento de coger a Anna; en cambio, cuando Ortrud dijo: «¡Ya está! La placenta ha salido», lloré como una niña pequeña.

Mercè Merayo.

La placenta y las emociones

Era la tercera vez que me quedaba embarazada. Lo sospechamos porque hacía algunas semanas que tenía unos vértigos un poco peculiares y no dejaba de adelgazar (¡todo lo que comía me provocaba náuseas!). Una noche, de madrugada, decidí hacerme la prueba de la B-HCG en orina y dio positiva... En casa todos dormían.

A partir del día siguiente, mi pareja y yo no nos lo acabábamos de creer... «¡Otro...!» «¿Tú crees...?», con una sonrisa dulce en los labios.

Mi primer hijo ha sido quien nos ha ido guiando y abriendo camino a medida que ha ido creciendo... Esta vez, sin embargo, queríamos que fuera diferente.

Recuerdo que a partir del segundo trimestre empecé a sufrir unos picores en la zona de las ingles, la espalda y el área lumbar. No tenía ningún antecedente familiar de enfermedad del hígado y tampoco era época de calor, así que probamos con la homeopatía, previa retirada de la soja de mi dieta (de la que, por cierto, me daba un hartón: paté, tofu, salsa soyu, yogures...). En unos diez días, el prurito había desaparecido, pero al poco tiempo regresó de una forma algo más intensa. Me preguntaba de qué quería deshacerme.

Finalmente, un kinesiólogo me dio un diagnóstico: tenía que evitar (durante el embarazo) el maíz, los derivados de la soja y los cacahuetes (¡lástima, me comía un montón cada día...!). Curioso, sorprendente y fantástico, a partir de entonces los picores desaparecieron por completo...

Los últimos meses estuvieron marcados por emociones tristes, pues las mujeres embarazadas que me rodeaban sufrieron diferentes acontecimientos fatídicos que me ocasionaron pena, empatía y una amarga dulzura. Por otra parte, mi abuelo fue ingresado por fractura de fémur diez días antes del parto...

Tumbada ya en la cama, con mi compañero a mi lado, no podía conciliar el sueño, pues imaginaba que había llegado el momento de empezar a disfrutar de lo que había preparado durante los últimos meses: música, velas, una ducha, bailar, dejarme ir, respirar... Mi hijo mayor dormía en la habitación de al lado.

Al cabo de unos cuarenta minutos, las contracciones comenzaron, y de repente parecía que mi cuerpo guardaba el recuerdo. Yo disfrutaba de aquellas olas intensas en silencio, exhalando el aire con la boca bien abierta. Sentía que ya venía. En la habitación, soplaba como pez con cada contracción, intentaba hacer el 8 con la pelvis.

Recuerdo agotamiento estando de pie y necesidad de liberar la pelvis de todo el peso y el dolor de las contracciones. Mi compañero me cogió la pierna que quedaba más arriba y me hizo unos movimientos que habíamos aprendido en el curso de preparto para facilitar el paso por el canal. En ese momento, sentí que «ella» ya estaba aquí... La notaba avanzando... Preparé un montón de cojines sobre la cama (tatami) y me dejé caer el pecho, dejando libre la pelvis. Me trajo una vela que había hecho mi hijo mayor para que me iluminara el camino. Así, a cuatro patas sobre la cama, un ardor intenso me hizo gritar mientras María entraba por la puerta. La cabeza de mi hija ya salía. Di un pequeño grito, respiraba profundamente, ya me avisaría cuando quisiera salir del todo. Oía la voz de María: «Muy suave, Núria, suave...». En la próxima contracción acabó de salir. Duna había llegado.

Qué placer encontrarse en la propia cama, con la luz tenue, el silencio, la tranquilidad y el ritmo que una va decidiendo después de dar a luz... Tras leer el libro *Por un nacimiento sin violencia*, de F. Leboyer, entendía que esta etapa, justo los momentos posteriores a la salida del útero materno, debían ser especialmente cuidados, respetando lo que los adultos entendemos que es lo mejor para nuestros bebés; Duna y yo pasamos juntas en la cama los primeros diez días, oliéndonos, mimándonos, mirándonos, acariciándonos, descansando y comiendo.

Recomiendo decididamente desde este escrito que se pueda planear un posparto donde la madre sólo contemple al nuevo recién nacido.

En cuanto a la induración placentaria, lo primero que me preguntaron fue si había sufrido algún disgusto durante el embarazo, pues era evidente que se trataba de un infarto placentario...

Núria Calbet.

Multiculturalidad: etnias, idiomas y viajes

Está claro que el cruce de culturas en nuestra sociedad es una realidad cada vez más viva, y que todos nosotros aprendemos de los quehaceres de los demás también.

En Marenostrum, el equipo es multicultural e internacional, y cada uno de los miembros abre su mente aceptando otras costumbres, idiomas y estilos de vida. Así mismo, se refleja en las personas inquietas y despiertas que buscan alternativas al mundo de la sanidad convencional que acuden al centro de salud. Son familias especiales que provienen de diferentes países, que viajan, que se amoldan a nuevas circunstancias y que han pasado por situaciones difíciles por el simple hecho de haber cambiado de ámbito personal y profesional. Desean embarcarse en otro viaje, que es el parto, con otro rumbo y otras características.

La lista es extensa: Brasil, Rusia, Inglaterra, Colombia, Francia, Japón, India, Alemania, Italia, Ecuador, Guatemala, Estados

Unidos, Méjico, Argentina, etc. Y, muchas veces, parejas multirracia-
les con hijos mestizos y políglotas.

Cuando se hablan otros idiomas siempre nos acompaña
alguien que traduce, y si no, nos comunicamos haciendo uso del idioma corporal, que es muy útil durante el proceso del parto, tan instintivo y poco racional. Y a pesar del entendimiento, está el conocimiento
que tiene la mujer para saber parir sin necesidad de lenguaje.

Es gratificante atender a parejas que hablan otro idioma,
pues las sonrisas y las miradas de complicidad son universales.

Sonia E. Waters. Comadrona.

La madre que vive en Congo

La relación que se establece con las comadronas durante
el embarazo es lo que me ha parecido genial del parto en casa. Es
reconfortante saber que cuando se acerca el momento del nacimiento cuentas con personas que te conocen, en las que confías, que te
acompañarán y te cuidarán en el proceso (en mi caso, dos comadronas y mi marido).

Tenía conocimientos claros del proceso fisiológico del
parto, que me ayudó a tener seguridad en mí misma, y en la sabiduría
de la naturaleza. Hice yoga, me alimenté muy bien durante el embarazo y visité a un osteópata para sentirme fuerte física y emocionalmente. Estaba tan convencida del parto en casa que en vez de temer
el parto tenía muchas ganas de que llegara el momento.

Entonces, un día después de mi fecha probable de parto,
llegó el tan esperado momento, me sentía preparada y feliz.

Me metí en la bañera para darme un baño caliente (que
dicen que ayuda a dilatar) y me puse a meditar con unos CD de auto-
hipnosis de Gowri Motha (Método Jeyarani) que me dejó una amiga.
Los había escuchado algunas veces con algo de escepticismo; sin embargo, pensé que no me irían mal. Me invadieron unas ganas terribles

de limpiar el suelo, me hace gracia pensar lo parecidas que somos todas cuando dejamos que la naturaleza haga su función. Luego, una vez el suelo estaba reluciente, tuve mi primera contracción dolorosa.

Todo transcurrió muy deprisa, pero no sé cuánto, ya que era mi primera vez. No osaba pedirles a las comadronas que vinieran todavía, pero al hablar conmigo por teléfono se dieron cuenta de que tenía contracciones muy seguidas y que yo quería meterme en la piscina, así que se pusieron en camino (estaban a una hora en coche).

Desde ese momento no me acuerdo de casi nada: entré en otro planeta completamente y dejé que la naturaleza ejerciera su trabajo. Sorprendentemente, me di cuenta de que lo que se repetía en el CD de hipnosis me ayudaba, me dejaba relajar entre las contracciones tanto, que mi cabeza se deslizaba, y mi marido me la tenía que aguantar mientras me daba agua con una pajita. Luego, sentí cómo algo salía y que tenía ganas de empujar. Era la bolsa de las aguas (¡todavía no había roto aguas!). Poco después llegaron las comadronas, sin tiempo de montar la piscina. Hice tres pujos, las aguas se rompieron en el segundo, y Julia nació en el tercero, limpia y rosadita, ya que tuvo el pasaje fácil por estar acolchadita con las aguas. La tuve en mis brazos inmediatamente y mamó minutos después, la miré, y admiré el gran trabajo de las comadronas.

Confié tanto en ellas que no fue hasta más tarde que me di cuenta al ir al baño que estaba todo recogido y nunca se hubiera notado que había habido un nacimiento en mi apartamento unas horas antes.

Encontré maravilloso recibir a Julia en la intimidad de nuestro hogar, quedarnos allí, sin intrusismos, para arroparla en su transición al mundo del ruido y la gravedad. La llevamos en brazos piel con piel durante dos días, tuvimos visitas de la familia y de los amigos más cercanos para así prolongar la burbuja de magia en la que estábamos metidos los tres. A mi marido le gustó la experiencia tanto como a mí, y fue maravilloso sentir que él tenía el «subidón» como yo, aunque no hubiera dado a luz. El equipo (comadronas, médico homeópata y la asesora de lactancia) no visitó en casa casi cada día durante una semana; nos encantó que vinieran, eran discretas y nos animaban a hacer algo que yo ya sentía: una fuerte conexión con la madre naturaleza y un instinto maternal muy potente. Creo fervientemente que el dar a luz tiene que volver a verse como un proceso natural e instintivo, que nuestro cuerpo sabe lo que hace y que los profesionales están allí para apoyarnos, no para hacerlo por nosotras.

Cuando las cosas van mal, la existencia de los hospitales y las cesáreas es un regalo, pero el embarazo y el parto no son enfermedades y no se deberían tratar como tales.

Concluyendo, el paso del vientre materno al mundo exterior no es un camino fácil... Me alegro de que mi hija fuera recibida por mis brazos y en el entorno cálido de nuestro hogar.

Mónica Castellarnau.

La madre rusa

Siempre había querido parir en casa porque mi hermana ya lo había hecho en mi tierra natal, Rusia, y había tenido muy buena experiencia. Sabía que tenía que prepararme bien. Mi marido y yo fuimos al curso de preparación.

La comadrona llegó y me tactó, estaba dilatada de seis centímetros, y esto me causó algo de frustración porque tenía la esperanza de que el bebé quisiera salir ya, pero, ya se sabe, paciencia...

Mi marido iba de un lado para otro calentando en el microondas los calcetines rellenos de granos de arroz y colocándomelos en la espalda, que me aliviaba mucho.

Cuando Mireia llenó la piscina, me metí. En ese momento, fue cuando mi preparación prenatal sirvió: me iba repitiendo las frases de los CDs que iba escuchando, me animaba pensando en mi madre, que lo consiguió cuatro veces, y también en mi hermana, y me repetía a mí misma que yo también podía.

Me centré en el bebé, darle el tiempo suficiente para ir a su propio ritmo y que no se sintiera asustado. Con estos pensamientos, me di cuenta de que era necesario controlar la mente para no entrar en pánico.

Finalmente noté el «aro de fuego», seguido de un «gluc»; la cabeza salió, y el cuerpo nació con la siguiente contracción. Mi marido lo cogió de debajo del agua y lo acompañó hasta la superficie, cuando vimos que su cuerpo estaba envuelto en la bolsa amniótica. Como no había roto aguas, pensé que el camino no había sido tan difícil para él... Todavía no me lo creía, era surrealista.

Reflexionando, estoy muy contenta de haberlo hecho así: éramos sólo nosotros, juntos, bajo nuestras condiciones, fue suave, un acontecimiento familiar... Sentimos que le hemos dado a nuestro bebé el mejor comienzo de la vida, ya que es feliz y tranquilo. La comadrona creó un ambiente íntimo pero seguro a la vez. Hablamos en inglés, lo que fue fantástico, pues ¡mi español se esfumó de repente! No cambiaría nada de la experiencia.

Olga Belova.

Surya: saludo al sol y pastel de chocolate

Me llamo Surya Manon, nací en casa en sólo cuatro horas, catalano - francesa, concebida en Andorra sin quererlo, y acabé siendo lo más querido de mis padres tres meses después, cuando se enteraron.

Mamá era de estas pijitas que se operó los pechos y siempre había tenido mutua privada. Meses antes de saber de mi existencia, aseguraba que nunca daría el pecho (con la ilusa teoría de que así no se le caerían y compartir la lactancia con el padre), *of course* clínica privada y, a más a más, cesárea, que así salen más guapitos. Cosas de la desinformación.

Papá: hippie, vivió varios años en África, vida bohemia por Suiza y Francia y con ideas muy liberales.

Tal cual supieron de mi existencia, les cambié a los dos sus maneras de pensar. ¡Buf! No creáis que no me costó, pero todo por amor, por salud de las dos y... porque es lo natural. Mamá, como primeriza, empezó a leer mucho sobre el embarazo, lactancia y parto. Cuanto más se informaba, más se escandalizaba de lo equivocada que había estado. No es que esperáramos violines ni un momento romántico, pero sí un poco más de tacto, humanidad.

Mamá empezó a tener claro que quería que naciera en casa y, por supuesto, lactancia materna; aun teniendo complicaciones por el tipo de operación que le habían hecho, no desistió en intentarlo por todos los medios.

Papá, con todo lo liberal y su experiencia en partos, tenía miedo de que algo nos pasara a alguna de las dos, y aun estando de acuerdo con el parto natural, tenerlo en casa era demasiado.

Conocimos a Sonia, una de las comadronas, y su talante tranquilo y el tener a alguien que nos regale su tiempo y escuche los miedos e inexperiencias de mis papás fue toda una revelación.

En El Mago de Oz, Judy Garland decía *There is no place like home* [no hay un lugar como en casa].

El día siete por la noche, después de hacer el amor, mamá tuvo contracciones muy flojitas, y por la mañana del ocho le dijo a papá que era hoy el día. Después de una hora en el hospital con monitores que miraban si yo me movía y si mamá tenía contracciones, el médico nos dijo que esto podía ir para largo, podría ser tanto una semana como dos.

Al ser la primera vez, tanto para mamá como para mí, nos fuimos a casa pensando que quizás tendría razón y nuestro presentimiento fuera erróneo; decidimos hacer un pastel para papá, ya que siempre es él quien nos cuida con sus delicias debido a su oficio de cocinero - pastelero.

El proceso del pastel se alargo más de la cuenta, se nos rompieron cuatro huevos, fundimos un cuenco de plástico en el horno, y cuando el pastel ya estaba a punto... empezamos con contracciones dolorosas. Papá nos llamó, y le aseguramos que yo llegaba ya.

Papá hacía masajes a mamá en las lumbares, y esto le aliviaba, fue cronometrando las contracciones, y sin esperar a ver si durante una hora eran regulares, llamó a Sonia, quien al escuchar los gritos de mamá conoció esa canción y vino enseguida. Poco después llegó María, gracias a ellas vivimos los momentos más bonitos de nuestras vidas (hasta ahora claro, ya que aún me queda mucho por vivir). Parecía que estuviéramos los tres solos.

Papá gritaba con mamá, y desde dentro yo pensaba que cantaban. Empezamos en la bañera con agua muuuy caliente, velitas y un ambiente romántico. Mamá, después de una hora, estaba cansada, y pasamos a la cama. La posición que su instinto le pedía era a cuatro patas, y después de tres horas le temblaban las piernas. María le propuso (no le impuso) probar la silla de partos, y fue allí que mamá se relajó. Las piernas estaban relajadas, papá por detrás le masajeaba y le aguantaba en las contracciones; en tres contracciones salió mi cabecita, seguidamente el resto del cuerpo.

Fue el primer abrazo de mamá y papá, los tres unidos, hasta el día siguiente no lloré, pero mis padres no paraban, así estuvimos una horita todos juntos en la cama. Durante este tiempo, subí yo solita hasta el pecho de mamá, me costó elegir entre uno y otro, y al final empecé mi proceso de lactancia, al que mamá tenía tanto miedo.

Guardamos mi placenta para plantar un árbol y así dar a la tierra lo que la tierra nos ha dado.

Heba Iglesias, mamá de Surya.

Haptonomía y conexión

Sentirse Viva

Hace poco más de diez meses que estás entre nosotros, y la verdad es que me cuesta imaginar cómo era la vida sin ti. Desde el primer día has sido una pieza más en nuestro puzzle, así como lo fue con Zoë. Y gracias a Arianna por darnos seguridad, tranquilidad y fuerzas.

Tu embarazo fue muy bonito, tranquilo y fácil. Acudimos a clases de haptonomía, los tres nos comunicábamos contigo cada día tocando la barriga con nuestras manos, sentías nuestro calor, respondías, no del todo igual con cada uno de nosotros. Así como las manos, escuchabas nuestras voces, la de Zoë te hacían mover de una forma, la de papá, de otra.

Sorpresa: al hacer pipí, se me cae parte del tapón mucoso. Yo seguía tranquila, no tenía en mente que nacieras hasta dentro de unos cuantos días.

Zoë, mi hija de tres años y cuatro meses, estaba conmigo. Nos preguntaba qué me pasaba, todo le parecía normal, iba a llegar su hermanito y estaba muy feliz y tenía muchas ganas de asistir al acontecimiento.

Me paseaba pasillo arriba, pasillo abajo. Pasear me permitía pasar las contracciones suavemente. Arianna se ponía conmigo para gritar y abrir bien la boca, me hacía masajes...

Pero Dante no parecía aún querer salir. Hacia las 12.00, otro baño, esta vez me relajé tanto que me dormí unos veinte minutos, fue un sueño muy reparador. Zoë, que se había dormido hacia la una de la mañana y se despertó a hacia las 8.00, empezaba también a cansarse.

Arianna y María, siempre muy delicadas, no invasivas, nos dejaban mucho tiempo a solas con Xavi y Zoë; sólo aparecían en momentos para charlar, ayudarme a pasar las contracciones, hacer vida familiar, porque eran parte de la familia, de nuestra vida en ese momento.

Pasó exactamente lo que me pronosticó el acupuntor: dormí unos veinte minutos y empezó el expulsivo, no duró más de 1/2 hora, fue muy intenso. Recuerdo gritar como un animal. Para Xavi es volver a nuestra esencia animal.

Con el tercer grito, la cabecita ya está fuera. Ahí siento el círculo de oro, ese momento en el que no llega la siguiente contracción, se me hace interminable, pero me siento feliz, finalmente llegó el momento, el momento que parecía no llegar, que parecía no ser para mí... Llega la cuarta contracción y sale mi bebé.

Sólo me faltaba mi princesa, creo que es lo que más extrañé en aquel momento, mi princesa cerca de nosotros.

Veo la cara de Dante buscando esa voz, parecía reconocer la voz de su hermana. Esa cara de bienestar y alegría al escuchar una voz muy conocida, lo coge muy suavemente.

Estoy eternamente agradecida a todas las personas que hacen posible creer en una, en nuestros instintos, en la vida. Deseo a toda mujer y mamá que pueda pasar por lo que he pasado porque eso es vida, es la vida misma y es lo que te hace sentir VIVA.

Manuela Franjou.

Un inciso acerca de romper aguas

Todavía es un misterio el factor que desencadena la rotura de la bolsa amniótica donde vive y crece el bebé. El líquido crea un ambiente estéril y caliente y amortiza las agresiones del exterior. Después de una serie de reacciones químicas (físicas o emocionales), el bebé da la señal de que quiere nacer, y la bolsa se abre y fluyen las aguas.

Entonces, si la madre no está de parto establecido, la bolsa abierta puede crear un ambiente hostil para el bebé. Por esta razón, no se puede ignorar el hecho de haber roto aguas.

En Marenostrum, ponemos en marcha un estado de alerta especial comprobando el bienestar del bebé y de la madre para descartar la presencia de una infección. Con el fin de activar el inicio del parto, aplicamos medidas de estímulo natural (acupuntura, homeopatía...) y proporcionamos apoyo y seguimiento con analíticas de sangre, temperatura materna, color de las aguas, etc.

El siguiente relato ilustra este proceso.

Sonia E. Waters. Comadrona.

La mujer más feliz del mundo canta

Afortunadamente, desde el principio Jose y yo estuvimos de acuerdo en llevar el embarazo y el parto de la manera más natural posible.

En la segunda ecografía, a mediados de agosto, nos dijeron que el bebé era un niño: Simón, Gael Simón. Le compuse canciones que cantaba en la ducha o cuando nos quedábamos solos.

En el mes de septiembre comenzamos las clases preparto, en las que me enteré de que hacer el amor durante el embarazo es el mejor ejercicio preparatorio para asegurar un buen parto. ¡Genial!, y también el yoga para embarazadas.

Recuerdo la primera clase de yoga como una de las mejores experiencias que he tenido durante todo el embarazo. La conexión con mi hijo durante las clases era total. Gracias por los asanas suaves pero fuertes, por enseñarme el valor del silencio y por descubrirme *El Tao de la Maternidad*. La amistad que nació con las otras madres en las clases de yoga también fue algo muy especial.

Llegó la tercera ecografía, en la que dijeron que Simón era pequeño y que había que hacer un seguimiento de su crecimiento, así que prueba por aquí, prueba por allá. Alicia tenía el poder de conseguir que la confianza volviera a instalarse en mí en esos momentos en los que parece que algo se tambalea.

Rompí aguas de manera inesperada un 28 de diciembre a las 19.00 h., como ocurre siempre con estas cosas. Las contracciones no aumentaban en intensidad, aunque seguía mojando empapadores con aguas más o menos transparentes. Mientras, Jose dormía tranquilamente. Amaneció.

Llamamos a Marenostrum, y María me dijo que tenían un plan para nosotros: ¡Ir a pasear tres horas por el Tibidabo! Una vez más pensé que esa misma noche daría a luz a mi primer hijo. Tomamos homeopatía y tuvimos sesión de acupuntura, pero una vez más amaneció, y las contracciones no habían aparecido.

Durante el día hicimos una sesión de monitores para asegurarnos de que Simón estuviera bien, y fuimos a Marenostrum para confeccionar un plan.

Al llegar a casa tomé el aceite de ricino y llamé a una amiga que tuvo a sus tres hijos en casa. Me dijo: «Qué alegría, ya queda poco; deja que ocurra, olvida tu mente». Dejé que mi amiga hablara y empecé a sentirme como cuando hueles en el aire que se acerca una tormenta, como si algo estuviera a punto de descargar, no sé; los estados emocionales durante esas horas fueron realmente espectaculares e intensos.

Llegó Llàtzer con sus agujas y sus sabios consejos para hacer una segunda sesión de acupuntura. Cuando terminó, dijo: «Cada una de las células de tu cuerpo sabe lo que tiene que hacer, así que deja que lo haga, no intentes controlarlo, improvisa, lánzate, como cuando subes a un escenario». Cuando Llàtzer salió por la puerta, ¡me decidí a perder la cabeza! Solté los hombros, gesticulé exageradamente, lancé sonidos guturales y algo ocurrió. Las contracciones empezaron a llegar y eran contracciones de parto. ¡GENIAL!

Eran las siete de la tarde del 30 de diciembre, y aquello fue imparable. Las primeras contracciones son muy sexuales. Desde el fondo de mi ser les daba la bienvenida. Cuando una contracción acaba, y hasta el momento en el que comienza la siguiente, todo es paz, calma, cuando la contracción empieza todo es fuerza, superación, poder. Sentía que mi hijo y yo nadábamos en la misma dirección.

Tuve la gran suerte de que Adela, junto a María, me acompañara en el parto.

Pasaron unas horas hasta que sentí unas terribles ganas de empujar: era la fuerza de la vida de mi hijo, que estaba saliendo al mundo. Dije: «Estoy empujando», y los tres dijeron: «¡BIEN!».

Escuché una respiración desconocida, mi cuerpo se erizó. Después, Jose me ha contado cómo me vio convertida en un animal. La nota cómica fue la visita del vecino a las cuatro de la mañana para decir que respetaba nuestras prácticas sexuales pero que eran las cuatro de la mañana y tenía que madrugar al día siguiente. Cuando Jose le dijo que estábamos de parto el pobre no sabía dónde meterse.

Y llegó el momento. Me puse de pie, me estiré. Me sentía como si fuese a dar una conferencia ante un auditorio de un millón de personas o como si fuese a correr la maratón; llegó la contracción y entonces «Aaaaaaahhhhh».

Sentí que sí, que ya estaba aquí, y, de repente, el milagro: toqué la cabeza de mi hijo, y en la siguiente contracción, Jose lo puso entre mis brazos. Me puse de pie. Empecé a acunarlo. La emoción es tan fuerte que no cabe en una hoja de papel. Simón nació el 31 de diciembre de 2009 a las cuatro y media de la madrugada.

Simón pesaba 3.100 gr. y estaba siendo atendido por las mujeres más maravillosas del planeta, sus hadas madrinas. Quedaba brindar con cava y con zumo de placenta.

Simón, sobre mi pecho, llegó instintivamente hasta el pezón y comenzó una lactancia adorable.

Sonia Barba.

Capítulo VI
Cartas a nuestros hijos

Jana: momentos trascendentales

Pequeña Jana:

La noticia de tu embarazo vino acompañada de pánico: pánico de saber que volvíamos a tirar los dados y que nos enfrentábamos nuevamente a la posibilidad del dolor más grande: como el de la pérdida de Joel, o de la mayor felicidad, la de tu llegada, y que una sin la otra no existían. Para recibir el regalo de amor más grande teníamos que exponernos una vez más a lo que nos quisiera traer la vida... Dos días de miedo y dolor y, curiosamente, después de la aceptación sincera de todas las posibilidades, todo fueron certezas a lo largo de los nueve meses: la certeza bien temprana de que eras una niña, la seguridad interior de que todo iba bien y de que tú habías venido para quedarte, e incluso la certeza del día en que nacerías y de cómo sería el parto (fácil y rápido).

Queríamos un parto natural en casa porque creemos que el nacimiento y la muerte de una persona son momentos trascendentales que hay que vivir con la máxima intensidad humana, con reverencia por los ciclos de la naturaleza, con dignidad y mucho amor, en vez de «pasarlos» rodeados y determinados por la técnica, por profesionales que son unos extraños, por protocolos médicos y por pautas preestablecidas para unos acontecimientos que, necesariamente, son únicos e irrepetibles para cada ser humano.

Queríamos que nacieras en tu casa cuando fuera el momento, y nuestros cuerpos colaboraran conscientemente para hacerlo posible; que fueras recibida por las manos amorosas de tus padres y que, durante tus primeras horas en este mundo, pudieras sentir nuestra bienvenida sin separaciones, sin ser alejada de los pocos referentes sonoros, olfativos y táctiles que conocías. La báscula, la medición, las manipulaciones médicas, incluso las visitas —para ti ruidosas e incomprensibles— podían esperar unos días... El embarazo fue bueno y sin complicaciones, y muy pronto te hiciste notar, dando señales de vida cada dos por tres, como si quisieras tenerme bien tranquila: me despertaba por la mañana y pensaba: «Jana, ¿estás aquí?», y enseguida llegaba tu movimiento, suave pero firme, como los que haces ahora también. Y, mientras te ibas haciendo un lugar en mi barriga en expansión, ocupabas también más y más centímetros cúbicos de corazón, más y más pensamientos, ilusiones, propósitos, ¡hasta llegar a sorprenderme de cuánto podía quererte incluso antes de nacer!

El último mes se hizo larguísimo, con las ganas que tenía de conocerte... El 9 de junio salíamos de cuentas, pero yo sabía que llegarías el día 3, el día de nuestro aniversario con Joan, cinco años después... Gané la apuesta, a pesar de que ahora me digan que no vale, ¡que empujé para que salieras ese día!

Lo cierto es que mi cuerpo llevaba ya muchos días preparándose, con contracciones suaves que iban abriendo camino, y el día antes ya estaba dilatada de tres o cuatro centímetros. Todo mi ser estaba a punto para el momento en que decidieras iniciar el proceso: corazón, cabeza y cuerpo abiertos a ti, sin ningún miedo...

El miércoles 2 por la noche las contracciones se hicieron más seguidas, y tuve la certeza de que llegarías al día siguiente: acabé de planchar la ropa y de recoger la casa (sabiendo que en muchos días no podría volver a ello) y me fui a dormir. Recuerdo sentir las contracciones intensificarse entre sueños, y comenzar a sentirlas también en los riñones y pensar con alegría: «¡Mañana!».

A las tres y media de la mañana me desperté por el dolor y me levanté para pasear. Me hice a la idea de pasar así algunas horas, pero de repente fui consciente de que aquello iba muy rápido: contracciones cada cinco minutos de intensidad creciente, ir de vientre una y otra vez, pequeñas pérdidas... Desperté a Joan a las cuatro para que avisara a María y le preguntara si las pérdidas eran normales. Mientras tanto, yo estaba en la ducha, dejando caer el agua caliente sobre la espalda, y ya no pude ponerme al teléfono porque no me sentía en condiciones de razonar ni de hablar: iba interiorizando la conciencia, centrándome para convivir con el dolor, para acompañar el cuerpo, para acompañarte a ti...

Poco después (¡menos mal que vive también en Molins!) llegaba María. Yo estaba ya de cuatro patas sobre la cama y sentía que el parto era inminente. Lo único que necesitaba era la presencia de Joan, sus masajes en las lumbares entre contracción y contracción y agua para beber. El resto lo hacías tú, pequeña, ¡y lo hacías muy rápido! Yo únicamente te dejaba hacer, intentando facilitarte el viaje, pensando solamente en ti a cada dolor. María nos dejó hacer, estaba sentada en un rincón detrás de mí y sólo una vez le pedí que comprobara tus latidos, porque necesitaba saber que estabas bien, al no sentir tu avance durante un par de contracciones. Sí que lo estabas y ¡poco después la recuerdo diciendo que ya podían ver tu cabeza! Cuando la sacaste y esperabas la siguiente contracción para acabar de salir no quise tocarla: quería verte toda, tocarte toda, ¡y que fuera ya! Saliste, te pusieron entre mis rodillas y aquí se acaban las palabras, amor mío, porque cuando te vi entera, tan rosadita y bonita, con los ojos achinados e hinchados, los labios generosos, bien hecha, con pliegues en los brazos y las piernas... se desbordó el corazón y los ojos detrás de él y el sentimiento era absoluto... Todavía no eran ni las seis menos cuarto de la madrugada.

Mientras esperábamos a que el cordón (tan grueso pero corto) dejara de latir para cortarlo, tú, que no llegabas al pecho, ya

llorabas con fuerzas, impaciente como ahora. Y tan pronto te aga-
rraste a él, con aquella fuerza desproporcionada a tu pequeño cuerpo, ya estuviste bien. Supongo que la hora que la placenta (tu casita
durante nueve meses, como dice María) tardó en salir no hice otra
cosa que mirarte, porque no recuerdo nada. La hemos guardado y la
plantaremos, para que la tierra sepa que tiene otra alma que alimentar.
Después me cosieron, dejaron las infusiones preparadas, los papeles
rellenos y, cuando se marcharon, papá fue a buscarme la palmera de
chocolate que le pedí (¡el primer y último capricho del embarazo!).
Mientras tú dormías entre nosotros, desayunamos en la cama. Y qué
bueno estaba ese desayuno, después del esfuerzo, con la felicidad de
ver cómo el nuevo día que se colaba entre la persiana te saludaba a ti
también... Allá afuera aún no lo sabían, ¡pero el mundo era más bello
desde hacía poco!

Después no hice otra cosa en todo el día que observar
cómo dormíais papá y tú, con el corazón a punto de reventar de
felicidad: en nuestra cama, en nuestra casa, sólo nosotros tres, los
primeros momentos juntos... Porque papá, a pesar de que había dicho
que el parto había sido «demasiado rápido y demasiado fácil», durmió todo el día, como si lo hubiera chafado una apisonadora. Yo, en
cambio, me sentía tan excitada que era incapaz de cerrar los ojos, no
quería perderme ningún segundo de felicidad...

El posparto fue tranquilo y relajado, porque apareció una
hemorroide oportuna que me obligó a cumplir el reposo que, de otro
modo, seguramente no hubiera hecho, y me forzó a dejarme cuidar.
Fue entonces que nos acostumbramos a que durmieras encima de mí
¡y ahora no sé cómo conseguir que hagas las siestas sin mí! La subida de la leche fue suave, y la única incidencia de la lactancia fue que
las primeras semanas te gustaba más dormir que comer y te costó ir
ganando peso. Por lo demás, es un placer inmenso verte agarrada a
mi pecho, nutriéndote, tan cerca de mí, confiada y disfrutando del
calor, moviendo las manos dulcemente. Me encanta cómo, cuando lo
sueltas, echas la cabeza para atrás y la dejas caer sobre el pecho para

dormir encima de él, como si lo vigilaras. Me resulta tan evidente que lo único que necesitas es esto: el pecho y nuestro calor...

Ahora veo cómo te vas despertando cada día: los ojos más abiertos, más atentos, la expresión más rica, creciendo a marchas forzadas. Y cada vez que, en lugar de verte con la mirada lo hago con el corazón, se me vuelven a llenar los ojos de lágrimas de felicidad. ¡Me siento tan afortunada!

Lo único que me ha sorprendido de la maternidad es el grado de dedicación, de entrega, que supone. Pensaba que mientras durmieras podría hacer mis cosas, ¡pero no contaba con que no querrías dormir sin mí! Mi vida eres tú. A pesar de la sorpresa, está resultando, está fluyendo todo tan naturalmente... No puedo pensar en nada más importante que hacer que estar por ti y disfrutarte, Jana. Nada más enriquecedor que tú...

Marta Lahoz i Casarramona.

Esto es para ti, Júlia

Mi primer hijo, Joan, nació en el hospital. Y no fue hasta mi segundo embarazo que no me di cuenta de que Joan podía haber nacido de otra manera, sin el pack de oxitocina, epidural, un desgarro considerable...

Llegué a Marenostrum a través del grupo de lactancia ALBA de Sant Andreu. Allí me encontré con madres que explicaban que sus bebés habían nacido en casa, y entonces empecé a mirar por internet y buscar información. Así que cuando me quedé embarazada de Júlia, no dudé en ponerme en contacto con Marenostrum. Desde la primera visita, me sentí respetada y escuchada.

Eso era lo que quería. Los meses fueron pasando, y tuve varias consultas con la comadrona que me llevaría el parto: Alicia. Aunque tenía que ir al centro de salud para las revisiones, análisis y ecografías, Alicia siempre estaba allí cuando la necesitaba, resolviéndome dudas, miedos o cualquier tema que no viera claro. El embarazo lo llevé de una forma mucho más natural y sencilla que el anterior.

También fui a clases de yoga con Llàtzer, y tengo que decir que me ayudaron muchísimo a la hora del parto: la respiración, las diferentes posiciones para relajarme, los mantras...

No quise ver vídeos de partos en casa por internet. Ni leí libros, a excepción de uno que se titula *Parir sin miedo. El legado de Consuelo Ruiz Vélez-Frías;* son historias de experiencias de esta comadrona. Ella afirmaba que los principales enemigos del parto en casa son cuatro: la ignorancia, el miedo, el dolor y la impaciencia. Esta frase me siguió durante todo el embarazo, y el día que parí me di cuenta de que tenía toda la razón. Si estamos informadas, relajadas y no tenemos prisa, las cosas salen mucho mejor.

El viernes 11 de diciembre me levanto a las cuatro de la mañana porque tengo hambre y empiezo a sentir pequeñas molestias en los riñones. Pienso que no queda mucho tiempo, que dentro de poco te podré ver. Durante el día voy teniendo contracciones, pero irregulares. Voy a comprar, hago pollo al horno y a las tres llamo a la yaya para que me acompañe a buscar a tu hermano a la guardería. Las contracciones son irregulares pero las sigo teniendo. Me noto nerviosa y le paso mi estado a Joan. Tu abuela también me nota nerviosa. Hacia las siete llamo a Alicia para comentarle que llevo todo el día con contracciones y ahora son cada treinta minutos más o menos. Quedamos en que la llame hacia las diez. Cenamos un poco de tortilla, papá se hace una pizza, y Joan no come mucho. Decidimos que papá se lleve a Joan a casa de los abuelos. A las diez, las contracciones son regulares, cada veinte minutos. Papá pone una película donde no hay mujeres fértiles en el mundo. Qué gracia, ¿no? Y yo aquí pariendo. A la una de la mañana llamo a Alicia para decirle que son cada seis minutos y duran unos treinta segundos. Pero estoy tranquila. Quedamos en que la llamaré más tarde, aunque Alicia me dice que si quiero va para allá. Yo le digo que prefiero esperar. Nos vamos a la cama, tu padre está cansado de controlar las contracciones. Le digo que me coja la mano, y cada vez que me viene una contracción le aprieto la mano. Me comenta que tengo mucha fuerza en las manos. Las contracciones deben de ser bastante fuertes porque ya empiezo a gemir en cada una de ellas. Los gemidos me sirven para sacar una fuerza que llevo dentro y me hace sentir que me estás ayudando. ¡Qué maravilla!

En un momento dado me giro y noto cómo tu puño rompe la bolsa. Sale agua y no sé por qué decido levantarme y voy hacia el lavabo. Papá me sigue, y le digo: «Llama, llama a Alicia». Alicia ya está de camino. Me viene una contracción muy fuerte con ganas de empujar. Papá me coge porque creo que me voy a caer. Me lleva a la habitación y me pongo de cuatro patas. Así paso los 25 minutos hasta que llega Alicia.

Son las 2.08 h. de la madrugada. Alicia sube muy rápido. Papá le dice que baja para aparcar el coche, pero Alicia le dice que espere, ya que me quiere ver primero. Yo sigo en la habitación, pero no acabo de estar cómoda. Alicia me toca, y noto cómo me pone el aparato en la barriga para notarte. Entonces, me dice: «La Júlia está bien», y la frase mágica: «Estás dilatada al completo». Me va haciendo unos masajes en la zona del cóccix que me relajan muchísimo con las contracciones que tengo. Noto cómo tu cabeza quiere salir de mi cuerpo. Tienes ganas de salir. Intento ponerme en la silla de partos, pero no me acabo de sentir cómoda. Decido ponerme de rodillas en el suelo con los brazos apoyados en la cama. Y allí decido parir. Le digo a Alicia que me quemo, y pasado muy poco tiempo, sale tu cabecita y en seguida el cuerpo. Te cojo y no me lo creo. Al fin y al cabo no ha sido tan difícil.

Papá y Alicia me ayudan a ponerme en la cama y te cojo. Lloras con fuerza. Estás viva. Y te ponen encima de mí, piel con piel. A las 3.05, papá corta el cordón, y quince minutos después sale la placenta suavemente. No hace daño. Una hora después de nacer, te enganchas al pecho y empiezas a mamar. Nos hacen un batido con un trozo de placenta y zumo de naranja. ¡Está buenísimo!

Hacia las 4.15, me miran la zona del perineo; tengo un pequeñísimo desgarro. Alicia me cose un punto y me dejan acostada contigo al lado. Hacia las 5.15, Alicia y María se van y nos dejan descansar. Tú y yo desnudas, piel con piel. Recordaré aquellas horas para siempre. Felicidad absoluta los tres en la cama, durmiendo sin nadie que nos moleste. Qué diferencia con el parto de Joan. Ha valido la pena. La mejor experiencia que una mujer puede tener en su vida. Dar a luz sin ningún tipo de medicación. De forma natural, como se ha hecho siempre.

Espero que cuando leas esto y puede que quieras ser madre, tomes la decisión correcta. No sé cómo será esto de tener hijos dentro de unos años, pero espero que se humanice lo suficiente como para que las mujeres podamos decidir cómo y dónde queremos parir.

Te quiero. Mamá.

Mireia Miralles.

Guillem, nuestra luz

Guillem, naciste un lunes a las cinco de la tarde, el 28 de enero de 2008, el día más feliz de nuestra vida.

Pasé un embarazo fantástico, sin ningún malestar, me encontraba genial, intentaba disfrutar de cada cambio, de cada momento y transmitirte mi felicidad.

El sábado me quedé en casa. Recordaba que, en yoga, Imma nos decía que, llegado el momento, hiciéramos vida normal: que saliésemos, pero a mí me apetecía quedarme en casa, conectarme contigo, sentirte ¡Te quería entre mis brazos! Por la tarde, las sensaciones cambiaron, notaba un malestar pélvico y lumbar suave, espaciado en el tiempo, pero regular.

Envié un sms a María, pensando que quizás aquella noche querrías salir. La noche fue tranquila, dormí bastante. El día siguiente lo pasé sentada en la pelota, con una bolsa de calor; las contracciones eran espaciadas, pero no paraban. Le pedí a tu padre que no fuera a trabajar, que se quedara con nosotros. Me hacías esperar, todavía no estabas preparado, paciencia.

Desconectamos los teléfonos para que no nos molestara nadie, toda la familia estaba avisada. Aquella noche estuve sola en la cama, el dolor era más intenso y necesitaba espacio. Marc durmió en el sofá.

No dormía, me levantaba a cuatro patas, de lado, miraba el reloj, cronometraba las contracciones. ¡¡¡¡Ohhhh!!!! Pensaba: «¿Cuánto durará esto? ¡No podré aguantar!». Y te pedía que salieras. Sobre las cinco de la madrugada, las contracciones ya eran largas y regulares, así que le dije a tu padre que avisara a María, parecía que llegaba el momento. Yo, encima de la pelota en la bolsa de calor, tu padre dándome masajes, sin decir nada, era como si no estuviera, pero me acompañaba a cada segundo, era perfecto. La habitación a oscuras, música de fondo, rodeada de velas, tranquilidad, paz y amor, esperándote, amándote, amándonos.

Mientras Marc me leía un sms de mi padre diciéndome que me quería mucho, llegaba María a casa. Las nueve de la mañana. Estaba cansada, emocionada, con los sentimientos a flor de piel, creí que todo sería más rápido, y las lágrimas me abordaron. Había dilatado cinco centímetros, estábamos a mitad de camino, me animaba a mí misma y te daba ánimos a ti, lo estábamos haciendo muy bien.

Sobre las doce del mediodía rompí aguas, poca cantidad, me encantó la sensación de calor, de calma, pero luego cada vez el dolor era más intenso. Prepararon la piscina en el comedor, me apetecía relajarme, pero una vez dentro no encontraba la postura, estaba incómoda, salí... ¡Con lo que le había costado a tu padre hincharla a pulmón!

Y se inició la batalla de verdad. Me subí en la cama, de cuatro patas, cogida al cabezal, sentía que te abrías paso a cada contracción, necesitaba chillar, liberarme, abrirme, facilitarte el camino, y a cada grito me conectaba contigo, notaba cómo bajabas. Estaba totalmente hormonada, no sabía qué hora era ni cuánto tiempo llevaba apretando ni nada... Me tumbé de lado, no podía más, pero tu cabecita asomaba. ¡Un último esfuerzo! ¡Sentí partirme en dos! ¡Sentí fuego! ¡Me quemaba, me rompía! Tu cabeza salió, la toqué: húmeda, calentita, pequeña. Al siguiente empujón, oí tu voz. Estabas con nosotros. Patinabas como un pececito salido del agua. ¡Qué emoción! ¡Cuánta alegría! ¡Cuánto amor! ¡Eres perfecto! En seguida te cogiste al pecho, como si los dos lo hubiésemos hecho toda la vida. ¡Era mágico! A la media hora, salió la placenta. Mi periné estaba perfecto. Me levanté para ducharme y volvimos a la cama contigo, Guillem, nuestra luz, lo mejor que hemos hecho en la vida. Los tres en la cama, tu padre y yo te miramos, estamos fascinados, maravillados con tu presencia, brota felicidad de cada poro de nuestro cuerpo. Estás aquí, Guillem, ahora y para siempre, lo que más quiero.

Iris Dellunder.

Capítulo VII
Lactancia materna

Lactancia Materna

La mujer, como mamífera, nace, desde el punto de vista anatómico, fisiológico y antropológico, para alimentar y perpetuar la especie con su leche, y el bebé, como mamífero, nace para ser amamantado.

La mujer humana, a través de la lactancia y crianza, ha procurado, en la cadena del proceso reproductivo de la creación, la conservación y perpetuación de la especie. El hombre protege esta parte del proceso reproductivo procurando alimento, sustento y seguridad, y el bebé humano nace para vincularse y crecer a partir del contacto, el alimento, la protección y la vida en sociedad, que resulta ser la combinación de los roles de sus progenitores.

Cuando nace nuestro hijo, ese pequeño ser que irrumpe en nuestras vidas y que es fruto del deseo y del amor, todo nuestro mundo se derrumba: el orden, el tiempo, el reloj, los horarios, la imagen que teníamos de nosotras y de los demás, el sueño, los roles, las relaciones... De pronto, todo nuestro mundo se desintegra: el día y la noche se confunden, el tiempo deja de existir, nuestro cuerpo tan familiar es un desconocido, la sed, el hambre, las ganas de llorar o de reír, de abrazar eternamente a nuestro bebé o de escapar de él...

Y surge algo muy intenso, tanto, que a veces sentimos que no podremos soportarlo: un amor profundo y comprometido por ese pequeño ser humano, una sensación de responsabilidad y de imposibilidad de proteger algo tan frágil como a tu propio hijo.

Sensaciones y sentimientos contradictorios, pura esencia mamífera que se nos activa para fusionarnos con nuestros hijos, que son esencialmente sensoriales. A las sensaciones y sentimientos esenciales y necesarios para el posparto les oponemos explicaciones mentales, racionales, técnicas y buscamos respuestas fuera, en libros y manuales, en internet... Intentamos cientificar el instinto, compartimentar la lactancia en técnicas, racionalizar el vínculo... Buscamos respuestas fuera a todo lo que nos sucede, y no las encontramos porque no las hay.

¿Qué debemos «saber» para tener éxito?

Las respuestas, el manual que necesitamos se construye al mismo tiempo que se inicia el nacimiento. Nuestros hijos nacen con un cerebro prácticamente por formar. Los únicos —e importantes— estímulos que han recibido han sido durante su vida fetal; por tanto, son receptores vírgenes. Con el nacimiento y las primeras comunicaciones extrauterinas se incia una manera de percibir el mundo y percibirse a sí mismos. Su cerebro, y por tanto todo su ser, ávido de estímulos, recibe e imprime todo aquello que llega de su principal fuente de supervivencia: su madre y, en menor medida, de su otro progenitor o persona cercana.

Esa delicada y compleja red relacional que se inicia entre la madre, el bebé y el padre o pareja, y que es distinta en cada familia, es la que hace que cada familia, cada bebé y cada posparto y lactancia sean únicos.

Casi todos las dificultades que se presentan en el posparto y en la lactancia materna vienen derivadas de la dificultad para el establecimiento de dicho lenguaje entre el bebé y la madre. No permitimos que nuestros hijos sigan sus instintos después de nacer. Se perturban los nacimientos, se perturba el momento inicial del amamantamiento, se fuerza a nuestros hijos a mamar de determinadas maneras y posiciones, se les arrebata el mapa por el que se guían: el sentido del tacto y el olfato. Los vestimos y nos vestimos, los separamos de nosotras, tapamos nuestro y su olor con jabones y perfumes, los exponemos a umbrales acústicos y visuales excesivos, les ponemos horarios, pretendemos que duerman solos...

Así, el bebé ve perturbado su instinto y su patrón fisiológico y, al igual que las madres y parejas, se sienten perdidos, no desde la razón, sino desde el punto de vista sensorial. Y olvidamos, además, que cada bebé nace con un temperamento distinto: algunos se «rebelan» sabiamente y reclaman con todo su cuerpo lo que saben que necesitan: lloran, gritan, se tensan y sólo se calman cuando mamá está cerca y los acoge de nuevo en su pecho.

Otros se enfrentan al estrés con estrés, desarrollando un patrón que angustia aún más a las familias: bebés que lloran cuando van a mamar, bebés cuyas madres sienten que son rechazadas, bebés que se «pelean con el pecho». Son bebés confundidos e inconsolables.

Algunos se desconectan de sus propias necesidades en un entorno que pueden sentir poco atento con ellos. Son bebés que no piden ni reclaman: «los bellos durmientes».

También solemos olvidar que durante los primeros meses, el centro del bebé es su boca. El bebé conoce —desde la percepción sensorial— el mundo a través de la succión: la leche que fluye o no fluye, el hambre, la saciedad, el bienestar, la relajación o la tensión. El mundo entra por su boca y fluye en todo su cuerpo. Y su boca es el puente a través del cual se comunica con el mundo, que fundamentalmente es su madre, y donde inicia la percepción de sí mismo.

La manera en que amamantamos y nutrimos a nuestros hijos influye no sólo en los aspectos fisiológicos y de crecimiento sino en la visión del mundo y de sí mismo como ser humano.

El nacimiento y posparto, como cualquier proceso de cambio y reajuste, es intenso y plagado de dudas, pero también de satisfacción y felicidad. El amamantamiento debería ser placentero y totalmente indoloro desde el principio; el bebé puede y debe crecer adecuadamente con la leche de su madre, y la lactancia materna ha de ser el eje que construya el íntimo vínculo que se crea entre ambos.

El bebé nace para amamantar y ser amamantado, para estar en contacto y pedirlo, pues todos sus reflejos y comportamientos innatos están dirigidos a la supervivencia como especie.

El bebé, nuestro bebé, SÍ SABE, y lo único que deberíamos saber es que debemos dejar de saber para ESCUCHAR a nuestro bebé, CONFIAR en su instinto y comenzar a SENTIR el nuestro.

Nuestros bebés tienen las respuestas, pero para encontrarlas es necesario escucharlos, para escucharlos es necesario conocer su lenguaje, y para conocer su lenguaje hay que poder estar junto a ellos permitiendo que nos enseñen con su cuerpo el mejor de los idiomas: el lenguaje corporal. El bebé SABE. Nuestro instinto materno está ahí, dentro de nosotras, sólo nuestro bebé va a ser capaz de abrir esa puerta, por lo que debemos dejarnos conducir por él o ella, permitir al bebé que nos enseñe lo que necesita y cómo hacerlo.

¿Cómo se hace?

No hay recetas, no hay verdades absolutas. Lo que funciona en un bebé puede no funcionar en otro. Por esa razón, las comparaciones entre bebés y madres confunden más que ayudan. Pero podemos intentar reconstruir el mapa del bebé mamífero e intentar dar pistas en el camino.

• Contacto piel con piel continuado: el bebé y la madre necesitan durante al menos los primeros meses contacto continuado piel con piel. Tiene innumerables beneficios fisiológicos, hormonales, cerebrales y de vínculo para ambos. El contacto piel con piel facilita enormemente la lactancia materna en posición adecuada, indolora y efectiva, ya que permite que el bebé se acerque instintivamente hacia el pecho de la madre, se coloque de manera correcta según su propia anatomía y anatomía del pecho, elija el pecho que desea, mame el tiempo que quiera, se separe cuando quiera y se active de nuevo cuando quiera.

El contacto piel con piel y el amamantamiento son posibles en un ambiente donde madre y bebe estén cómodos, tanto en la posición como en el lugar: cama, sofá, madre semi reclinada o tumbada y bebé encima, temperatura estable, ambos tapados... Este ambiente es posible en un lugar donde se respete la necesidad del bebé a no ser expuesto a estímulos excesivos, esto es: un lugar tranquilo.

Un bebé a término sano que crece y se desarrolla adecuadamente es un bebé que no necesita llorar para ser alimentado, que está tranquilo o durmiendo entre tomas, que tiene un patrón de micciones y defecaciones crecientes en número y tamaño durante el primer mes y medio aproximadamente y engorda adecuadamente.

Una madre que amamanta no siente dolor ni molestia, está relajada a nivel muscular, se sincroniza con las fases de sueño del bebé, y las hormonas que segrega gracias a la lactancia le ayudan a dormir y a sentirse relajada.

El contacto piel con piel favorece el vínculo y también favorece profundamente el conocimiento del lenguaje corporal del bebé, al tiempo que activa una respuesta instintiva en la madre que le permite conocer —o reconocer— su propio lenguaje corporal. El padre o pareja puede disfrutar también del piel con piel con los mismos beneficios citados exceptuando la lactancia. No existe mejor manera de tejer vínculos que la familia haciendo piel con piel en la intimidad.

Tiempo

Nuestros hijos y nosotros —madres y parejas— necesitamos TIEMPO. Uno de los peores enemigos del posparto y la lactancia es el «no tiempo». La presión del reloj está presente constantemente en nuestras vidas y se traslada los bebés. Muchas personas esperan que el bebé se comporte como un adulto adiestrado por el tiempo: que coma en un tiempo determinado, que espere cuando tenga hambre, que duerma un número de horas, que calle o no se queje cuando tenga malestar... Pretendemos que nuestros hijos duerman, coman, caminen... más y antes que el hijo del vecino. Corremos hacia el futuro forzando la marcha, cogemos el carril de una dirección por la vía rápida y nos perdemos todo el paisaje, los caminos secundarios, la vía lenta y necesaria para disfrutar del presente y llegar al futuro sin estar exhaustos.

Nuestros hijos nos traen el mayor regalo hoy que nos pueden hacer: TIEMPO. Tiempo para conocerse mutuamente, tiempo para tejer ese lenguaje corporal, tiempo para dudar, reír, llorar, equivocarse, volver a intentarlo... En definitiva, tiempo para tejer y construir la relación con el bebé, con el rol maternal y paternal, tiempo para organizarse, para conectar con nuestro cuerpo, para NO hacer, tiempo para SENTIR.

Responsabilidad y respeto

Nuestros hijos son nuestra responsabilidad. Nuestras lactancias son nuestra responsabilidad. Nuestras crianzas son nuestra responsabilidad. En un mundo donde se infantiliza a la mujer y donde desde hace años se nos ha intentado arrebatar aquello que forma parte de nuestra esencia, lo femenino, la creación de la vida, la nutrición y la crianza, es muy fácil dejarse influir por factores externos, por la presión social, cultural, económica, familiar... para depositar en los demás algo que es sólo nuestro: la responsabilidad de hacer lo mejor por nuestra descendencia.

En este sentido, nuestros hijos, con sus nacimientos, nos traen la gran pregunta: ¿Soy capaz de tomar mis propias decisiones y ser coherente con ellas? ¿Seré capaz de dejar de escuchar a los demás y escuchar a mi bebé y a mí misma/o? ¿Dejaré en los demás las decisiones sobre la alimentación, la crianza y, en definitiva, sobre la vida de mis hijos?

Cuando dejamos de escuchar a nuestros hijos y sus necesidades, cuando dejamos de escuchar a nuestro corazón y nuestro instinto y nos sometemos a las decisiones que los demás toman por nosotros, perdemos algo fundamental: el respeto hacia el más frágil de los seres humanos: nuestros bebés, nuestros niños.

Ser padres responsables significa ser padres respetuosos. Y el respeto hacia nuestros hijos nos devuelve en forma creciente un mayor respeto hacia nosotros mismos y una mayor responsabilidad hacia nuestro entorno. Nuestros hijos respetados por padres responsables nos hacen más generosos y solidarios con el mundo que nos rodea.

¿Qué más?

Es importante tener presente que cada posparto y lactancia son distintos. Hay situaciones especiales que pueden dificultar un buen inicio del posparto y de la lactancia: nacimientos perturbados, partos difíciles, situaciones personales y familiares conflictivas, bebés con problemas de cavidad oral, problemas en la posición de amamantar o en el caudal de leche, bebés inmaduros, prematuros o enfermos... Cada situación debe ser contemplada de forma individual, pero... SIEMPRE, por muy mal que vaya todo, es posible recuperar aquello que parecía perdido.

Como he citado anteriormente, en definitiva, el nacimiento de un hijo, el posparto y la lactancia materna es un tiempo de inicio de un diálogo, ese diálogo siempre posible que nuestros hijos nos enseñan y que sin ninguna duda nos enriquece como personas. Nuestros hijos siempre están dispuestos a recuperar ese diálogo, y con el apoyo necesario, la información adecuada, el contacto, el tiempo, la responsabilidad y el respeto podemos reiniciar un período de posparto feliz.

Anna María Morales. Doula y Asesora de Lactancia.

Cáncer de mama y lactancia materna

Hacía pocos meses que me habían operado de un cáncer de mama cuando me enteré de que esperaba a mi primer hijo. Sólo tenía veintiséis años, y había tenido mucha suerte: me lo detectaron precozmente, y la única secuela de la enfermedad fue poco más que la pérdida de uno de mis pezones, pero a raíz de aquello empezó a preocuparme qué pasaría cuando tuviese hijos. ¿Podría amamantarlos con un solo pecho?

Un buen día, mientras leía sobre lactancia y embarazo, me topé con relatos de mujeres que habían parido en casa, y enseguida me di cuenta de que era así como deseaba parir a mi hijo.

La imagen era bastante cómica: jugando al trivial, porque en cada turno tenía que parar y pasar la contracción, y de vuelta al juego. Cuando ya estábamos acabando la partida (que por cierto, yo iba ganando), recuerdo que le tocó a Albert hacerme una pregunta del juego y ya no pude responder, no sabía si era a mí a quien preguntaba ni qué me estaba diciendo. Ahí decidimos que abandonábamos el juego y me fui a mi habitación para relajarme y prepararme para lo que venía.

Llamamos a Marta, nuestra doula, ella nos acompañaría durante el parto; le dije que el bebé estaba llamando cada vez más fuerte, y me contestó que en un rato estaría en casa con nosotros.

Mientras, Albert hinchó la piscina de partos en la habitación de al lado y llamó a la comadrona para que viniera a casa. Eran las tres de la madrugada, había un gran silencio en casa, excepto por mis gemidos cuando venía una contracción. Eran gemidos suaves, para mí como un mantra que me ayudaba a dejar pasar el dolor.

Llegó Mireia, después de mirarme la línea púrpura, me dijo que ya estaba dilatada de unos 4 ó 5 centímetros. Me dirigí a la habitación de al lado, me desnudé y me metí en el agua. ¡Qué alivio!

Entraron Mireia y Marta, se sentaron en el suelo, delante de mí. No dijeron nada, pero recuerdo verlas mirarme y sonreír, y en ese preciso momento sentí que todo estaba bien, me inundó una energía renovada para continuar el trabajo. Un rato más tarde empezaron las contracciones del expulsivo, me sentía como una mamífera, mi cuerpo me dominaba por completo y me agarraba a los brazos de Albert cada vez que venían. Entonces, noté que por fin la cabecita bajaba para salir, y yo sentí un gran impulso de empujar. En un ratito ya noté que salía la cabecita, sentí un dolor que era al mismo tiempo placer, es algo inexplicable. Albert, Aran y yo, todavía dentro del agua, nos abrazamos.

Al cabo de un par de horas, cuando ya había salido la placenta y tras un par de puntos superficiales, entró mi madre y me besó, emocionada, luego entró mi abuela.

Cuando volví de la ducha me encontré a Aran con sus uñitas afiladas enganchado a los pelos del pecho de su papi ¡y buscando un pezón del que mamar! Y aunque tuvimos que esperar algunas horas, finalmente Aran decidió engancharse a mi pecho, con el que no tuvimos ningún problema y del que no se ha despegado a día de hoy. Con la ayuda de nuestras comadronas, nuestra doula, las asesoras de lactancia, pudimos darle la mejor bienvenida a nuestro hijo. Muchísimas gracias.

Desde ese momento ha desaparecido el reloj de nuestras vidas, sólo está nuestro niño precioso.

Alicia Vilaret.

Mi maternidad leporina: la llegada de un nuevo ser

Mi pareja, Inon, y yo nos conocimos en la India hace casi seis años. Desde entonces, estuvimos viajando por varios países. El último fue Méjico, donde vivimos un año y medio, entre Chiapas y el Caribe. En las últimas tres semanas, cuando decidimos viajar al desierto cruzando el país, nos quedamos mágicamente embarazados en la playa caribeña de Tulum, donde habíamos visto desovar a una tortuga gigante unos días antes. Parece que fue un regalo que nos trajo la viejita marina.

Volamos a Israel y pasamos allí la mitad del embarazo. Al llegar, como siempre, me daba Reiki en la barriga, y le pregunté en esos momentos al alma que se estaba conectando a mi bebé cómo podía dirigirme a él/ella durante el embarazo. Me vinieron a la cabeza varias preguntas:

—¿Qué es un hijo?

—La mayor luz que puede llegar a la vida de cualquiera. Te da la vida.

—¿Y con qué luz se puede comparar?

—Con la del Sol.

Así que decidimos llamarle Sol, sin saber si era niño o niña o si se podía poner a alguien como nombre, pero sonaba adecuado.

Desde que el bebé entra en tu mundo, tienes que empezar a tomar decisiones que nunca antes te habías planteado: qué comer y beber, qué leer, cómo dormir, ejercicio, dónde vivir, tipo de parto, chequeos, vitaminas y ácido fólico, aceite de rosa mosqueta y preparación al parto...

Para nosotros fue un mundo con el que habíamos conectado un poco en Tulum, porque nos vimos rodeados de amigas y tortugas que parían de forma natural en la playa, pero no era algo que nos interesara demasiado. En el momento en que supimos que estábamos embarazados, todo eso cambió.

Tuvimos suerte de que los dos pensamos muy parecido acerca de la crianza: lo más natural y respetuosa posible. Así que en el pack venía parir en casa con comadrona, hacer las menos ecografías posibles y pasar un embarazo tranquilo, sin estrés ni enfados, sin trabajar, observando y disfrutando de esa maravillosa experiencia.

En la tercera revisión, en el hospital de la Cruz Roja de Hospitalet, la especialista al principio pensó que había visto en una de las imágenes que pudiera presentar labio leporino. Nosotros no sabíamos en qué consistía este término. Nunca habíamos conocido a nadie que lo tuviera ni qué podía implicar. Así que se me cayó una lágrima porque lo único que percibía, por lo que decía la doctora, es que tendría que operarse. Me dio pena de que tuviera que pasar por algo tan dramático tan pequeñita.

Desde el momento en que lo mencionó, Sol empezó a girarse y durante una hora se puso de todas las maneras posibles para que no se le volviera a ver.

En casa buscamos en internet qué significaba que naciera con labio leporino, preguntamos a familiares y amigos y nos informamos de cuál sería el mejor lugar para operar y realizar el seguimiento. Descubrimos que el hospital más recomendado era San Juan de Dios.

Comprendimos que los bebés realmente llegan con un pan bajo el brazo cuando vimos que habíamos elegido el lugar más conveniente para que naciera, por la naturaleza y por la proximidad con su hospital. Así que todo parecía fluir, aunque la posibilidad de tener que operar a nuestro bebé tan pronto nos pudiera preocupar.

Una anécdota: un día estaba en el jardín hablando por teléfono con un amigo cuya madre nació con la misma condición y nunca fue operada, y mi mirada se vio atraía por un punto en concreto: un trébol de cuatro hojas. De repente, entendí algo importante: a veces la naturaleza hace cosas poco comunes con sus creaciones, y éstas se convierten en amuletos, seres especiales porque son poco comunes. Ése era el mensaje que necesitaba entender con mi corazón.

El día del parto: el sábado doce a las seis de la mañana empezaron las contracciones y empezó a desprenderse el tapón mucoso. Contamos cada cuánto venían, estaban distanciadas una de otra. Sobre las ocho o las nueve, Inon llamó a Mireia, a la que iba informando regularmente; ella llegó a mediodía con todo el equipo: piscina, oxígeno, etc.

Yo me encontraba ya en el planeta parto y no recuerdo nada de lo que sucedía a mi alrededor. Mi hermana vino a acompañarnos y a hacer de puente de comunicación entre nuestra casa y el resto del mundo, especialmente para informar a mis padres, que sufrían bastante con la idea de parir fuera de un hospital.

El parto duró un total de 18 horas, la mayoría de las cuales yo buscaba la manera de que no me doliera: caminando, sentada en la pelota de gimnasia, en el lavabo, en la cama, cantando mantras, bebiendo la tisana de canela y limón que Mireia me iba preparando y comiendo un poquito de dulces. Iba diciéndole a Sol que lo estábamos haciendo muy bien y que lo haríamos juntas a nuestro ritmo, tranquilamente. Mireia me iba auscultando para comprobar que Sol estaba bien, y así era, estábamos serenas.

Cuando cayó la noche, Mireia me dijo: «Venga, ya es hora», me recomendó que me pusiera a caminar y cada vez que me viniera una contracción me acuclillara sujetándome de los brazos de Inon, que estuvo allí todo el tiempo. Y así se fueron acelerando las contracciones, haciéndose más fuertes hasta que coronamos sobre las diez de la noche. María llegó en algún momento durante el montaje de la piscina. En el agua caliente sentía menos dolor.

Cuando quería empujar, sentía pequeñas agujas arañándome por dentro que me hacían contraer, y resultó que Sol nacía con una mano tocándose la cabeza. Mireia me animaba a tocar su cabecita cada vez que salía para darme fuerzas para seguir apretando. Así que metió y sacó la cabecita varias veces (como una tortuguita), hasta que Inon se metió en la piscina medio vestido y me ayudó a empujar. Entonces, por fin, salió completamente, y flotando en el agua me instaron a coger a Sol y ponerla sobre mi pecho. Comprobamos que efectivamente era una niña.

Una hora después, ya calentitas en la cama, a la una y media de la noche, sonrió por primera vez. Fue la sensación más feliz de mi vida: el trabajo bien hecho.

Con el tiempo he llegado a la conclusión de que todo lo que hemos ido eligiendo para su parto y crianza nos lo había determinado ella antes: el parto tranquilo y natural en el agua estoy convencida de que ayudó a que ella fuera una niña tranquila y natural; es una fan del agua, no hay lugar que haya un poco de agua y ella se prive de meter los deditos, además de ser una ávida y ágil usuaria de la piscina, donde salta desde el borde sin miedo, y ya bucea; vivir en el campo, una opción que quizá no elegiríamos si no fuera por ella, nos hace ver lo conectada que está con la naturaleza: le encanta ir a recoger hierbabuena del jardín para masticar su «chicle» particular o recoger fresas y flores, entre otras tantas cosas.

Tengo la creencia de que si escuchamos la llamada de nuestros ancestros en nuestra sangre y recordamos cómo vivíamos en la naturaleza hasta hace sólo dos generaciones, volveremos a retomar decisiones que antes eran lo común y que ahora son una rareza: contacto con la naturaleza y los elementos: el agua de los ríos y mares, la tierra del campo, los árboles, las plantas y el aire fresco, la hogueras y la comida fresca sin procesar artificialmente, las relaciones con el corazón, la comunicación sincera, la integridad y el respeto.

Así que la tarde del día del parto tuvimos que ir al hospital San Juan de Dios para que le hicieran la primera revisión y nos guiaran en cómo ayudarla desde el punto de vista médico oficial. Es curioso cómo a padres que no creen en la importancia del físico puede bendecirles un bebé que precisamente sea eso lo que venga a trabajar en esta vida. O que no crean en la medicina oficial y tengan que depender de tratamientos que sólo se tratan con cirugía oficial.

Así que tuvimos que acostumbrarnos al ambiente hospitalario. La verdad es que nos trataron muy bien, nos informaban siempre de todo. En este hospital cuidan bastante que la familia pueda estar siempre que quiera con el bebé, que lo tenga lo más posible la madre sobre la piel y que tome siempre que pueda leche materna. Tienen una sala con sacaleches para que puedan ir alimentando al bebé con tu leche desde los primeros momentos, desde el calostro.

Otra anécdota: meses después, Ana consiguió dar una charla a los cirujanos, médicos y enfermeras de San Juan de Dios para explicarles los beneficios de la lactancia materna, y ahora se la recomiendan a todas las madres leporinas también. ¡Hemos cambiado los protocolos!

Recuerdo perfectamente lo que un día Inon me dijo: «Deseabas tanto amamantar que parece que el Universo te ha dicho '¿hasta dónde estás dispuesta a llegar por tus convicciones?', '¿qué estás dispuesta a hacer por lo que crees que es lo mejor para tu bebé?'». Puedo asegurar que no soy precisamente una persona vehemente, me canso enseguida de intentar cosas si no son para mí. Y aunque fue un año muy difícil, conseguimos amamantar hasta la segunda operación; es uno de los mejores logros que hemos conseguido en esta vida.

Quiero enviar un mensaje a todas las madres de bebés con hendidura de labio o de paladar: quiero que sepan que sí que pueden y deben amamantar tras la operación, que es lo mejor que les puede pasar a los bebés y a las mamás. Por mucho que te atemoricen médicos y otros especialistas, familiares o amigos con buenas intenciones. No están viviendo esa experiencia en primera persona, ignoran los beneficios por encima de sus miedos. Así que mejor no escuchar más que al instinto maternal, que habla por sí solo cuando el bebé llora y tiene hambre.

Hoy en día, Sol es una personita preciosa y fantástica que llena de luz cualquier lugar por la manera tan social y dulce que tiene de interactuar con todo el mundo y habla por los codos comunicando claramente en español o hebreo sus experiencias vitales y sus deseos.

Diana Arbol.

Madre coraje

Nuestra historia comienza cuando me quedo embarazada pero mi pareja no quiere tener hijos, así que tomo la decisión de hacerlo sola a pesar de mi situación, que hasta ese momento se estaba regularizando en un país que no es el mío.

María me recibió escuchando todos mis miedos y siempre con una palabra amiga. Mi estado emocional era muy inestable: tenía problemas, estaba sola.

Un viernes sentí un pérdida de líquido, mi bolsa se había fisurado por la parte superior. Llamé a María asustada, pero ella me dijo: «Alégrate, ya ha empezado, estás cerca de verla y tenerla en tus brazos». Yo estaba emocionada y un poco asustada, el sábado había caminado como tres horas, y el domingo por la noche empezaron las contracciones.

Mi hermana estaba conmigo hasta que llamamos a María, el momento se acercaba. Cuando ella llegó, entré en la bañera, pasé toda la noche esperando dilatar, pero la bebé no bajaba. Llegó Sonia con otra dinámica: muy activa y proponiendo nuevas posturas para que Uma pudiera nacer. Hablé con Ortrud, quien me dio más fuerza para continuar, así que seguí esperando hasta que sentí que no avanzaba y decidí ir al hospital. Llegué a urgencias el martes sobre las ocho de la tarde.

Me hicieron un tacto y una maniobra para tratar de hacer encajar su cabeza, allí se rompió totalmente mi bolsa, las aguas estaban verdes, mi corazón latía muy fuerte, estaba asustada por mi hija, los médicos llegaron a la conclusión de que había que hacer una cesárea. Estaba aterrada, no quería perder mi vínculo con mi hija, todos mis miedos se hacían realidad.

Uma nació a las once y diez de la noche. Mi hermana —que estaba conmigo en el quirófano— puso a Uma en mi pecho, y ella rápidamente se enganchó a la teta... Mi corazón saltaba de emoción.

Hasta ahora me había sentido a gusto en este lugar, hasta que empezaron a decirme que Uma había bajado de peso, así que necesitaba un suplemento alimenticio (un biberón). Yo tenía calostro y ella tomaba, también sabía que era normal que los bebés perdieran hasta un 10% de su peso al nacer. Yo no dejé que le dieran biberón. Al día siguiente, Sonia llegó a nuestro auxilio: mientras Uma mamaba de una teta, ella me ayudaba a sacar calostro de la otra; así juntábamos más calostro y se lo dábamos con una jeringuilla.

María me aconsejó que comiera perejil seco y fresco para disminuir la bilirrubina (icteria), así que mi comida eran manotadas de perejil e infusiones de perejil, y rápidamente el color amarillento desapareció. Uma no lloraba por las noches y era muy tranquila aun cuando se la llevaban para el control de peso.

El día que esperaba el alta, me dicen que tenía hipotonía (bajo tono muscular); yo la veía normal, pero ellos llegaron a la conclusión de que debía ser ingresada en neonatología. Mi cabeza desvariaba, no quería que se la llevaran, vinieron a por ella, y mi situación cambió; tenía que amamantarla cada cuatro horas, pero como yo quería sólo darle leche materna, me dejaban estar allí más tiempo.

Así que me quedé con ella en esa sala. Les pedí llevármela conmigo a la habitación y que vinieran a buscarla para hacerle las pruebas que querían practicarle, pero no me dejaron, tenía que estar en observación.

Estaba conectada, en su piececito tenía un aparato que sonaba estrepitosamente cada vez que su ritmo cardíaco cambiaba, cada día le sacaban sangre, sus talones estaban morados de tantos pinchazos, yo quería salir corriendo de allí, pero me dijeron que si lo hacía, un comité médico podía quitarme la custodia de mi hija, así que continuamos con las pruebas, le hicieron una radiografía del tórax y un escáner a su cerebro cableándole casi cada centímetro de su cabecita; para esta prueba, ella debía dormir profundamente, pero lloraba tanto que accedieron a hacer la prueba conmigo amamantándola.

Al salir, llevé a mi hija a Marenostrum, donde la evaluaron y vieron que estaba perfecta. Mi flora intestinal estaba destrozada de tanto antibiótico, pero la logramos recuperar con un tratamiento de un mes, ya se podrán imaginar el cuadro de cólicos que sufrió mi chiquita. Hoy Uma tiene cinco meses, es una niña preciosa, grande y muy sana. Sólo puedo dar gracias a Dios por haber encontrado a este equipo de hombres y mujeres.

Susan Velásquez.

La Secta del Mocador. Un grupo de madres

Soy comadrona y madre, y si algo he aprendido de mi profesión y de mi experiencia como madre es la poderosa fuerza del amor, que lo traen a este mundo las mujeres con su capacidad de dar la vida y nutrirla.

Y así de simple y real es, que la historia de cada uno de nosotros, como bien dice Luisa Murano en su libro *El orden simbólico de la madre* empieza con la relación con nuestra madre: madres que dan la vida, madres que nutren, transmitiendo de generación en generación su amor y su saber.

Existe una preciosa leyenda romana que explica cómo hubo un momento en la historia en donde se produjo una ruptura entre madre e hija, y qué llevó a romper esa transmisión que condujo a las mujeres a empezar a dar a luz, nutrir y educar a sus hijos según el modelo que la sociedad imponía y no desde las madres que son y saben. Fue una de las cuestiones que fue imponiendo el patriarcado en la sociedad en detrimento de las mujeres.

Y así, cuenta la leyenda que la Diosa Madre y Zeus tuvieron una hija, Perséfone, a la que el Dios de los infiernos, Plutón, la raptó provocando la ruptura entre madre e hija. Su hija lloraba, lloraba y gritaba llamando a su madre, pero ella no la podía oír. Gracias a un grupo de mujeres que avisaron a la Diosa Madre, consiguieron que al fin pudiera escuchar los lloros de su hija y así ir a buscarla. Al conseguir escuchar a su hija raptada, llega a un pacto con Dios por el que la hija pasaría un tiempo con la madre, y otro, con él. De aquí surge el mito de las estaciones: otoño e invierno son las épocas en las que la hija no está con su madre, siendo la primavera cuando se encuentran, y cuando la tierra se nutre y florece.

En Roma, esta leyenda era considerada como una fiesta profana de mujeres en la que celebraban cómo muchas mujeres consiguieron hacer escuchar a la Diosa Madre a su hija, gracias a lo cual se reencuentran. Más tarde, esta celebración se cristianizó y se convirtió en la fiesta de la Virgen de la Candelaria.

Así es como siento la importancia que tienen los grupos de mujeres. La capacidad de hacer abrir los ojos a otras mujeres, la capacidad de oír el llanto de nuestros hijos desde la mirada y el sentir de madres que somos y no desde la mirada de la sociedad. La capacidad de hacernos volver a ser madres desde nosotras mismas, como mujeres que somos capaces de dar vida desde el amor y de nutrirla con ese mismo amor, y no desde imposiciones externas y modelos sociales.

Mujeres que unas a otras van dándose confianza y recordándose a sí mismas la capacidad que tenemos, si lo decidimos, de dar a luz y parir, porque como mujeres que somos, sabemos y podemos.

Recuerdo que en un viaje a Guatemala oí decir a sus gentes que allí estaban prohibidas las reuniones de mujeres. No llegué a entender e integrar el por qué de esta prohibición hasta que pertenecí a un grupo de mujeres.

A mi primer hijo lo tuve con el apoyo de Marenostrum y sus profesionales. Varias mujeres hicimos juntas algunas sesiones de preparación al parto en casa, y tras parir, nos reuníamos para hablar y acompañarnos en la crianza. Todas llevábamos a nuestros hijos en pañuelos o mochilas portabebés. Todas acabábamos de parir a nuestros hijos, y nos encontrábamos en plena crianza y lactancia.

Una de estas mamás tuvo la idea de formar un grupo en internet para poder comunicarnos y sentirnos más cerca, ya que las distancias y una ciudad como Barcelona no siempre facilitaban los encuentros de todas. Le puso el nombre de la *La Secta del Mocador*, porque todas llevábamos a nuestros hijos en pañuelos; parecíamos un grupo curioso, todo el mundo por la calle nos miraba y nos sonreía. Jamás pensé en el apoyo tan grande que iba a ser este grupo para mí y para todas, en la transmisión de información que nos pasábamos de unas a otras y en la fuerza que nos iba a dar a todas.

Lo más importante fue el sentimiento de no estar sola con la crianza. En una sociedad en la que cada vez nos aislamos más, encontrarte con mujeres que sienten y te acompañan es de lo más poderoso. Tras un parto, se mueve todo demasiado internamente en nosotras, y una puede llegar a sentirse muy sola y confusa, especialmente cuando se encuentra con un bebé por primera vez en brazos llorando o cuando recibe mensajes del entorno opinando de todo sin muchas veces habiéndole pedido opinión. En el grupo podías compartir todas estas emociones y sentirte comprendida, escuchada, y entre todas nos apoyábamos y buscábamos información para darnos confianza y fuerza para que cada una pudiera continuar con su crianza tal y como sentía internamente sin dejarse llevar por modas e imposiciones sociales.

Y así continuamos hasta ahora desde hace tres años: apoyándonos, compartiendo información, dándonos fuerza y, actualmente, en otro momento importante como es el de decidir la educación de nuestros hijos, y elegir colegios donde puedan ser acogidos, amados y respetados como lo han sido en cada hogar. Seguimos porque somos unas dulces guerreras que vamos creciendo con nuestros hijos y aumentando el amor en el mundo.

Os dejo con los comentarios de algunas de estas mamis:

«Se me ocurrió ponerle esto de *Secta del Mocador,* que era algo que había surgido algún día, pero no sé bien cuándo. Quizás, aunque no estoy segura, fuera un día que cogimos el autobús para ir de Marenostrum a la Ciutadella, en uno de aquellos primeros encuentros veraniegos durante el curso de posparto; fue gracioso porque todas o casi todas íbamos con el pañuelo de rayas de colores, y la verdad es que dábamos la nota». Laura.

«Sí, fue exactamente eso, me acuerdo. Salimos de la sesión del grupo posparto y cogimos el autobús 39 para ir a Ciutadella. De repente, toda la plataforma se llenó de madres sonrientes con bebés también sonrientes bien pegaditos a sus mamis gracias a los pañuelos de colores la mayoría, un pañuelo negro muy cool (Eva) y una bandolera azul (yo, que nunca me aclaré con el foulard)».

«Fue la primera vez que tuve realmente la sensación de pertenecer a una tribu, mi tribu; en ese mismo instante dejé de sentirme rara o incomprendida por mi manera de criar a mi hija y pasé a sentirme feliz, contenta y muy satisfecha de haber encontrado a mis hermanas». Sol.

«Recuerdo haber recogido números de teléfonos y nombres en el curso de posparto y que Laura se encargó de montar el blog. Hubo un momento en el que nos teníamos que decir «la secta del pic-nic», lo de 'secta' era para bromear de los grupos monotemáticos y excluyentes, y 'pic-nic' porque realmente fue la actividad que al principio nos sirvió para encontrarnos y romper realmente el hielo entre nosotras: el parque era un espacio libre y neutro, nos sentíamos libres y tranquilas de sacar todo lo que nos salía de las tripas. Hubo una etapa en que se planteaba la apertura del grupo y todas sentimos que no tocaba, compartíamos algo muy íntimo: haber estado en el mismo momento en la misma historia, como un tramo de vidas sintonizadas... Nos habíamos hermanado y esto se vuelve como genético, es difícil explicarlo y ser inclusivo. Esto es lo que nos pasó, y en este sentido puede ser que sí nos hemos vuelto una 'secta'; deberíamos decir una hermandad... Siempre que me hablan de otros blogs de madres digo que no lo necesito porque os tengo a vosotras. Y no es sólo porque no tengo tiempo para otros blogs sino porque en éste lo encuentro todo: cariño y presencia sin ser juzgada, consejos e información de todo tipo pero nunca impuestos sino siempre compartidos». Benedetta.

Blanca Lainez. Comadrona.

Capítulo VIII
El club de los papás

El club de los papás

Los papás o parejas merecen especial atención en este libro: primero, porque son parte fundamental en la creación de una nueva vida y se consideran cabeza de familia; segundo, por su implicación directa en el parto en su propia casa. Esta implicación es mayor que en un parto hospitalario porque en casa son sujetos activos, viven y participan en mayor medida. Por el contrario, en un parto intervenido son meros espectadores y a menudo se limitan a permanecer en una fría sala de espera. En casa, su proximidad al acontecimiento les hace sentirse plenos, parte fundamental del proceso del nacer y muy útiles.

Los papás tienen el rol protector y garantizan la seguridad del hogar. Son los encargados de las tareas logísticas: aparcan coches, hinchan y llenan la piscina, hacen llamadas (por ejemplo, hablan con la suegra), preparan comidas e infusiones y proporcionan cariño, besos y caricias, una gran dosis de oxitocina natural.

Recorren un camino de largas curvas hasta encontrar la situación que más les convence. Algunos dudan al principio de los riesgos que puede haber, tanto en el hospital como en casa. También se cuestionan porqué a su mujer «se le ha metido en la cabeza esa idea» y cómo van a salirse de ese remolino. Luego se informan, comparan, tergiversan y, al final, por amor, satisfacen los deseos propios y los de su mujer, a veces con recelo y algo de miedo. Su apoyo para la mayoría de madres es fundamental: su fuerza y su presencia les da tranquilidad. Aunque a veces sufran o pasen algo de nervios, se entregan y confían; se enorgullecen del poder de su mujer y de la naturaleza, de la maravilla del nacimiento y de no haberse «mareado» aun siendo algunos muy aprensivos (o creían que lo eran). Seguramente en su propio hogar, rodeados de gente conocida, el impacto se diluye y se convierte en extremadamente emocional.

Sonia E. Waters. Comadrona.

El club de los padres

Mi primer contacto con Marenostrum fue básicamente fruto de la desesperación. Habíamos tenido dos hijos nacidos por cesárea cuando mi mujer se quedó embarazada por tercera vez. Las experiencias en el hospital no eran muy positivas, y queríamos evitar otro nacimiento igual. Sabíamos que iba a ser difícil que nos aceptaran para un parto natural, y todas las organizaciones con que habíamos contactado nos habían rechazado, así que Marenostrum fue nuestra última esperanza. Imagina, pues, el disgusto cuando nos enteramos de que el cupo ya estaba lleno para la posible fecha de parto de Anna y que no podían aceptar a otra embarazada para esas fechas. Pero cuando supieron la fecha en la que Anna había salido de cuentas en los dos primeros partos, calcularon que, a lo mejor, pariría en enero y no en diciembre, y, puesto que nosotros no tuvimos otra opción, nos aceptaron, y así empezó mi relación con ese maravilloso colectivo. Era muy gratificante ver cómo el equipo luchaba por nosotros y nuestros deseos de conseguir el mejor parto para nuestro bebé y para su madre, y todo esto cuando apenas nos conocían de nada.

Lo que nos sorprendió gratamente en principio fue el interés que tenía todo el equipo en nuestra situación. Una mujer que busca un parto natural después de dos cesáreas no es muy común y tiene necesidades algo distintas en la preparación. En ese aspecto, todos los colaboradores nos proporcionaron un trato fenomenal: las comadronas (en nuestro caso principalmente Inma, María y Mireia), Ortrud en sesiones de homeopatía y psicología, Llàtzer con la acupuntura... Todos se interesaron por nuestra experiencia e hicieron lo que pudieron para apoyarnos y ayudarnos en la preparación física y mental para el parto. Pero lo más llamativo en cada visita fue la naturaleza del trato que recibimos: gente que tenía el tiempo y, sobre todo, la disponibilidad para escuchar los problemas, las dudas, los síntomas, las frustraciones, las alegrías e historias de los pacientes y también la inteligencia y empatía para dar soluciones o simplemente apoyo emocional en el momento adecuado. En lugar de tratarnos como pacientes (o peor, como clientes) nos trataron como personas e, incluso, amigos.

Hemos tenido dos partos con nuestros amigos de Marenostrum, y los dos han sido partos muy distintos, así que las comadronas también nos han atendido de formas muy distintas. El primer parto en casa, después de dos cesáreas, fue muy largo y complicado, duró hasta tres días, y el trabajo de las comadronas también fue muy complicado. Necesitaban una enorme cantidad de paciencia durante la fase de dilatación, y su apoyo fue fundamental, especialmente durante algunos momentos críticos de dudas y miedo y cuando las cosas no pintaban nada bien. El expulsivo fue largo y complicado y, otra vez, las comadronas tenían que asumir un papel activo e implementar toda una gama de conocimientos y trucos fruto de la experiencia que sólo viene después de atender y aprender de muchos partos.

En el segundo parto apenas tuvieron tiempo de llegar y jugaron un papel mucho más discreto. Con la experiencia y confianza que ganamos tras el primer parto en casa, el segundo se desarrolló con más naturalidad y, de principio a fin, duró algo más de tres horas. Pero una cosa fue igual en los dos partos: la profesionalidad y el cariñó sin límites. La confianza que transmitieron en cada momento fue decisiva, la tranquilidad con que tomaron las decisiones (y lo acertado de las mismas) fue asombrosa.

Es difícil poner sobre papel el enorme respeto que tengo por estas mujeres tan profesionales, diligentes y cariñosas. Puedo decir sin exagerar que conocerlas ha cambiado mi vida y la de mi familia.

Ahora tengo la suerte de ser colaborador del grupo de Marenostrum, aunque sólo sea un papel menor haciéndome cargo del grupo de apoyo para los papás en espera (los «embarazados»). Es un placer dar algo de mi tiempo y experiencia a esta comunidad que tanto me dio cuando lo necesitaba. Espero que la comunidad y la actitud de tratar a personas en lugar de a pacientes sigan durante muchos años más.

Dave Dunn.

Los intereses económicos de la industria farmacéutica

Creo que la anécdota personal no aporta nada más que distracción, por eso escribiré por qué Virginia y yo escogimos esta opción. Está más que demostrado que la medicina alopática, aunque reconociendo su «necesidad» y sus avances, está, en primer lugar, al servicio de unos intereses que no tiene nada que ver con la salud en general, sino que son intereses comerciales salvajes de la industria farmacéutica y también políticos por parte de los gobiernos (con sus correspondientes administraciones) para beneficiar a dicha industria.

Hay tantas pruebas conocidas de lo que escribo que no entiendo por qué una madre puede pretender tener a su hijo aceptando la epidural o una cesárea, a la vez de negarse a darle el pecho por razones como exceso de trabajo, estética personal, etc.

El hecho de «crear» a una persona está relacionado principalmente con nuestra propia evolución como seres vivos. Debemos saber y entender que para superar esta época en la que nos ha tocado vivir, repleta de destrucción humana y medioambiental, tenemos que «hacer» personas que, a partir de su propio nacimiento natural, se acerquen a lo natural y a la naturaleza.

Si hay alguien que le parece bien cómo vivimos, o que no es del todo consciente de los problemas que están poniendo en riesgo nuestra supervivencia, si se dejan llevar por la prisa que sufrimos, es evidente que no entiende que el dolor del parto es intrínseco a la naturaleza humana, en concreto, la femenina. Parece ser que las mujeres se ven invadidas por un miedo casi cultural acerca de los «famosos» dolores de parto; prefieren pasar por «un mal rato» en vez de tomar las riendas de este acontecimiento tan fabuloso que nos regala la vida. El dolor es debido a un reflejo cerebral condicionado.

Si las madres o las abuelas no están allí para convencerlas, están los textos religiosos para hacerlo, y este «lavado de cerebro» está grabado en el córtex de las mujeres, provocando un fuerte reflejo negativo al dolor que se transmite al cerebro del bebé desencadenando un desequilibrio en la segregación de endorfinas.

El «ambiente», por así llamarlo, que hay en los hospitales rompe con la natural consecución del mismo. Las luces potentes, ruidos de muchos tipos, gente en el paritorio, tactos vaginales repetitivos e innecesarios durante la dilatación, posturas incómodas para la madre, goteo intravenoso y continuo de oxitocina sintética, episiotomía... Todo esto propicia una mala postura del bebé, la interrupción de la periodicidad de las contracciones de la madre y la consecuente necesidad del uso «obligatorio» de anestesia epidural, cesárea, instrumentos como el forceps y un largo etcétera. Este proceso mecanizado e industrializado puede que reduzca la tasa de mortalidad neonatal, pero a costa de despreciar el futuro inmediato de la criatura física y psíquicamente.

Quiero también recalcar que de cara a las administraciones de salud, el coste general de un parto natural o en casa es más barato que un parto medicalizado, y si no se aplica es por lo que he mencionado antes: porque las administraciones de nuestro país (y de la mayoría de países) están totalmente dominadas por los consejos de administración de las industrias farmacéuticas, que a la vez y desde hace tiempo, están ejerciendo una fuerte presión a los gremios de herbolarios y dispensadores de productos ecológicos y dietéticos. Estos tipos de comercios tienen que pagar impuestos y están sometidos a prohibiciones que encarecen el precio de los productos que venden.

Por tanto, parece ser que la medicina alopática no desea ayudar al ser humano a nacer, sino que quiere llevarlo a su mundo, convirtiéndolo en un consumidor de fármacos y auxilios que desde el principio incrementará las consultas de pediatría antes de llenar las de medicina general. No es de extrañar que cada veinte segundos nazca un niño inadaptado.

Esta opción implica una toma de conciencia y un mayor entendimiento, que es a la par individual e íntimo de la pareja. Se trata de una opción social, política e individual que se tiene que anclar en el corazón y en la mente de los futuros padres antes de que se produzca el acontecimiento.

Cuanto más respetado y consciente sea el nacimiento, más confiará el bebé en la vida, y los padres tienen que estar a la altura. La cuestión está clara: somos los que somos por cómo nacemos y crecemos.

Francesc Pi de la Serra.

La sinfonía más hermosa

Desde la mirada de un hombre, la paternidad inminente se convierte en una oportunidad: la oportunidad de redescubrir el mundo desde los ojos del alma masculina.

Yo viví el parto de mi hijo con toda la presencia posible y pude hacerlo gracias a la fuerza, confianza y sabiduría interna de una mujer maravillosa capaz de sostener todo un universo con un solo gesto. A veces creo que nadie más hubiera podido darme tanto, nadie más que ella podría haberme brindado el regalo milagroso de asistir con todo mi ser al nacimiento de Ilai.

Mi experiencia fue un proceso de experiencias. Del dudar y temer al confiar y dejarse ser. Una vivencia cumbre que cerraba un inmenso ciclo de crecimiento personal. Cuando mi hijo decidió llegar a este mundo nuestro, todo giraba en la dimensión de la confianza en el proceso natural de la vida. Había un espacio interno en mí que sabía a ciencia cierta que debía ser así: en intimidad, con todo el amor, tal y como él fue concebido... Otras partes más antiguas en mí (las de vocación más racional) a veces se entrometían para dificultarme el camino, pero sin ninguna duda, al final floreció mi ser esencial, aquél que sabe pero no sabe que sabe.

El día 2 de Julio de 2010, en pleno solsticio de verano, cuando el Sol esta más cerca de la Tierra y la luz nos ilumina con todo su esplendor, nació Ilai como una fuente que emana de lo más profundo de nosotros, de Natalia y de mí. No habrá nada más real y nuestro que él en nuestro mundo. Llegó como un pequeño astronauta en su nave, aterrizando en esta nueva dimensión de gravedad. Apareció como un pequeño ángel velado recubierto por su manto protector, rompiendo su bolsa y su antiguo mundo líquido en el mismo momento de salir. Su llanto fue la música que aún escucho en medio del sueño... y será la sinfonía más hermosa que nunca pueda llevarse el viento.

Sergi Cànovas Blanch.

La mirada hacia al padre

Todo empezó cuando Anaïs me comentó que le gustaría encontrar una casa de partos donde poder tener un parto natural, y buscando fuimos a parar a Marenostrum. Allí, desde el primer momento, nos sentimos acogidos y en un ambiente muy familiar, y al salir ya teníamos claro los dos que tendríamos al hijo en casa con ellas.

El embarazo fue espectacular. Nuestro hijo vino acompañado de un cambio de trabajo y de vida, ya que pasamos de vivir en medio de una pequeña ciudad a vivir en una masía en el campo. Además, nos surgió la oportunidad de llevar una casa de colonias, que era el sueño de nuestra vida. La masía se tenía que arreglar de arriba a abajo, y como queríamos que Jan naciera en nuestra nueva casa, nos dimos prisa para tenerlo todo arreglado. Como si lo supiera, Jan esperó a que lo tuviéramos todo listo para venir al mundo.

El viernes por la mañana avisamos a Ortrud, que vino acompañada de Kitty. También vino Gemma, la madre de Anaïs. Y entre todos los que estábamos se creó un ambiente encantador, único y respetuoso con Anaïs y Jan.

Poco a poco, Anaïs fue teniendo más contracciones y cada vez más dolorosas, y Ortrud, Kitty y Gemma nos iban cuidando y acompañando siempre dentro de un ambiente inmensamente acogedor y a la vez muy mágico. ¡Era como si estuviéramos en una burbuja!

El parto se fue alargando, Anaïs estaba muy cansada después de dos días de no dormir. No parecía llegar nunca el final, y Kitty se empezó a preocupar. Gemma les dijo que si teníamos que llevar a Anaïs a un hospital se derrumbaría. Entonces, Ortrud habló con Anaïs quien, como por arte de magia, rompió aguas en ese mismo momento, dejando empapada a Ortrud. ¡Y a partir de ahí empezó todo!

No me preguntéis si estuvimos cinco minutos o cinco horas, porque no os lo sabría decir, pero lo que sí sé es que Anaïs estaba sentada en una silla de partos, apoyada en mí, que estaba sentado detrás de ella, y que cada vez que tenía que empujar, yo empujaba con ella y le intentaba pasar toda mi energía para ayudarla. Ortrud la iba guiando en todo momento, y Kitty nos lo hacía ver con un espejo.

Entonces, a la 1.27 de la madrugada del 28 de mayo de 2005, Jan se asomó y se dejó ver, y aunque parezca mentira ¡a través del espejo sólo salir me miró! ¡De verdad! Fue la sensación más impresionante que he tenido nunca: mi hijo y yo nos miramos durante una milésima de segundo. ¡Nuestro hijo! En ese momento, por una mezcla de cansancio, emoción, alegría, un poco de sufrimiento por Anaïs y, sobre todo, por una gran felicidad, empecé a llorar como no lo había hecho nunca. Todavía hoy cuando lo recuerdo me caen lágrimas.

Jan se agarró bien al pecho. Gemma nos trajo un zumo de naranja con el que brindamos todos. A continuación, Jan y Anaïs se durmieron. Yo ayudé a recoger, pero también caí rendido, recordando aquella mirada y dando las gracias por haberlo podido vivir en primera persona, lo que en el hospital no hubiera podido ser.

Para mí, el hecho de ir a parar a Marenostrum y decidir tener Jan en casa ha sido la mejor decisión de nuestra vida. Sólo hay una cosa negativa: la reacción de mucha gente. Cuando se trata de tener un hijo, todo el mundo se siente con derecho a opinar, y si encima lo quieres tener en casa, es como si el resto de la gente se sintiera amenazada, y te las dicen de todos los colores.

Yo, personalmente, lo pasé muy mal ante la reacción de mi familia; nos dijeron de todo. Desde los que sabíamos perfectamente que nos criticaban a nuestras espaldas hasta los que directamente nos tildaron de irresponsables y de poner en peligro la vida de nuestro hijo (¡los mismos que a los dos meses de vida de su hijo ya están pinchando mercurio a su hijo porque el médico se lo dice!).

Pero el tiempo ha ido poniendo las cosas en su sitio, y la gente va viendo que los niños «naturales» crecen mucho más sanos que los «medicalizados», y quien no lo ve es porque no quiere.

Hay momentos en la vida que se te quedan grabados para siempre pero que con el tiempo se van difuminando; en cambio, todavía recuerdo como si fuera ayer la mirada entre Jan y yo justo cuando salía, no puedo parar de dar las gracias por haber podido vivir esta experiencia mágica.

Lluís Ribas.

Conmoción por la comunicación entre madre e hija

Mi apoyo y convencimiento sobre la capacidad de mi mujer, al fin y al cabo una mujer más, de traer al mundo a Lidia ha sido clave.

¿Dónde empieza nuestra función de padre y dónde acaba? Pues en el proceso de parto es la naturaleza, y la madre, que no es lo mismo que la madre naturaleza, la que se encarga de traer al mundo a Lidia. Así nos lo advirtieron sabiamente en las clases de preparación al parto de Marenostrum: «Papás, ¿preparados para no hacer nada?». Suena ridículo, pero os aseguro que cuesta... Os explico:

Me levanto a hacer pipí, y Laura me dice: «Creo que no llegamos a San Valentín», y sigo durmiendo.

El descanso no me duró mucho, Laura me despierta a las 4.30 para que le haga compañía y le ayude a pasar las contracciones. Pero antes... hay que prepararse para lo que viene... Me ducho, me afeito, desayuno y riego las plantas, y como dice ella: «No sé cuántas cosas más que no recuerdo».

Eran las 6.30, hora en la que los vecinos ya no necesitaron el despertador de las 7.30 porque Laura se había dejado oír. Gracias, vecinos, por no llamar a la policía y creer que la estaba maltratando.

Llamo a las comadronas.

Laura decidió hacerse un tacto y notó «un bulto muy raro», me llamó para que hiciera lo mismo y le digo: «eso es la cabeza». No podíamos creer que la cabeza ya estuviera allí.

Mientras esperábamos a la comadrona, Laura se pone a empujar, no hace falta que me lo diga, su rugir la delata, dice que ella no quería, pero que era su cuerpo la que empujaba sin que ella pudiera evitarlo.

Nada más entrar en casa, Laura nos dice que ha roto aguas. La comadrona se mete directamente en el baño a atender a Laura, que dice que la lleven al hospital, y por mi cabeza pasan esas frases que nos decían las comadronas en las clases de preparación al parto. Me tranquilizó al comprobar que todo iba según lo preestablecido. No os podéis imaginar la sensación de impotencia que tuve. ¡No podía hacer nada!

Hasta aquí, como buen papá «preparado para no hacer nada» intento poner luz con linterna, luz con velas, poner música relajante, hasta me dispuse a meter la pelota en la ducha ¡y yo mismo quise entrar en la ducha! A todo esto fui contestado con un NO o FUERA, no sé bien lo que era, pero el efecto resultó el mismo. Una vez más, a los papás nos advirtieron que había mamás que, como buenas mamíferas que son, preferían parir solas. A mí me tocó una de ésas.

Alicia intentó mover a Laura para tener más accesible la zona pélvica (al fin y al cabo es lo que hacen en los hospitales al tumbarlas boca arriba y a veces atándolas), pero ella muy sabiamente decidió dejarla como estaba, con su postura semirrecostada, pero con la cabeza en la puerta de la ducha, con lo que el acceso a la zona pélvica quedaba al fondo de la ducha. Al final, con un espejo y mi puntería con la linterna, conseguimos ver la cabeza de Lidia, que estaba asomando. Yo entraba y salía sigilosamente del baño, no sé con qué frecuencia entraba, pero si no estaba haciendo algo que me había mandado Alicia estaba dentro para lo que necesitasen.

Alicia me advierte que Lidia va a nacer, pude comprobar cómo en los momentos de «alivio» de Laura, la cabecita de Lidia permanecía ahí, el retroceso era mínimo, ese «descanso» estaba preparando a Laura para el siguiente pujo: «¡No salgas, para dentro!», y Alicia decía: «Para dentro no, para fuera». A todo esto, Laura tiene su primer contacto con Lidia, ella no lo nombra en su diario, os aseguro que ¡esa comunicación entre madre e hija me tiene conmovido y lo recordaré toda mi vida!

En la siguiente contracción sale la cabeza de Lidia, y otro «descanso» (comillas obvias tanto por el parto en sí como por la posición que adquirió el cuerpo de Laura para parir que la mantuvo agotada sobre sus brazos y a veces uno) hasta la siguiente contracción; no sé describir el tiempo entre una y otra contracción, pero se me hizo eterno. En esta última contracción salió el cuerpo de Lidia, hábilmente Alicia la coge y la pone encima de Laura, previamente Laura le había dicho que no tenía fuerzas para sujetarla ya que sus brazos la aguantaban a ella. No me lo pensé dos veces, me saco la camiseta y me pongo detrás de Laura para que repose su espalda sobre mí.

Los tres en la ducha. Lidia tenía su cabecita entre el pecho y brazo de su mamá, ocultando su cara, así que con mi mano derecha y diciéndole a Laura «vamos a ver su carita» la giramos, tenía la mitad de la cara cubierta de vérmix, y sin pensármelo dos veces, deslizo mis dedos sobre su linda carita.

Lidia nació a las 8.34, treinta y cuatro minutos después de la llegada de la comadrona. No se separó de nuestros brazos. Como la placenta no quería salir, tomé en brazos a Lidia, su cuerpo desnudo tocaba el mío, el clima era caluroso a pesar de ser febrero y muy tranquilo, la tuve en brazos más de media hora hasta que se me ocurrió que si Laura le daba de mamar favorecería la salida de la placenta. Lidia se alimentó y después de una hora la placenta salió.

Tranquila pero exhausta, Laura se fue con Lidia a la cama mientras la comadrona preparaba el batido de placenta (en el primer vídeo que hice se oye la batidora de fondo).

Reflexión en voz alta: Para los que de pronto piensen que nuestra elección ha sido un tanto arriesgada e incluso inconsciente, como nos han llegado a decir, deciros que si os quedáis más tranquilos, nuestro parto «en realidad» ha sido en el hospital. Fuimos deprisa y corriendo como mandan los cánones televisivos, al llegar nos rodeó gente desconocida vestida con gorros y batas verdes. Hacía mucho frío, Laura estuvo tumbada en una camilla boca arriba durante horas sin poder moverse, no sentía nada, le habían puesto la epidural, pero de cintura para arriba sí que se enteraba... También notó el peso de una enfermera empujando sobre sus costillas para que el bebé saliera. Una vez fuera, deciden cortar rápidamente el cordón umbilical provocando una inspiración extasiada del bebé al cortarle el suministro de oxígeno que aún recibía de su madre, se lo llevaron y se lo devuelven dos horas después hambrienta del cariño y pecho de su madre. Pero gracias a Dios todos estamos bien...

Aparcando la ironía a un lado, tú sabes, hija mía, que a pesar de las críticas, decidimos traerte al mundo de la manera más bonita y segura que encontramos. Para mamá, lo más cómodo hubiera sido dejarse hacer como paciente (la misma palabra lo dice) por los médicos en un hospital, pero si ella eligió (junto a mí) traerte al mundo en casa es porque ¡te queremos con locura!

Víctor Silvestre.

Epílogo

Creamos el Centro de Salud Familiar Marenostrum hace casi 12 años, siendo un lugar donde se reconoce a la familia como una entidad compleja, y a cada persona, como un individuo especial.

Con el feminismo, la mujer pretendía recobrar su poder, el poder de dar a luz, de ser dueña de su parto y su feminidad. Pero hoy, cuando se encuentra metida en la vorágine y el rápido ir y venir de la vida en nuestra sociedad moderna, se hace cuesta arriba. Además, con el agravante de que últimamente se la somete bajo la amenaza de la famosa «crisis», se explota a la mujer-madre doblemente. Por ello, considero que el parto en casa es una franca devolución del empoderamiento de la mujer hacia una vida más sana, plena y satisfactoria.

Nuestro equipo —al principio éramos solamente una comadrona, una doula y yo (médico de familia)— atiende al ser humano en su andar por este bello planeta respetando la naturaleza e imprimiendo su huella. El primer y más importante paso era devolver el poder creativo a la mujer asistiéndola en un momento crucial para ella misma y su familia: la concepción, el embarazo y el parto.

Empezamos en un momento histórico donde el parto natural era más que anecdótico, y el embarazo estaba acompañado de visiones interpretadas desde una cultura social del miedo. Por ello, surgió la actitud oportunista de tecnificar los procesos normales y, por tanto, beneficiados por la industria farmacéutica.

Nos pusimos a trabajar y a acompañar a las mujeres en sus necesidades, y muchas patologías diagnosticadas por la imaginaria médica (el imaginario médico) desaparecieron cuando la mujer y su pareja tomaban consciencia de la base de estas patologías y reactivaban sus mecanismos de transformación, convirtiéndolos en sujetos libres y activos en su salud.

Son las comadronas que, con su aparentemente infatigable dedicación amorosa, acompañan y asisten a la familia en estos momentos. Mil y una noches también lo son para ellas y sus familias. Son ellas, basadas en una formación de la fisiología de la salud de la mujer, que ayudan a trasformar. Parir también significa ser una mujer antes y una después.

Las mujeres llegan —casi todas— a este momento crucial del «¡no puedo más!» y vivencian «algo» que las guía, lo que hace posible el milagro de la vida. Si el ser humano hubiera inventado el parto, ¡ni loca saldría de mi cama para respaldar el trabajo de las comadronas!

Pero es éste el momento en el que —aceptando las bases de nuestro ser— se teje una parte importante de la nueva vida de la mujer después del parto: la Madre. Otro aspecto positivo es que su pareja se dé cuenta de esta fuerza que transforma a su compañera y que el bebé nace transformando el dolor en Amor.

Los médicos respaldamos el buen trabajo del equipo de las comadronas. A veces, por petición nuestra y / o de la familia, presenciamos y asistimos el parto en su totalidad o tomamos las riendas cuando los hechos ponen de manifiesto que se ha desviado de la fisiología y se ha transformado en patología.

El hecho de dar a luz en casa hoy es una rareza, pero una realidad en auge. Desde el conocimiento médico confiamos en el Cambio hacia un mayor respeto hacia el cuerpo de la mujer y sus hijos/as.

Dra. Ortrud Lindemann.

Bibliografía

- Colegio Oficial de Enfermeras de Barcelona: *Guía de Asistencia al Parto en Casa,* 2010.
- Department of Health: *Changing Childbirth. Report of the Expert Maternity Group.* London HMSO, 1993.
- Gaskin, I. M.: *Ina May's Guide to Childbirth.* Ed. Bantam, 2003.
- Henderson, C. y MacDonald, S.: *Maye's Midwifery Textbook.* Baillière Tindall, 2004.
- House of Commons Health Committee: *Maternity Services Second Report.* Vol1. Winterton, London HMSO, 1992.
- Instituto Nacional de Estadística.
- Ministerio de Sanidad: *Estrategia de Atención al Parto Normal del Sistema Nacional de Salud,* 2007.
- Ruiz Vélez-Frías, C.: *Parir sin Miedo.* Ed. OB STARE, 2009.

Lecturas que inspiran

- Aucher, M. L.: *L'homme sonore.* Ed. Epi, 1977.
- Aucher, M. L.: *Vivre sur sept octaves.* Ed. Hommes et Groupes, 1992.
- Benassi, E.: *Il suono e la musica agli albori della relazione madre-bambino.* En Educazione Prenatale, n° 1, Pavia, Ed. Bonomi, 1996.
- Bertin, M. A.: *La educación prenatal natural: una esperanza para el niño, la familia y la sociedad.* Ed. Mandala, 2006.
- Davis-Floyd, R. y St. John, G.: *Del médico al sanador.* Ed. Creavida, 2004.
- Dolto, C.: *Haptonomía pre y posnatal. Por una ética de la seguridad afectiva.* Ed. Creavida, 2005.
- Fernández del Castillo, I.: *La revolución del nacimiento. Partos respetados, nacimientos más seguros.* Ed. Belacqua, 2008.
- Imbert, C.: *El futuro se decide antes de nacer.* Ed. Desclée de Brouwer, 2004.
- Leboyer, F.: *Por un nacimiento sin violencia.* Ed. Mandala, 2009.
- Murkoff, H., Eisenberg, A. y Hathaway, S.: *Qué se puede esperar cuando se está esperando.* Ed. Medici, 2009.
- Odent, M.: *El Bebé es un Mamífero.* Ed. OB STARE, 2010.
- Odent, M.: *La Cientificación del Amor.* Ed. Creavida, 2001.
- Omraam, M. A.: *Una educación que comienza antes del nacimiento.* Ed. Prosveta, 2001.
- Schmid, V.: *El Dolor del Parto.* Ed. OB STARE, 2010.

- Tomatis, A.: *9 meses en el paraíso: historias de la vida prenatal.* Ed. Biblària, 2001.
- Verny, T.y Kelly, J.: *La vida secreta del niño antes de nacer.* Ed. Urano, 1988.
- Vithouljkas, G.: *Las leyes y principios de la homeopatía en su aplicación prácticas.* Paidós Ibérica, 1997.

Sitios de internet de interés

anepeducacion.blogspot.com
kebuskas.blogspot.com/2009/05/merche-escursell-me-gustaria-que-todas. html
www.aims.org.uk/Journal/Vol14No2/BirthingBabyBreechHome.htm
www.anepeducacion.org
www.birthingnaturally.net/birth/challenges/posterior.html
www.breechbirth.ca/Links.html
www.breechbirth.ca/Research.html
www.coib.cat
www.elpartoesnuestro.es
www.envie-de-chanter.com
www.esserevoce.it
www.homebirth.org.uk/youcant.htm#19
www.partodenalgas.com
www.prenatalmusic.com
www.psychophonie-ifrepmla.com/IFREP/Accueil.php
www.rcog.org.uk/files/rcog-corp/uploaded-files/GT20bManagement_of-BreechPresentation.pdf
www.saludalplato.com